Hans-Dieter Döpmann
Die Russische Orthodoxe Kirche

Hans-Dieter Döpmann

Die Russische Orthodoxe Kirche in Geschichte und Gegenwart

Verlag Hermann Böhlaus Nachf.
Wien - Köln - Graz

ISBN 3-205-00526-0
1977 · Hermann Böhlaus Nachf. Ges. m. b. H.
Wien — Köln — Graz
© Union Verlag (VOB), Berlin 1977
Printed in GDR
Gestaltung: Hans-Joachim Schauß, Gruppe 4

Meiner Frau

Vorwort

In den letzten Jahrzehnten ist es zu einer immer engeren Annäherung und brüderlichen Gemeinsamkeit mit den Christen der Russischen Orthodoxen Kirche gekommen. Um zu einer besseren Kenntnis als Voraussetzung der Verständigung zu verhelfen, unternimmt es die vorliegende Arbeit, die Hauptetappen der Entwicklung dieser Kirche zu skizzieren. Obwohl sich der Verfasser des Problematischen bewußt ist, eine noch nicht abgeschlossene Periode zu beschreiben, ist der Versuch gewagt worden, auch das Wirken der heutigen Russischen Orthodoxen Kirche mit ihrem vielseitigen ökumenischen Engagement und ihrem Friedensdienst darzustellen. Zum leichteren Verständnis und aus drucktechnischen Gründen wird zur Wiedergabe der russischen Namen und Begriffe mit Ausnahme der Literaturhinweise eine populärwissenschaftliche Umschrift benutzt.

Mit Rücksicht auf den Umfang des Buches wurde auf einen wissenschaftlichen Fußnotenapparat verzichtet.

Der Verfasser dankt für alle wertvollen Hinweise beim Abfassen dieser Arbeit. Dank freundlichem Entgegenkommen des Moskauer Patriarchats bestand die Möglichkeit zum Benutzen der Bibliotheken der Leningrader und Moskauer Geistlichen Akademie. Besonderer Dank gilt der stets hilfsbereiten Förderung sowie der Unterstützung beim Beschaffen des Bildmaterials durch Se. Eminenz Metropolit Filaret von Berlin und Mitteleuropa, Exarch des Moskauer Patriarchen.

I.

Die Kirche
im Kiewer Staat

1

Die Annahme des Christentums

Die altrussische Nestorchronik berichtet, der Apostel Andreas
habe auf einer Reise vom Schwarzen Meer nach Rom die von
Skandinavien nach Konstantinopel führende «Straße von den
Warägern zu den Griechen» benutzt, die Gründung Kiews als
einer christlichen Metropole geweissagt und das Gebiet des
späteren Nowgorod besucht.

Es finden sich jedoch früheste Spuren einer Berührung mit
dem Christentum erst in der zweiten Hälfte des 9. Jahrhunderts, so in einem Rundschreiben des Patriarchen Photios von
Konstantinopel (858–867, 877–886). Es ist die Zeit, in der
sich die ostslawischen Stämme unter Teilhabe warägischer
(skandinavischer) Fürsten zum Kiewer Staat (Kiewskaja Rus),
einem frühfeudalen Staatsverband mit den Zentren in Kiew
und Nowgorod, zusammenschlossen.

Möglicherweise gehen diese Anfänge des Christentums auf
griechische Mönche zurück, die während der Bilderstreitigkei-
ten im 8. Jahrhundert über die byzantinischen Kolonien am
Nordrand des Schwarzen Meeres ins ostslawische Gebiet geflohen waren. Den Abschluß eines Vertrages zwischen Fürst
Igor (913–945) und dem Byzantinischen Reich im Jahre 945
beschworen, wie es in der Nestorchronik heißt, dessen christliche Mannen in der Kiewer Eliaskirche, die heidnischen beim
Gotte Perun. Igors Witwe, die Fürstin Olga, die für ihren
noch minderjährigen Sohn Swjatoslaw (946–972) die Regent-

schaft führte, hat im Jahre 957 (das Datum ist in der Forschung umstritten) in Konstantinopel die Taufe empfangen. Von den dort geführten Verhandlungen enttäuscht, wandte sie sich dann im Jahre 959 an den deutschen König Otto I., der den in Trier zum Bischof geweihten Benediktinermönch Adalbert nach Kiew entsandte. Diese Ereignisse blieben jedoch ohne spürbare Wirkung.

Zur Christianisierung des Kiewer Staats entschloß sich erst Swjatoslaws Sohn Wladimir (978–1015). Die Chronikberichte über eine vorherige Prüfung der verschiedenen Religionen lassen trotz ihres legendären Charakters vielfältige Beziehungen zu den Nachbarvölkern sowie die Kenntnis ihrer Kultur und Religionen erkennen: der griechisch-byzantinischen Orthodoxie, des lateinischen Katholizismus, des jüdischen und mohammedanischen Glaubens. Abgesehen von seiner persönlichen religiösen Haltung und der Wahrscheinlichkeit, daß einige der fünf Frauen, die er vor seiner Taufe genommen hatte, Christinnen waren, konnte Großfürst Wladimir nicht übersehen, welche Bedeutung die Annahme des Christentums für die Anerkennung im Kreise der damaligen christlichen Mächte darstellte.

Seinen Entscheid für das orthodoxe Christentum erleichterte möglicherweise die byzantinische Konzeption des Verhältnisses von Staat und Kirche mit ihrer Vorstellung der von Gott verliehenen Machtfülle des irdischen Herrschers. Als Vorbild konnte den Kiewern das im 9. Jahrhundert nach kurzer und enttäuschender lateinischer Zwischenphase von Byzanz her christianisierte Erste Bulgarenreich dienen, nicht zuletzt durch das dort auf der Basis des sogenannten Kyrillischen Alphabets entwickelte altbulgarisch-kirchenslawische Schrifttum. Demgegenüber war bei den katholischen Westslawen, den Polen und Tschechen, die lateinische Kirchensprache eingeführt worden.

Den konkreten Anlaß gab schließlich ein von Byzanz unterbreitetes Ersuchen um militärische Hilfe. Dabei erreichte es Wladimir, gegen das Versprechen, sich taufen zu lassen, die Schwester der byzantinischen Kaiser, Anna, zur Frau zu bekommen und somit sein und des Kiewer Staates Ansehen zu erhöhen. Angesichts der Widersprüchlichkeit der Quellen bleibt es offen, ob die Taufe in Kiew oder Korsun (Cherson) auf der Krim, im Jahre 988 oder 989 stattfand. Nach befohlener Massentaufe der Kiewer im Dnepr und Zerstörung der heidnischen Kultstätten entstanden vielerorts zunächst aus Holz gezimmerte Kirchen. Auf jenem Kiewer Hügel, wo vordem die Statuen des Perun und anderer Gottheiten standen, errichtete man eine Basilioskirche und in Nowgorod eine Sophienkirche, die bereits mit dreizehn Kuppeln bekrönt gewesen sein soll. Byzantinische Architekten erbauten, unter Berücksichtigung einheimischer Stilelemente, 989–996 in Kiew eine erste, der Gottesmutter geweihte Steinkirche, auch Zehntkirche genannt (Desjatinnaja zerkow), weil Wladimir zu ihrem Unterhalt den zehnten Teil seiner Einkünfte zu geben gelobte.

Mit den aus Byzanz gekommenen Geistlichen verbreiteten sich christlich-byzantinische Rechtsauffassungen. Laut Chronik forderten die Bischöfe vom Großfürsten, er solle zur Bekämpfung des damals verbreiteten Räuberunwesens die Schuldigen nach byzantinischer Rechtsauffassung hinrichten, statt, nach altrussischem Brauch, nur Geldstrafen aufzuerlegen. Wladimirs allerdings nur in späteren Handschriften erhaltener «Ustaw» (Statut) mit ersten Festlegungen über die Rechtsstellung der Kirche im Kiewer Staat beruft sich ausdrücklich auf den griechischen Nomokanon, die für Byzanz charakteristische Verbindung kaiserlicher Gesetze (nomoi) und kirchlicher Rechtsbestimmungen (kanones) in einem einheitlichen Gesetzeswerk, für dessen slawische, den dortigen Verhältnissen angepaßte Fassungen bald die Bezeichnung «Kormtschaja kniga» (Steuermannsbuch, von griech. pedalion) üblich wurde. Bereits dieser «Ustaw» erkannte der Kirche die Rechtsprechung in den wichtigsten Familienangelegenheiten, Scheidungen, Besitz- und Erbstreitigkeiten, zu.

Während im Gebiet von Tmutorokan am Asowschen Meer und in Wolynien, wo der Großfürst die nach ihm genannte Stadt Wladimir gründete, bereits vordem christliche Gemeinden bestanden, stieß die Christianisierung nicht nur in Nowgorod, das damit wohl auch seine Eigenständigkeit unter Beweis stellen wollte, vielfach auf heftigen, von heidnischen Wahrsagern und Zauberern organisierten Widerstand, und wird sich anfangs nur in einigen Zentren des Kiewer Staates durchgesetzt haben. Sie blieb zunächst noch recht äußerlich, zitiert es doch selbst die Nestorchronik als Volksmeinung: «Wäre dieser Glaube nicht gut, so hätten ihn der Fürst und die Bojaren gewiß nicht angenommen.» Die heidnische Religion war mit der Vernichtung ihrer Kultstätten nicht überwunden. Heidnische Elemente verbanden sich mit dem christlichen Glauben zu jenem sogenannten «Doppelglauben» (dwojewerije), mit dem die russische Kirche noch lange zu ringen haben sollte.

Über die Anfänge des geistlichen Lebens lassen uns die Quellen im unklaren. Aus Byzanz werden nur wenige Geistliche gekommen sein. Auch bedurfte das des Griechischen unkundige Volk von vornherein des slawischen Gottesdienstes. So liegt die Vermutung nahe, daß außer slawisch sprechenden Priestern aus dem zweisprachigen byzantinischen Grenzgebiet Geistliche aus Bulgarien gekommen waren und von dort die kirchenslawischen Gottesdienstformulare und weiteres Schrifttum mitgebracht hatten. Wladimir befahl, wohl vorwiegend zur Heranbildung eines eigenen Klerus, «die Kinder der angesehensten Männer zu holen, damit sie in der Schrift unterwiesen würden». Laut Chronik fand dies keineswegs ungeteilte Zustimmung: «Die Mütter dieser Kinder aber weinten sehr, denn sie waren noch nicht im Glauben gefestigt. Sie beweinten sie wie Tote.»

Unklar bleibt ferner, wie viele Bischofssitze und in welchen Orten errichtet wurden. Die aus dem völligen Schweigen der Quellen über den jurisdiktionellen Status der Kirche des Kiewer Reiches vor dem Jahre 1039 abgeleitete Hypothese, diese habe nicht dem Patriarchen von Konstantinopel, sondern dem bulgarischen Patriarchen unterstanden, läßt sich nicht beweisen und entbehrt der Glaubwürdigkeit.

Zu Wladimirs Lebzeiten zeichneten sich erst die Anfänge der russischen Kirche ab. Aber als dem Bringer des christlichen Glaubens sah das gläubige Volk in ihm bald einen Heiligen, verehrt ihn die russische Kirche als den Apostelgleichen.

2
Das Gestaltwerden
der russischen Kirche

Noch zu Lebzeiten hatte Wladimir seine Söhne in den verschiedenen Teilen des Kiewer Staates als «Possadniki» (Statthalter) eingesetzt, die dem Großfürsten von Kiew untertan und abgabepflichtig blieben. Ihre Interessen als Feudalherren ließen sie jedoch nach eigenem Machtzuwachs streben. Als der in Nowgorod residierende Jaroslaw die Abgaben nach Kiew verweigerte, verhinderte nur Wladimirs Tod (1015) einen Feldzug gegen den eigenen Sohn.

Es kam zum blutigen Zwist der Brüder um die Kiewer Thronnachfolge. Nachdem Swjatopolk die Macht an sich gerissen hatte, ließ er seine Brüder, die Fürsten Boris von Rostow und Gleb von Murom, ermorden. Als Märtyrer und Symbol christlicher Gewaltlosigkeit verehrt, wurden sie mit ihrer Kanonisierung im Jahre 1019 die ersten russischen Heiligen. Obwohl sich Swjatopolk mit den Petschenegen im Osten verbündete und ihm sein Schwiegervater, der polnische Herrscher Bolesław I. Chrobry (992–1025) zu Hilfe eilte, vermochte ihn der aus Nowgorod heranziehende Jaroslaw endgültig zu besiegen und herrschte, indem er 1024 auch Mstislaw in Tmutorokan überwand, von 1019 bis 1054 als Großfürst von Kiew.

Jaroslaw, genannt der «Weise» (Mudry), hielt die Macht fest in seiner Hand, band Nowgorod enger an Kiew und festigte die Grenzen des Staates. Das unter Bolesław polnisch gewordene Gebiet konnte zurückgewonnen werden. In den Randgebieten entstanden neue Städte, darunter Jaroslawl an der Wolga und die nach Jaroslaws Taufnamen Georgi bzw. Juri benannte Stadt Jurjew (Dorpat, Tartu). Sein Bemühen um friedliche Beziehungen zu den Nachbarn zeigte sich auch in vielfältigen dynastischen Verbindungen. Polens Herrscher Kasimir I. (1034–1058) heiratete die Schwester Jaroslaws und dessen Sohn und Nachfolger Isjaslaw (1054–1068, 1069 bis 1073, 1076–1078) die Schwester Kasimirs. Jaroslaws Töchter wurden zu Frauen von französischen, norwegischen und ungarischen Königen. Drei seiner Söhne hatten deutsche Frauen, einer eine griechische.

Unter Jaroslaws Regierung wurden weitere Maßnahmen zur Ordnung von Staat und Kirche getroffen. Die unter Jaroslaw zusammengestellte, unter seinen Söhnen überarbeitete (z. B. Abschaffung der Blutrache) und schließlich um den «Ustaw» des Großfürsten Wladimir Monomach (1113–1125) erweiterte Rechtssammlung «Russkaja prawda» («prawda» bedeutet zugleich «Recht» und «Wahrheit») stützte sich auf überkommenes ostslawisches Rechtsdenken und zeigte zunächst nur geringen christlich-byzantinischen Einfluß. Dagegen befaßt sich das ebenfalls nur in späterer Überarbeitung erhaltene «Kirchenstatut (Zerkowny ustaw) des Großfürsten Jaroslaw» mit den Rechten der Geistlichkeit, bekräftigt unter Berufung auf den Nomokanon und die Überlieferungen der Kirchenväter eine gewisse Gerichtshoheit des Metropoliten und der Bischöfe auch in weltlichen Dingen.

In einer Zeit, in der der christliche Glaube das gesamte gesellschaftliche Leben mitprägte, war eine Einflußnahme der Kirche auf alle Lebensbereiche selbstverständlich. Allmählich wurde es üblich, daß sich die Fürsten mit den Bischöfen und anderen Geistlichen in wichtigen Fragen berieten. Schließlich stellten Klerus und Mönche den gebildetsten Teil der damaligen Gesellschaft dar. Durch den Abt Feodossi des Kiewer Höhlenklosters bürgerte sich seit dem 11. Jahrhundert der Brauch ein, sich einen Beichtvater, und zwar häufig einen Mönchspriester, auszuwählen. Vor Feldzügen holten die Fürsten den Segen des Metropoliten und der Synode ein. Sie wandten sich zur Schlichtung von Streitigkeiten an den Metropoliten und beschworen ihre Verträge durch Küssen des ihnen vom Metropoliten oder einem Bischof dargereichten Kreuzes. Mit schweren Strafen bedrohte die Kirche den, der die von ihr vertretenen Normen verletzte. Ihr Verdammungsspruch: «Unser Segen sei für dieses und das künftige Leben von dir genommen» hatte für den Betroffenen schwerwiegende Folgen und zwang selbst Fürsten zur Buße.

Das illustriert die Vita des heiligen Feodossi. Als nach Ja-

roslaws Tod (1054) unter dessen Söhnen blutiger Zwist aus-
brach und Swjatoslaw im Jahre 1073 seinen rechtmäßig auf
dem Kiewer Großfürstenthron sitzenden Bruder Isjaslaw ver-
trieben hatte, verweigerte, wie es heißt, Abt Feodossi jede Anerkennung Swjatoslaws und unterstützte die Opposition
gegen ihn. Drohungen konnten den Asketen nicht schrecken.
Schließlich sah sich Swjatoslaw zum Nachgeben gezwungen.

Grundsätzliche Erwägungen über das Verhältnis der Herrscher zur Kirche fanden sich im Kiewer Staat nur im Ansatz.
Laut Nestorchronik hatte man Wladimir darauf hingewiesen,
er besäße seine Macht «von Gott, um die Bösen zu strafen
und den Guten Barmherzigkeit zu erweisen». In seiner «Be-
lehrung an die Brüder» schrieb der Nowgoroder Bischof Luka
Shidjata (1034–1054, 1057–1059): «Fürchtet Gott, ehrt den
Fürsten: wir sind zuerst Gottes, aber dann des Herrschers
Knechte.» Der Kiewer Metropolit Nikifor (1103–1121) erklärte in einem Schreiben an Wladimir Monomach: «Die von
Gott erwählten und zu seinem wahren Glauben berufenen
Fürsten müssen die Lehre Christi als die feste Grundlage der
Kirche gut kennen, damit sie selbst durch Erbauung und Belehrung der ihnen von Gott anvertrauten Menschen der Kirche Unterstützung gewähren können.» Schließlich legte Großfürst Wladimir Monomach in der wohl kurz vor seinem Tode
(1125) verfaßten «Poutschenije» (Belehrung) seinen Söhnen
die Unterstützung der Kirche und ein gutes Einvernehmen
mit der Geistlichkeit nahe: «Was die Bischöfe und Priester
und Äbte betrifft, so empfanget voller Liebe von ihnen den
Segen und wendet euch nicht von ihnen und liebt und be-
schirmt sie nach Kräften, damit sie für euch zu Gott beten.»
Obwohl die Quellen aus der Kiewer Zeit mehr dem vom
Glauben geprägten Wunschbild als den Realitäten entsprechen, spiegeln sie doch ein Anknüpfen an das byzantinische
Ideal eines harmonischen Zusammenwirkens (symphonia)
der weltlichen und geistlichen Gewalt in gleichberechtigtem
Nebeneinander wider.

Dabei war sich offenbar schon Jaroslaw als Haupt des Kiewer Feudalstaates zugleich seiner Würde als christlicher Herrscher bewußt. In seiner Bautätigkeit und der Förderung von

Kunst und Kultur wollte er etwas Konstantinopel Vergleichbares schaffen. Nach dem Vorbild der dortigen Hagia Sophia, aber doch zugleich Eigenes ausdrückend, entstanden die gewaltigen steinernen Sophienkathedralen in Kiew, Nowgorod und Polozk. Mit gleicher Bezeichnung wie in Konstantinopel baute man ein Goldenes Tor als Hauptzugang zur Stadt Kiew.

Möglicherweise erhielt die Kirche des Kiewer Staates erst zur Zeit Jaroslaws eine straffere jurisdiktionelle Gliederung. Obwohl sie aller Wahrscheinlichkeit nach von Anfang an dem Patriarchen in Konstantinopel unterstand, vermerken die Quellen erst für das Jahr 1039 die Entsendung eines Metropoliten, des Griechen Feopempt (Theopemptos), als Oberhirten nach Kiew. Für ihn wurde an der Sophienkathedrale eine «Metropolie» begründet, was wohl soviel wie eine Metropolitanverwaltung bedeuten soll.

Seit dem 10. Jahrhundert war es üblich geworden, daß der Patriarch, unter Ausschluß der Lokalsynoden, mit Hilfe seiner «Haussynode» (synodos endemousa) die Metropoliten einsetzte. Dieses Gewohnheitsrecht praktizierte er nun in bezug auf die russische Metropolie, um Byzanz einen entsprechenden Einfluß auf den Kiewer Staat zu sichern. Dem versuchte Jaroslaw schon bald zu entgehen. Nachdem in Nowgorod bereits seit 1034 ein Russe, Luka Shidjata, den Bischofsstuhl innehatte, ließ der Großfürst von einer Bischofssynode, offenbar ohne das Einverständnis des Patriarchen eingeholt zu haben, im Jahre 1051 in Gestalt des für die damalige Zeit hochgebildeten Ilarion den ersten Metropoliten russischer Abstammung einsetzen.

Noch als Geistlicher an der Apostelkirche von Berestowo vor den Toren Kiews hatte sich Ilarion jene Höhle als Gebets- und Meditationsstätte geschaffen, aus der bald das Kiewer Höhlenkloster hervorging. In seinem «Wort über Gesetz und Gnade», das als Höhepunkt einen Lobpreis auf den Fürsten Wladimir enthält und möglicherweise in den vierziger Jahren am Sarkophag Wladimirs in der Kiewer Kirche der Gottesmutter (Zehntkirche) als Gedenkrede gehalten worden ist, hatte Ilarion die Christianisierung des Kiewer Staates glorifiziert und damit aus kirchlicher Sicht die Bedeutung dieses Staates sowie der ihn repräsentierenden Großfürstenmacht in bis dahin einmaliger Weise herausgestellt. In heilsgeschichtlicher Sicht zeigte Ilarion, daß die Kiewer Rus hinter den älteren christlichen Ländern nicht zurückstehe. Konnten sich jene darauf berufen, von den Aposteln missioniert worden zu sein, so schenkte Gott den Russen einen «Apostel unter den Herrschern», indem er Wladimir durch direkte Offenbarung bekehrte und berief, seinem Volk den Glauben zu bringen. Er, der «Apostelgleiche», der «Nachahmer des großen Konstantin», habe durch die Bekehrungstat sein Reich in ein blühendes Land Gottes verwandelt, in dem Wunder geschehen und das von Lobgesängen erfüllt ist.

Es bleibt umstritten, ob Ilarions «Wort» in antibyzantinischem Sinne interpretiert oder als Vorbereitung einer Heiligsprechung des Großfürsten Wladimir verstanden werden kann. Jedenfalls ist mit Ilarions Gedanken, daß das Volk der Rus, einst in der Finsternis des Heidentums gefangen, selbst zum Heilsträger geworden sei, die Grundlage jener Vorstellung vom «Heiligen Rußland» (Swjataja Rus) begründet worden, die später im kirchlichen Denken verankert blieb.

Im 12. Jahrhundert wurde diese Vorstellung besonders von den Mönchen des Kiewer Höhlenklosters mit dem Ziel fortentwickelt, das Vorhandensein eigener russischer Heiliger, Märtyrer und Reliquien nachzuweisen. Es sei nur andeutungsweise auf das einem Mönch Jakow zugeschriebene «Gedächtnis- und Preiswort auf den russischen Fürsten Wladimir» mit einem Bericht von den unverweslichen Reliquien der Fürstin Olga verwiesen und auf den Mönch Nestor, in dessen «Erzählung vom Leben und Tod der seligen Dulder Boris und Gleb» nicht nur von den wundertätigen Reliquien dieser beiden als Märtyrer verehrten Fürsten, sondern in Anlehnung an das Gleichnis von den Arbeitern im Weinberg von der Erwählung und Berufung der Russen in der letzten Stunde gesprochen wird. Schließlich wurde die Legende von der Reise des Apostels Andreas vermutlich von Silvester, dem Abt des Kiewer Wydubizki-Klosters, in die von ihm überarbeitete Nestorchronik eingeschoben.

Trotz des Gedankens, daß die Russen geistlich mündig seien, eine selbständige Bedeutung neben anderen Völkern besäßen und keiner wie auch immer gearteten Bevormundung bedürften, blieb die kirchliche Bindung an Byzanz erhalten. Schon wenige Jahre nach Ilarions Einsetzung hatte erneut ein von Konstantinopel entsandter Grieche den Metropolitenstuhl inne. Von den dreiundzwanzig Kiewer Metropoliten der vormongolischen Periode (bis 1237) waren nur drei Russen. Die Kiewer Metropoliten hatten während der Zeit ihrer Unterstellung unter Byzanz, das heißt bis zum Jahre 1448, alle zwei Jahre in Konstantinopel zu erscheinen und Rechenschaft abzulegen, im Krankheits- oder sonstigen Verhinderungsfall war von ihnen ein Vertreter zu entsenden. Bei Streitfällen innerhalb des Klerus oder gegenüber den weltlichen Mächten galt der Patriarch von Konstantinopel als höchste Rechtsinstanz für die russischen Metropoliten und Bischöfe. Er ließ durch Bevollmächtigte Streitigkeiten an Ort und Stelle klären und zitierte gegebenenfalls die Beteiligten zu weiteren Verhandlungen nach Konstantinopel.

Allerdings beschränkte sich der byzantinische Einfluß nicht auf die jurisdiktionellen Bindungen. Die Rus hatte von dort den christlichen Glauben übernommen und wußte sich darin, wie es durchaus auch Ilarion betonte, eins mit den Byzantinern. Dabei war die Kirche des Kiewer Staates zur Festigung des Glaubens zumindest anfangs darauf angewiesen, an geistig-literarischem Gut von dort, beziehungsweise in slawischer Übersetzung aus Bulgarien, zu übernehmen, was sich bereits fertig erarbeitet bot.

3

Das Verhältnis zum römischen Katholizismus

Im selben Jahre 1054, in dem Großfürst Jaroslaw starb, begann das Große Schisma, die bis heute während Trennung der östlichen und der westlichen Christenheit. Wie schon davor hat die katholische Kirche auch weiterhin in verschiedener Weise versucht, in Rußland Einfluß zu gewinnen. Durch die vielfältigen Handelsbeziehungen, diplomatischen und dynastischen Verbindungen zu den Ländern mit lateinischem Christentum boten sich immer wieder Anknüpfungspunkte. Die bereits erwähnte, von der Fürstin Olga angeregte Entsendung des Bischofs Adalbert von Trier (961/62) blieb ohne Ergebnis. Doch wurde Adalbert 968 Erzbischof des von Otto I. in Magdeburg gegründeten Missionszentrums für den Osten. Über den Aufenthalt der von Papst Benedikt VII. im Jahre 977 zu Fürst Jaropolk (972–978) Entsandten ist kaum etwas bekannt. Als Wladimirs Sohn Swjatopolk, damals Fürst von Turow, die Tochter des Polenherrschers Bolesław I. Chrobry heiratete, soll letzterer den Bischof Reinbern von Kolberg mit nach Turow geschickt und durch diesen Swjatopolk zum Aufbegehren gegen den Vater veranlaßt haben. Reinbern starb 1013 in der Haft in Kiew.

Auch die übrigen Kontakte blieben wirkungslos. Wohl tauschte beispielsweise Wladimir Gesandtschaften mit den Päpsten Johannes XV. (985–996) und Silvester II. (999 bis 1003) aus. Aber als der Missionserzbischof Bruno von Querfurt im Jahre 1007 nach Kiew kam, wurde er nach eigenen Angaben bereits wenige Wochen später von Wladimir zu den heidnischen Petschenegen weitergeleitet. Etwas engere Beziehungen ergaben sich unter Jaroslaws Sohn Isjaslaw, der den Großfürstenstuhl dreimal innehatte (1054–1068, 1069 bis 1073, 1076–1078). Wiederholt auf der Flucht, fand er Hilfe und Unterstützung beim polnischen König Bolesław II. (1058 bis 1079), dem deutschen König Heinrich IV. (1056–1106) sowie dessen Gegenspieler Papst Gregor VII. (1073–1085).

Ebensowenig wie der 1054 vollzogene Trennungsakt zeitigte das seit dem 4. Kreuzzug bestehende Lateinische Kaiserreich von Konstantinopel (1204–1261) im Kiewer Staat unmittelbare Folgen, verstärkte aber das Bewußtsein der bestehenden Gegensätze.

Eine erste scharfe Polemik findet sich in einem Schreiben Feodossis vom Höhlenkloster an Großfürst Isjaslaw. «Wer aber nach einem anderen Glauben lebt», heißt es darin, «sei

19

es nach dem lateinischen oder dem armenischen, der wird das ewige Leben nicht sehen.» Ohne die Armenier weiter zu erwähnen, ermahnt der Verfasser, sich nicht von Anhängern des lateinischen Glaubens betrügen zu lassen, «sich mit ihnen weder zu paaren noch zu verbrüdern, sie weder zu grüßen noch zu küssen und mit ihnen aus einem Gefäß weder zu essen noch zu trinken noch von ihnen irgendeine Speise anzunehmen». Begründet wird dies mit der fehlenden Bilderverehrung, den Abweichungen im Taufritus, der Bußpraxis («Wenn sie Sünden begehen, bitten sie nicht Gott um Vergebung, sondern ihre Priester vergeben ihnen nach ihren Geschenken»), dem Priesterzölibat («Ihre Priester aber gehen nicht eine gesetzliche Ehe ein, sondern bekommen Kinder von ihren Mägden, deren Dienste gestattet sind»), sowie dem Einschub des «filioque» ins Glaubensbekenntnis, demzufolge der Geist vom Vater und vom Sohn ausgeht. Weitere Vorwürfe über die Lebenshaltung der lateinischen Christen grenzen ans Groteske.

Einiges erinnert an die byzantinische Polemik, zum Beispiel die Enzyklika vom Jahre 867, mit der Patriarch Photios von Konstantinopel im Streit um die Christianisierung Bulgariens alle östlichen Patriarchen zur Verteidigung des orthodoxen Glaubens aufrief. Die zum Teil absurden Vorwürfe deuten darauf hin, daß man in Kiew über die katholischen Christen nur noch vom Hörensagen Bescheid wußte. Die Kirchenspaltung wurde nun vielfach als heilsentscheidender Gegensatz empfunden und sollte bald als konfessionelle Untermauerung der politischen Gegensätze zu den nichtorthodoxen Nachbarn führen.

4

Die Anfänge
des russischen Mönchtums

Bereits vor der offiziellen Annahme des Christentums erfuhr der christliche Glaube eine gewisse, allerdings nicht näher bestimmbare Verbreitung im Kiewer Staat. Dabei muß mit einem gleichzeitigen Eindringen des in Byzanz stark entwickelten monastischen Ideals gerechnet werden. Vermutlich haben während des Bilderstreits aus Byzanz geflohene Mönche im Gebiet der Ostslawen Zuflucht gesucht. Archäologische Funde aus dem 8. und 9. Jahrhundert auf der Krim und am oberen Don deuten, wie dies auch im Balkangebiet geschah, auf Niederlassungen von Mönchen in dort gefundenen Höhlen hin.

Konkrete Kenntnisse besitzen wir jedoch erst aus der Zeit nach der Christianisierung. Die Erwähnung eines Kiewer «monasterium sanctae Sophiae» im Chronicon des Thietmar von Merseburg unter dem Jahre 1018 bezog sich vielleicht nur auf eine kanonische Lebensweise am dortigen Bischofssitz. Dagegen bezieht Ilarion in seinem «Wort» die Bemerkung, «auf den Bergen wurden Klöster errichtet», bereits auf die Zeit Wladimirs. Die Notiz der Nestorchronik vom Jahre 1037: «und die Mönche begannen sich zu mehren», läßt auf ein schon verbreitetes Mönchtum schließen.

Unter demselben Jahre 1037 lesen wir von einem Georgi- und einem Irina-Kloster in Kiew, sie trugen die christlichen Namen Jaroslaws und seiner Frau. Isjaslaw stiftete in Kiew das Dmitrijewski- und Wsewolod (1075–1076, 1078–1093) das Michailowski-Wydubizki-Kloster. Bald entstanden in allen Fürstenresidenzen Mönchs- und Nonnenklöster. Es handelte sich hierbei, byzantinischer Tradition folgend, um sogenannte Ktitor-(Stifter-)Klöster, wie sie im Kiewer Staat vorherrschend blieben. Diese von einem Fürsten, Bischof oder anderen Wohlhabenden begründeten Klöster wurden von ihrem Stifter mit Geld und Ländereien dotiert, dort betete man für sein und seiner Angehörigen Seelenheil. Oft zog sich der bejahrte Stifter in solch ein Kloster zurück und fand dort seine letzte Ruhestätte. Nach byzantinischem Vorbild konnte der Stifter auf die Wahl des Abtes, die Verwaltung, ökonomische Fragen und sogar auf die liturgische und disziplinäre Praxis Einfluß nehmen.

Als in geistlicher Hinsicht bedeutsamer galten jedoch die von einzelnen, oft aus dem einfachen Volk stammenden Asketen «in Tränen, Fasten und Beten» begründeten Klöster. Zu ihnen gehörte als bedeutendstes das Kiewer Höhlenkloster. Sein Ursprung wird auf Ilarion zurückgeführt, der als Priester der Kirche von Berestowo am Dnepr-Hang eine Höhle grub, in

die er sich häufig zu ungestörtem Gebet zurückzog, bis ihn
Großfürst Jaroslaw 1051 zum Metropoliten bestimmte. Als
eigentlicher Begründer gilt der Einsiedler Antoni (gest. 1073),
der sich in Ilarions Höhle niederließ. Auf einer Wanderung
hat er wohl auch das Mönchsleben auf dem Athos kennengelernt. Als einer der ersten Äbte leitete der bereits erwähnte
Feodossi 1062–1074 die inzwischen hier zusammengekommenen Mönche. Schon etwa 1054 hatte sich bei Antoni der
«große Nikon» niedergelassen. Er hat die Entwicklung des
Klosters mitgeprägt, schützte es vor fürstlichen Eingriffen und
wurde in den 80er Jahren dessen Vorsteher. Ob es sich dabei
um den durch den griechischen Metropoliten Jefrem ersetzten
Ilarion gehandelt hat, der beim Erhalt der orthodoxen zweiten
Mönchsweihe, dem Großen Schima, den Namen Nikon annahm, wird sich wohl nie erhellen lassen.

Die zunehmende Zahl der Mönche machte außer einer Erweiterung der Höhlen schon bald den Bau einer Kirche und
weiterer Anlagen oberhalb der Erde notwendig. Laut Nestorchronik führte Feodossi im Höhlenkloster den «ustaw» (Ordnung, Regel) des Studiu-Klosters im Westen von Konstantinopel ein, von dem unter seinem Abt Theodoros Studites Anfang des 9. Jahrhunderts eine Reformbewegung des byzantinischen Mönchtums ausgegangen war. Vom Höhlenkloster,
heißt es weiter, hätten alle russischen Klöster diese Ordnung
übernommen. Es wird sich zunächst nur um die Gottesdienstordnung und Disziplinarvorschriften gehandelt haben, die der
jeweilige Gründer oder Abt nach eigenen Vorstellungen mit
der lebendigen Tradition der östlichen Mönchsväter verband.
Da aus den ersten Jahrhunderten des russischen Mönchtums
keine schriftlich festgelegten Regeln bekannt sind, scheint die
Lebensordnung der einzelnen Klöster zunächst mündlich tra-
diert worden zu sein.

Die etwa siebzig bis zur Mitte des 13. Jahrhunderts entstandenen Klöster fanden sich zunächst in der Nähe der wichtigsten Handels- und Wasserwege, seit Mitte des 12. Jahrhunderts auch im Nordosten, den Gegenden von Rostow, Susdal
und dem von Wladimir Monomach begründeten Wladimir an
der Kljasma. Weiter vordringende Einsiedler erreichten bereits

das nördlich der Wolga gelegene Transwolgagebiet (Sawolshije). Sie bereiteten die Errichtung von Klöstern und die kolo-
nisatorische Erschließung des Gebietes bis zum Weißen Meer
(Pomorje) vor.

Überragende Bedeutung behielt jedoch das Kiewer Höhlenkloster. Aus ihm gingen allein im 11. und 12. Jahrhundert
nicht weniger als fünfzehn Bischöfe hervor, und hier entfaltete sich das älteste Zentrum des russischen geistlichen Schrifttums.

5

Bildung und geistliches Schrifttum

Die Ostslawen verfügten über eine bereits entwickelte materielle Kultur. Auch gibt es Hinweise, daß bei ihnen die Schreib-
kunst spätestens seit Anfang des 10. Jahrhunderts nicht unbekannt war und zum Beispiel die Verträge mit Byzanz von
912 und 944 ins Altrussische übertragen wurden, während
man die Volksdichtung noch mündlich tradierte. Die Entfaltung eines Schrifttums im Kiewer Staat erfolgte jedoch erst in
Zusammenhang mit der Annahme des Christentums, durch
das Einfließen christlich-byzantinischen Schriftgutes vor allem
in slawischer Übersetzung und Bearbeitung aus Bulgarien und
Serbien.

Im Jahre 862 von Byzanz nach Mähren entsandt, hatten für
die dortige Kirche die aus Thessalonike (Saloniki) stammenden Brüder Konstantin — dieser erhielt kurz vor seinem Tode
(869) beim Eintritt in den Mönchsstand den Namen Kyrill —
und Method ein slawisches Alphabet geschaffen. Die Buchstaben
dieses sogenannten «glagolitischen» Alphabets entlehnten sie
großenteils der griechischen kursiven Minuskel sowie einigen
orientalischen Schriftzeichen. Mit seiner Hilfe schufen sie slawische Übersetzungen der Evangelien nebst weiterer biblischer
und liturgischer Texte sowohl ihres eigenen byzantinischen
als auch des in Mähren vorgefundenen lateinischen Ritus.

Nachdem Papst Stephan V. im Jahre 885 die slawische Liturgie verboten hatte, konnte sich dieses Schrifttum im ortho-

doxen, seit 864 christianisierten Ersten Bulgarenreich weiterent-
wickeln. Anstelle des nur noch von wenigen Gelehrten verwen-
deten komplizierten «glagolitischen» Alphabets ging man aber
zu einem neuen und geeigneteren, wohl erst in Bulgarien
entstandenen und deshalb fälschlich als «kyrillisch» bezeichneten Alphabet über, das vorwiegend auf Elementen der griechischen Unzialschrift beruhte. Der Kiewer Staat konnte bei
der Annahme des Christentums ein beachtlich entfaltetes
Schrifttum übernehmen, zumal die altbulgarisch-kirchenslawische Sprachform den Ostslawen gut verständlich war. Zur
Norm wurde das «kyrillische» Alphabet, obwohl zunächst auch
einzelne «glagolitische» Handschriften in Gebrauch waren wie
die sogenannten «Kiewer Blätter» aus dem 10. Jahrhundert.

Entsprechend den Bedürfnissen der kirchlichen Verkündigung und Unterweisung besaß das altrussische Schrifttum zunächst vorwiegend religiösen Charakter. Die Großfürstenmacht
unterstützte seine Entfaltung sowie die notwendige Bildungsarbeit. Schon Wladimir, der wohl selbst des Lesens unkundig
war, nötigte die Söhne der Vornehmen zum Unterricht. Sein
Sohn Jaroslaw der «Weise» gehörte bereits zu einer gebilde-
teren Generation und förderte diese Ansätze in umfassende-
rem Maße. Wie die Chronik berichtet, las Jaroslaw selbst «tags
und nachts» und sammelte um sich einen Kreis von Schreibern.
Sie schrieben viele Bücher ab und übersetzten andere vom
Griechischen ins Slawische. Besonders die Klöster, unter denen auch in dieser Hinsicht das Kiewer Höhlenkloster hervor-
ragte, wurden zu Zentren der Abschreibe- und Übersetzungstätigkeit, zu Pflanzstätten eigenen literarischen Schaffens. In
Klöstern und bei größeren Kirchen begannen Bibliotheken zu
entstehen, die Geistlichkeit wurde angehalten, Unterricht zu
erteilen.

Im Vordergrund standen zunächst die unmittelbar für Gottesdienst und kirchliche Unterweisung benötigten Schriften.
Als meist benutzter Teil des Alten Testaments war der Psalter
im 11. Jahrhundert verbreitet, als Handreichung zur Unterweisung vielfach in Gestalt des «Kommentierten Psalter» (tol-
kowaja psaltir). Dagegen benutzte man den sogenannten
«Weissage-Psalter» (gadatelnaja psaltir) außerkirchlich zum

Wahrsagen. Die im Gottesdienst benutzten alttestamentlichen Texte waren im «paremijnik» (Bibelspruchsammlung) zusammengefaßt. Als älteste ostslawische Handschrift eines «Aprakos-Evangelium», einer Zusammenstellung der Lesungen nach der Ordnung des Kirchenjahres, blieb das Ostromir-Evangelium erhalten, das der Diakon Grigori in den Jahren 1056/57 für den Statthalter von Nowgorod, Ostromir, anfertigte. Als vollständiger Evangelientext (Tetraevangelium) sei das Galizische Evangelium von 1144 erwähnt. Diesen Textanordnungen entsprechende ostslawische Handschriften des «Apostel» (Apostelgeschichte und Apostelbriefe) sind aus dem 12. und 13. Jahrhundert erhalten geblieben. Es waren auch andere Einzelschriften der Bibel verbreitet, zumal die Heilige Schrift nicht nur als gottesdienstliches Buch, sondern, wie es im «Sammelband» (Isbornik) des Fürsten Swjatoslaw vom Jahre 1073 heißt, als Inbegriff allen Wissens galt. Eine vollständige Bibelausgabe ist jedoch erst während des 15. Jahrhunderts im Moskauer Staat geschaffen worden.

Orthodoxe Gottesdienste und Frömmigkeit erfordern ein umfassendes liturgisches und hagiographisches Schrifttum. Die Viten der Heiligen als Vorbilder eines vom Geist erfüllten Lebens nahmen in ihrer stilisierten Ausprägung einen breiten Rahmen ein. Sei es als «Menäen» (minei), nach Monaten und Tagen geordnete Auszüge für die Verlesung im Gottesdienst, sei es als «Väterbuch» (paterik), eine Zusammenstellung kurzer Erzählungen oder vollständiger Heiligenviten. Neben dem schon im 11. Jahrhundert in der Kiewer Rus verbreiteten «Paterikon vom Sinai» und der «Erzählung von den ägyptischen Mönchen» wurde auch das aus dem Abendland stammende «Römische Paterikon» bekannt.

Natürlich traten schon bald neben diese Übersetzungen die Darstellungen eigener, als heilig verehrter Gestalten, beispielsweise der Märtyrerfürsten Boris und Gleb oder der Gründer des Kiewer Höhlenklosters Antoni und Feodossi. So entstand aus der mündlichen Überlieferung, den ältesten Chronikberichten und den sonst nicht erhaltenen Viten von Antoni und Feodossi seit dem 13. Jahrhundert das «Väterbuch» des Kiewer Höhlenklosters.

Schließlich blieb uns eine Reihe von Predigten erhalten, als bedeutendste, sofern es als Gedenkpredigt gehalten worden ist, Ilarions «Wort über Gesetz und Gnade» mit dem Lobpreis auf den Großfürsten Wladimir. Die erhaltenen Klosterpredigten vom Kiewer Abt Feodossi, die Predigten seines Zeitgenossen und ersten Nowgoroder Bischofs russischer Abstammung, Luka Shidjata (1034–1054, 1057–1059), oder die Predigten des Bischofs Kirill von Turow (1130–1189) zeugen von einer eigenständigen Weiterführung überkommener homiletischer Traditionen. Diese standen in Übersetzungen zur Verfügung. Erwähnt seien die Predigten des Johannes Chrysostomos (um 400) im «Slatostruj» (Goldstrom), von dem eine Handschrift aus dem 12. Jahrhundert erhalten blieb, wie auch die Zusammenstellung von Werken der östlichen Kirchenväter und Schriften anderen Charakters in den «Sammelbänden» (isborniki) von 1073 und 1076.

Darüber hinaus hatten bei den Ostslawen die Schriften der griechischen Klassiker und der zeitgenössischen Natur- und Welterkenntnis Eingang gefunden. So verteidigte sich der belesene Bischof Kliment von Smolensk (Kliment Smoljatitsch), den Großfürst Isjaslaw II. (1146–1149, 1150, 1150–1154) zur Zeit des zweiten Kreuzzuges ohne Wissen und Billigung des Patriarchen als zweiten Russen mit dem Metropolitenamt (1147–1154) betraute, in seinem «Schreiben an den Presbyter Foma» gegen den Vorwurf, er stütze sich in seinen Schriften auf Homer, Aristoteles und Plato statt auf die Kirchenväter.

Besonders prägnanten Ausdruck fand das eigene literarische Schaffen in der für den Kiewer Staat charakteristischen Chronikschreibung, vor allem der gewöhnlich als Nestorchronik bezeichneten «Erzählung von den vergangenen Zeiten» (Powest wremennych let). Sie war zur Zeit des Großfürsten Jaroslaw vielleicht am Kiewer Metropolitensitz begonnen und dann im Höhlenkloster unter dem Abt Nikon weitergeführt worden. Die älteste erhaltene Redaktion vom Jahre 1113 führt man auf den Mönch Nestor zurück. Im Gegensatz zu einer ursprünglich graekophilen Tendenz überarbeitete sie 1116 mit betonter Hervorhebung der Verdienste der Kiewer Fürsten der Abt Silvester des Kiewer Wydubizki-Klosters, und dort entstand wenig später die mit dem Jahr 1117 endende Fassung. Sie geht aus von der Aufteilung der Erde durch die Söhne Noahs, berichtet von der Aufsplitterung der slawischen Stämme und beschreibt, manchmal durchaus kritisch, unter Verwendung vielfältigen historischen und legendären Materials, darunter der ältesten Nowgoroder Chronik, das Werden des Kiewer Staates und seiner Fürsten. Die Viten der ersten russischen Heiligen wurden ebenso eingearbeitet wie das «Poutschenije» (Belehrung) des Wladimir Monomach. Neben den in anderen Landesteilen entstandenen Chronikwerken wurde die Nestorchronik zu einer der wichtigsten Quellen unserer Kenntnisse über die Anfänge des Kiewer Staats und der russischen Kirche.

Es ist hier nicht möglich, auf die Vielfalt der Werke nichtkirchlichen Inhalts einzugehen, die in Übersetzungen im Kiewer Staat Verbreitung fanden. Dazu gehörten die zahlreichen «apokryphen» oder häretischen Schriften, die, wie zum Beispiel die dualistischen Lehren des in Bulgarien entstandenen, kirchen- und gesellschaftskritischen Bogomilentums, spürbaren Einfluß ausübten. Die besonders beliebte «Wanderung der Gottesmutter durch die Höllenqualen» sollte noch in Dostojewskis «Brüder Karamasow» ihren Niederschlag finden.

So zeugt die Kiewer Zeit von einer umfassenden Rezeption des damals bekannten Schrifttums, zugleich aber von einem bedeutenden eigenständigen Schaffen.

6

Die Kirche zur Zeit der feudalen Zersplitterung

Die Einheit des die ostslawischen Stämme umfassenden Kiewer Staates blieb infolge der einander widerstreitenden Interessen der einzelnen Feudalherren nicht von Dauer. Großfürst Jaroslaw der Weise (1019–1054) verteilte das Reich in ähnlicher Weise wie vordem Wladimir unter seine Söhne und be-

günstigte damit die Aufsplitterung in eine Anzahl selbständiger Fürstentümer, in denen die Abkömmlinge des weitver-
zweigten Herrschergeschlechtes regierten und sich seit der
zweiten Hälfte des 11. Jahrhunderts in endlosen Fehden um
gegenseitige Vorrechte und den großfürstlichen Thron zu
Kiew stritten.

Obwohl sie auf dem Fürstentag zu Ljubetsch im Jahre 1097
übereinkamen, ihre gegenseitigen Interessen künftig auf
friedlichem Wege abzugrenzen und das Gemeinwohl in den
Vordergrund zu stellen («Warum richten wir das russische
Land zugrunde, indem wir gegeneinander Feindschaft he-
gen ...?»), hat gerade diese Versammlung durch Anerkennen der Unantastbarkeit des «Erblandes» (otschina. «Jeder
herrsche in seinem eigenen Erbland»), also des Besitzes eines
jeden Familienzweiges, den Zerfall des Staates beschleunigt.
Zwar konnte Großfürst Wladimir Monomach (1113–1125)
die Aufspaltung nochmals für kurze Zeit aufhalten. Mit seinem Tode begann endgültig jene Udel-Periode, die Periode
selbständiger (Teil-)Fürstentümer, die bis zur Festigung des
Moskauer Einheitsstaates die russische Staats- und Gesellschaftsordnung bestimmte.

Die «Mutter der russischen Städte», Kiew, dieses reiche
Handelszentrum, dessen Mauern zudem die bedeutendsten
Heiligtümer und den Metropoliten als Haupt der russischen
Kirche bargen, blieb als Großfürstensitz zwar weiterhin be-
gehrtes Streitobjekt. Die zunehmende Eigenständigkeit der
Teilfürstentümer und das damit verbundene Sinken der groß-
fürstlichen Autorität verminderte allerdings das Ansehen der
Stadt immer mehr.

Die Kirche konnte davon nicht unberührt bleiben, insofern
nach byzantinischer Tradition üblicherweise die kirchlichen
mit den weltlichen Struktureinheiten übereinstimmten. Außerdem festigte es das Ansehen eines Fürsten, wenn ihm ein Bischof zur Seite stand, sich seine Residenzstadt durch stattliche
Kirchen und Klöster auszeichnete. Im 11. Jahrhundert gab es
Bischofssitze in Nowgorod, Tschernigow, Perejaslawl, Tmutorokan, Wladimir in Wolynien, Polozk und Turow. Der Verselbständigung neuerer kleiner Fürstentümer entsprechend,

28

lösten sich in der Folgezeit Smolensk, Rjasan, Galitsch, Prze-
mysl, Luzk, Samborsk, Susdal und andere neue Eparchien aus
den bisherigen heraus, so daß sich die Zahl bis zum 13. Jahrhundert auf sechzehn Eparchien erhöhte. Die Fürsten kümmerten sich um die Einsetzung ihnen genehmer Kandidaten
für das Bischofsamt und versuchten nicht selten, sie für ihre
politischen Ambitionen dienstbar zu machen.

Aus der Abhängigkeit vom Kiewer Großfürsten löste sich
das schon immer auf Selbständigkeit bedachte Nowgorod —
der «Herr Groß-Nowgorod» — faktisch heraus, indem um
1136 die Nowgoroder Feudalrepublik entstand, zu der bis
1348 auch die Stadt Pskow gehörte. Repräsentant der Macht
wurde das allerdings von den Besitzenden gelenkte Wetsche,
die Volksversammlung, von der die Inhaber der leitenden
Ämter, darunter der jeweilige in seinen Vollmachten beschränkte Fürst, gewählt wurde. Auch den Bischof, seit 1165
trug er den Titel Erzbischof, wählte man aus drei Kandidaten
durch das Los. Er besaß in Nowgorod den entscheidendsten
Einfluß, da die Finanzen seiner Obhut unterstanden, alle Verträge mit seinem Siegel versehen wurden und er außer einem
dem Fürsten vergleichbaren Hof über eine eigene Streitmacht
verfügte.

Etwa gleichzeitig, seit Beginn des 12. Jahrhunderts, bahnte
sich in den seit dem 8./9. Jahrhundert in verstärktem Maße
besiedelten nordöstlichen Gebieten, in denen bereits im
11. Jahrhundert Boris (in Rostow) und Gleb (in Murom) ge-
herrscht hatten, die Herausbildung eines neuen, mit Kiew
rivalisierenden Schwerpunktes an. Im Rostow-Susdaler Land
gründete Wladimir Monomach mehrere Städte, darunter das
nach ihm benannte Wladimir an der Kljasma. Dort schuf sein
jüngster Sohn, Juri Dolgoruki («Langhand», so wurde er
wegen seiner Versuche benannt, selbst die entferntesten Gebiete, wie Perejaslawl am Dnepr und Nowgorod, in seinen
Besitz zu bringen), ein selbständiges Fürstentum. Zu den von
ihm begründeten Städten gehört das erstmals 1147 erwähnte
Moskau. Als Juri schließlich die ihm wiederholt streitig gemachte Großfürstenwürde erlangte (1149—1150, 1150, 1154
bis 1157), regierte er aber nach altem Brauch in Kiew. Unter

Juris Sohn Andrej Bogoljubski (1157–1175) trat erstmals eine entscheidende Neuerung ein. Nachdem er sich die Großfürstenwürde erkämpft und 1169 Kiew erobert hatte, regierte er als erster russischer Großfürst nicht mehr in Kiew, sondern blieb in seiner Hauptstadt Wladimir im Fürstentum Wladimir-Susdal. Von hier aus regierte auch Andrejs Bruder und Nachfolger Wsewolod (1177–1212), wegen seiner zahlreichen Kinder «das große Nest» genannt, sowie dessen Söhne, die die Großfürstenwürde erlangten.

Hier entfalteten Andrej Bogoljubski und seine Nachfolger eine rege Bautätigkeit: das Schloß von Bogoljubowo und die Mariä-Schutz-Kirche am Nerl, die Mariä-Geburts-Kathedrale in Susdal und die Georgs-Kathedrale in Jurjew-Polski. Andrej Bogoljubski hatte damit begonnen, seine Hauptstadt Wladimir zu einem zweiten Kiew auszubauen. Nach Kiewer Vorbild errichtete er das gleichnamige Goldene Tor. Kiews literarische und künstlerische Traditionen wurden nach Wladimir verpflanzt. Hierher überführte er die damals berühmteste Ikone, eine «Gottesmutter des Erbarmens», die möglicherweise zwischen 1120 und 1130 von Konstantinopel nach Kiew gebracht worden war. Die erhaltene Ikone — möglicherweise handelt es sich um eine Kopie — wurde als «Gottesmutter von Wladimir» zu einem der meist verehrten Heiligtümer russischer Frömmigkeit. Schließlich begann unter Andrej im Jahre 1158 der Bau der prächtigen Mariä-Himmelfahrts-Kathedrale (Uspenski sobor; eigtl.: «des Entschlafens der Gottesmutter»), mit der der Großfürst in der Hoffnung, für Wladimir einen eigenen Metropoliten zu erhalten, dem Staat einen neuen kirchlichen Mittelpunkt zu geben beabsichtigte.

Diesem Wunsch versagte sich jedoch der Patriarch von Konstantinopel, Lukas Chrysoberges (1156–1167). Und so blieb, trotz Kiews schwindender Bedeutung, auch in der Zeit der feudalen Zersplitterung die bisherige Struktur der Kirche mit ihrer Bindung der Bischöfe an den von Konstantinopel eingesetzten Metropoliten von Kiew erhalten.

II.

Die Auswirkungen
der
Tatarenherrschaft

1

Moskaus Vormachtstellung

Durch die feudale Zersplitterung wurde die Verteidigungskraft des alten Kiewer Staates entscheidend geschwächt. Davon zeugt die bittere Klage des «Igorliedes» (Slowo o polku Igorewe) über die vernichtende Niederlage, die das Heer unter Fürst Igor Swjatoslawitsch von Nowgorod-Sewersk und seinem Bruder Wsewolod von Trubtschewsk und Kursk im Jahre 1185 im Kampf gegen das Turkvolk der Polowzer (Kumanen) wegen der fehlenden Unterstützung durch die übrigen russischen Fürsten erlitt. Wenige Jahrzehnte später sollten die Russen dem Ansturm der Tataren erliegen.

Die unter dem Dschingis-Khan (Groß-Khan) Temudschin (1206—1227) zu einem Großreich vereinigten mongolischen und Turkstämme, für die sich später bei den Russen die Bezeichnung Tataren einbürgerte, hatten nach der im Jahre 1211 begonnenen Eroberung Chinas das Reich Choresm mit den Städten Samarkand und Buchara sowie das nördliche Persien eingenommen, verheerten Aserbaidshan, Armenien und Georgien und fielen in das Steppengebiet der Polowzer ein, drangen aber trotz ihres Sieges über die verbündeten Russen und Polowzer an der ins Asowsche Meer mündenden Kalka im Jahre 1223 zunächst nicht weiter vor.

Als nach Temudschins Tod das Großreich zerfiel, begründete dessen Enkel Batu (1227—1255) westlich des sibirischen Flusses Irtysch sein Reich der Goldenen Horde. Die miteinander rivalisierenden russischen Fürsten versäumten es, sich vereint den über das Gebiet der Wolgabulgaren vordringenden Tataren entgegenzustellen. In kürzester Zeit fielen zahlreiche Städte, darunter Rjasan und Moskau, in Batus Hand und wurden niedergebrannt. Zwar gelang es den Tataren nicht, das durch Wälder und Sümpfe geschützte Nowgorod einzunehmen. Dafür eroberten sie nach Niederwerfung der Polowzer die Krim, Kiew (1240) und schließlich die Städte Wladimir und Halitsch im Fürstentum Halitsch-Wolynien. Mit Ausnahme der nordwestlichen Gebiete sollte Rußland für mehr als zwei Jahrhunderte unter tatarischer Herrschaft bleiben.

Besonders während der ersten Jahrzehnte litten die Russen schwer unter den ständigen Raub- und Plünderungszügen. Die russischen Fürsten wurden tributpflichtig und mußten den Tataren Heerfolge leisten. Tatarische Steuereinnehmer, die Baskaken, durchstreiften das Land, um den Tribut einzutreiben. Alle wichtigeren innerrussischen Probleme wurden in der östlich der unteren Wolga gelegenen Hauptstadt der Goldenen Horde, Sarai, entschieden, die getroffenen Festlegungen erhielten durch einen Jarlyk (Urkunde, Schutzbrief) des Khans Gesetzeskraft.

Das galt auch für die Anerkennung der russischen Fürsten beziehungsweise Großfürsten. Nicht mehr Anciennität und Verwandtschaftsgrad begründeten den rechtsgültigen Anspruch. Vielmehr mußte sich der jeweilige Bewerber nach Saraj begeben und dort um den Jarlyk nachsuchen, durch den er mit einem Fürstentum belehnt oder ihm die Großfürstenwürde zuerkannt wurde. Beides konnte der Khan jederzeit widerrufen. Der ständige Streit um Gunst und Jarlyk des Khans diente den Tataren zur Festigung ihrer Macht und ließ den Großfürstenthron zu Wladimir zum Zankapfel werden.

Dafür konnte im frei gebliebenen Nordwesten der damalige Fürst von Nowgorod, Alexander Newski, die unter Ausnutzung von Rußlands bedrängter Lage im Jahre 1240 nahe der Newamündung (daher sein Beiname «Newski») gelandeten Schweden, zwei Jahre später in der Schlacht auf dem Eise des Peipussees die Deutschen Ordensritter und schließlich die Litauer vernichtend schlagen. Der Kampf gegen die «lateinischen» Schweden und Deutschen galt vielen als eine Verteidigung der Orthodoxie gegen den Katholizismus.

Das Unionsangebot des Papstes Innozenz IV. vom Jahre 1248, durch das das Papsttum erneut Einfluß auf Rußland zu gewinnen versuchte und das eine kirchliche Abspaltung des Nordwestens vom übrigen Rußland bedeutet hätte, wies Alexander Newski zurück. Alexander Newski, den der Khan als Großfürst von Wladimir (1252–1263) anerkannte und der das Anliegen der Russen und ihrer Kirche vor den Tataren mit Geschick vertrat, wurde für die Kirche zum Symbol eines Verteidigers von Volk und orthodoxem Glauben und als Heiliger verehrt.

Unter den Bedingungen der Tatarenherrschaft verstärkte sich die Besiedlung der von den Zentren der Tataren entfernter gelegenen Waldgebiete im Nordosten, im Gebiet jenseits der Wolga. Ende des 13. und im 14. Jahrhundert nahm man den Wiederaufbau von Städten wie Twer und Moskau, nun schon mit einigen Steinbauten, in Angriff. Von hier aus sollten auch die Bemühungen um eine erneute Eigenstaatlichkeit ihren Ausgang nehmen.

In den Auseinandersetzungen um den Großfürstenthron zu Wladimir verstand es Juri III. Danilowitsch, nachdem er zwei Jahre davor Kontschaka, die Schwester von Khan Uzbek (1313 bis 1341) geheiratet hatte, als erster Fürst des damals noch unbedeutenden Moskau im Jahre 1319 die Großfürstenwürde zu erhalten. Juri konnte sich in den folgenden Machtkämpfen zwischen Moskau und dem damals mächtigeren Twer nicht auf die Dauer behaupten und wurde 1325 von den Tataren umgebracht.

Doch schon Juris Bruder Iwan I. Kalita (1328–1330, 1332 bis 1341) gelang es, Moskaus Vormachtstellung zu begründen. Im Auftrag von Khan Uzbek führte er anläßlich der Tötung tatarischer Steuereinnehmer mit einer Tatarentruppe eine verheerende Strafexpedition gegen das Gebiet von Twer und erhielt anstelle des schuldig befundenen Alexander von Twer (1326–1327) die Großfürstenwürde. Seine Stellung

33

gegenüber den übrigen russischen Fürsten erhöhte das ihm vom Khan verliehene Recht, in ganz Rußland für die Tataren den Tribut einzutreiben. Vom schonungslosen Ausnutzen dieses Rechts zeugt sein Beiname «Kalita» (Geldbeutel). Die Khane übertrugen Gunst und Großfürstenwürde auch auf Iwans Söhne Simeon Gordy (der «Stolze», 1341–1353) und Iwan II. (1353–1359), letzterem außerdem noch die richterliche Gewalt über alle nordrussischen Fürsten. Damit war die alte russische Erbfolgeordnung zugunsten des Moskauer Herrscherhauses aufgehoben.

Die Moskauer Herrscher vermochten unter der Tatarenherrschaft eine gewisse Neuordnung zu errichten. Gegen den mit den Tataren verbundenen Iwan Kalita konnte kein Fürst mit Erfolg aufbegehren. Andererseits hatte Iwan dadurch, daß er anstelle der tatarischen Horden die Tributleistungen eintrieb, den unaufhörlichen Tatarenüberfällen ein Ende setzen können. So berichtete ein Chronist: «Seitdem war im ganzen russischen Land für vierzig Jahre eine große Stille, und die Tataren hörten auf, das russische Land zu bekriegen.»

Die Nachfolger des Iwan Kalita konnten die Mehrzahl der nordrussischen Fürsten um sich scharen. Manche begaben sich in ein freiwilliges Abhängigkeitsverhältnis, für andere Fürstentümer kauften sich die Moskauer vom Khan einen Jarlyk und verjagten deren bisherige Eigentümer. Die Mittel, mit denen die Moskauer Fürsten die Anfänge ihrer Macht begründeten, waren nicht sehr wählerisch. Dafür gelang es gerade ihnen, durch Zusammenfassen der russischen Kräfte den Feinden in Ost und West zu wehren, die russischen Lande zu befreien und einen neuen unabhängigen Staat, den Moskauer Staat, zu schaffen. Und dazu hat auch die russische Kirche in nicht unerheblichem Maße beigetragen.

2
Das kirchliche Wirken
unter der Tatarenherrschaft

Trotz aller Härte ihrer Herrschaft übten die Tataren religiöse Toleranz. Die sich zum Schamanentum bekennenden Mongolen hatten ihrem Großreich asiatische Völker verschiedener Religionen eingegliedert, darunter auch solche, die von der Mission nestorianischer Christen erreicht worden waren. Am Hofe des Großkhans in Karakorum in der Mongolei befanden sich Vertreter dieser Religionen. In der auch für die Goldene Horde verbindlichen Jassa, dem vom Dschingis-Khan Temudschin erlassenen, alle Lebensbereiche regelnden Grundrecht, war die grundsätzliche Glaubenstoleranz verankert worden, wohl nicht zuletzt unter dem Gesichtspunkt, in allen Religionen möge man für Erfolg und Heil des Großkhans beten. Diese Grundsätze blieben selbst dann wirksam, als zunächst Khan Berke (1256/57–1266) selbst zum Islam übertrat und schließlich Khan Uzbek (1313–1341) den glaubensmäßig intoleranten Islam für die Goldene Horde als Staatsreligion einführte, während sich bei den übrigen Mongolen der Buddhismus verbreitete. So war es ohne weiteres möglich, daß Uzbeks Schwester Kontschaka bei ihrer Verheiratung mit dem Moskauer Fürsten Juri III. Danilowitsch zum orthodoxen Christentum übertrat.

Angesichts dieser Haltung vermochte sich die russische Kirche nach den Verwüstungen des Tatareneinfalls verhältnismäßig schnell wieder zu konsolidieren und maßgeblichen Anteil an der weiteren Entwicklung zu nehmen. Kiew, bisheriger Sitz des Metropoliten, war im Jahre 1240 zerstört worden. Nunmehr amtierte Kirill (1249–1281), der nach fast zehnjähriger, durch die Wirren der Tatareninvasion hervorgerufener Vakanz, zum Metropoliten von Kiew geweiht wurde, als erster in den nördlichen Gegenden, allerdings ohne sich dort einen ständigen Sitz zu wählen. Er wußte sich hier eng verbunden mit dem Großfürsten Alexander Newski (1252 bis 1263).

Metropolit Kirill hielt im Jahre 1274 in Wladimir die erste russische Bischofssynode, über die wir Näheres wissen. Sie diente der Erneuerung des geistlichen Lebens und läßt erkennen, in welchem Maße auch die kirchliche Zucht und Ordnung in jenen wirren Zeiten gelitten hatte. So mußte den Geistlichen in Nowgorod geboten werden, nicht mehr wie bisher «von Ostern bis zur Woche Allerheiligen», also bis zum ersten Sonntag nach Pfingsten, «alles Taufen und den Gottesdienst zu unterlassen und den Vergnügungen nachzugehen». Es wurde ferner beschlossen, die Priesteramtskandidaten müßten mindestens 29 Jahre alt und des Lesens kundig sein, über ihre moralische Würdigkeit hätten sie Zeugnisse und Bürgschaften vorzuweisen. Allerdings macht die Synode ein bedenkliches Zugeständnis. Obwohl sie grundsätzlich die Simonie, die Käuflichkeit der Weihen, verwarf, bekräftigte sie gleichzeitig die byzantinische Praxis, indem sie den Bischöfen gestattete, für die Diakons- und Priesterweihen eine Gebühr von sieben Griwen (= 70 Kopeken) zu erheben. Trotz des Bemühens, ungebührlichen Forderungen Einhalt zu gebieten, entwickelte sich hieraus allmählich ein Abgabensystem, dessen Mißbrauch schließlich zu einem Hauptangriffspunkt der ersten größeren häretischen Bewegungen Rußlands werden sollte.

Wenige Jahre zuvor hatte Kirill eine slawische Übersetzung des Nomokanon mit den Erläuterungen des byzantinischen Kanonisten Theodoros Balsamon aus dem 12. Jahrhundert erhalten. Durch Einfügen der verschiedenen Beschlüsse der Synode von Wladimir wurde sie den russischen Verhältnissen angepaßt und als russische «Kormtschaja kniga» (Steuermannsbuch) verbindliches Kirchenrecht.

Unter Khan Berke gelang es Kirill und Alexander Newski sogar — möglicherweise hatte es der Khan selber gewünscht — in der Hauptstadt der Goldenen Horde, Sarai, im Jahre 1261 einen orthodoxen Bischofssitz zu errichten. Schon vordem gab es dort eine katholische Franziskanermission. Diese Zulassung hatte ursprünglich wohl mehr diplomatischen Charakter. Der in Sarai residierende Bischof wurde dem Hof des Khans zugerechnet und in den Rußland und Byzanz betreffenden Fragen zu Rate gezogen, besaß folglich erheblichen

36

Einfluß und konnte fast einem Gesandten verglichen werden. Gleichzeitig betreute er die russischen Gefangenen und Kaufleute in Sarai und wirkte sogar missionarisch, wie es den Fragen zu entnehmen ist, mit denen sich der zweite Bischof von Sarai, ein Grieche namens Feognost (Theognostos), an der Wende des 13. zum 14. Jahrhundert nach Konstantinopel wandte.

Schließlich erlangte Kirill im Jahre 1279 vom Khan Mangu-Timur (1266–1280) den bedeutungsvollen Jarlyk, der die Unantastbarkeit des Klerus und sämtlichen kirchlichen Eigentums durch die Tataren garantierte.

Damit war die Kirche zum einzigen relativ unabhängigen Faktor in Rußland geworden, zumal sie im Gegensatz zur teilfürstlichen Zersplitterung als einzige einheitliche Institution die Ganzheit der Bevölkerung umfaßte. Es mußte also die Stellung des Großfürsten festigen, wenn er den Metropoliten der russischen Kirche an seiner Seite wußte.

Metropolit Maxim (1283–1305), ein Grieche, residierte zunächst wieder in Kiew, sah sich aber nach der erneuten Verwüstung der Stadt im Jahre 1299 gezwungen, den Metropolitensitz endgültig in den Norden, nach Wladimir an der Kljasma, zu verlegen. Als Michail von Twer im Jahre 1304 den dortigen Großfürstenthron bestieg, machte er sich die Übersiedlung des Metropoliten zunutze, indem er in Nachahmung des Titels «Metropolit von Kiew und ganz Rußland» die Bezeichnung «Großfürst von ganz Rußland» annahm.

Auch nach Maxims Tod wünschte er einen ihm genehmen Metropoliten in Wladimir zu haben. Zu seiner Enttäuschung weihte jedoch Patriarch Athanasios I. (1289–1293, 1303 bis 1311) nicht den von Michail als Kandidaten nach Konstantinopel entsandten Geronti, sondern den Wolynier Peter (1308 bis 1326). Darüber verärgert, versuchte der Großfürst, den nach Wladimir gekommenen Metropoliten Peter durch Denunziation beim Patriarchen aus seinem Amt zu verdrängen. Das mißlang. Eine aus zwei Bischöfen, Vertretern des Mönchtums, Geistlichen und Laien bestehende Synode vom Jahre 1311 in Perejaslawl-Salesski rechtfertigte Peter. Für das Fürstenhaus von Twer ergaben sich schwerwiegende Folgen, trieb doch Michail durch sein Vorgehen den Metropoliten in die Arme seines ärgsten Rivalen, des Moskauer Fürsten Juri III. Danilowitsch, der sogleich seinen Vorteil erkannte und Peter alle Unterstützung zuteil werden ließ.

Peter stellte sich als erster Metropolit nunmehr mit der ganzen Autorität seines Amtes auf die Seite Moskaus und bekam beträchtliche Bedeutung für die Entwicklung dieser Stadt und des dortigen Fürstenhauses. Bereits im Jahre 1311 exkommunizierte er kurzerhand Michails Sohn, den jungen Fürsten Dmitri von Twer, als dieser mit seiner Heeresmacht gegen Moskau zog. Für das Erlangen der Großfürstenwürde gewährte er Juri III. Danilowitsch von Moskau gegen deren rechtmäßigen Inhaber, Michail von Twer, weitgehende Unterstützung. Und schließlich besiegelte er seine Parteinahme für die Moskauer Fürsten durch die Verlegung des Metropolitenwohnsitzes nach Moskau im Jahre 1325.

Peters Vita überliefert seine gegenüber dem späteren Großfürsten Iwan Kalita ausgesprochene Prophezeiung der künftigen Größe Moskaus: «Wenn du gehorsam bist, mein Sohn, und in deiner Stadt eine Kirche der heiligsten Gottesmutter errichtest, wirst du selbst und deine Söhne und Enkel die anderen Fürsten an Ruhm überragen. Diese Stadt wird gerühmt werden unter allen russischen Städten. Die Metropoliten werden in ihr wohnen und werden deren Feinde verjagen, und Gott wird in ihr verherrlicht werden.» In der danach von Iwan Kalita aus Kalkstein erbauten Uspenski-Kathedrale, an deren Stelle als dritter Bau im 15. Jahrhundert die heutige gleichnamige Kathedrale entstand, wurde Metropolit Peter zur letzten Ruhe gebettet.

Die Metropolit Peter zugeschriebenen Worte sollten sich schon bei seinem Nachfolger bewahrheiten. Metropolit Feognost (Theognostos, 1328–1353, nicht zu verwechseln mit dem gleichnamigen Bischof von Sarai), ein Grieche, behielt die Moskauer Residenz bei und half Iwan Kalita bei der Beseitigung Alexanders, des letzten Großfürsten aus dem Twerer Fürstengeschlecht (1326–1327). Als der für die Ermordung tatarischer Steuereinnehmer verantwortlich gemachte Alexander sein Amt verloren hatte und nach Pskow geflohen war, belegte ihn Feognost mit dem Anathema und drohte damit auch den Pskowern, um sie zu seiner Auslieferung zu bewegen.

Zu den für Moskaus Entwicklung bedeutendsten Metropoliten ist Alexi (1354—1378) zu zählen. Als Sohne eines in Moskauer Dienste getretenen Bojaren aus Tschernigow und Patenkind des Iwan Kalita war Alexi aufs engste mit den Moskauer Herrschern verbunden. Nicht umsonst riet Großfürst Simeon Gordy (1341—1353) seinen Söhnen im Blick auf den bereits zum Metropoliten Designierten: «Hört auf unseren Vater, den Wladyka (Bischof, Gebieter) Alexi.»

Über Alexis religiöse Tätigkeit ist weniger bekannt als über sein Eintreten für sein Volk. Dazu verhalf ihm sein Ansehen bei den Tataren, nachdem er, wie ein Chronist berichtet, im Jahre 1357 Tajdula, die Frau des Khan Tschanibek (1341 bis 1357), von einer schweren Krankheit geheilt hatte.

An der Seite des schwächlichen Großfürsten Iwan II. (1353 bis 1359) und als Regent für den mit neun Jahren zur Macht gekommenen Dmitri Donskoi (1362—1389) — beider Anerkennung als Großfürst durch die Tataren war maßgeblich Alexis Verdienst — verstand es der energische Metropolit, Moskaus Stellung gegen alle inneren und äußeren Feinde zu stützen und weiter auszubauen. Gegen die Feinde der aufstrebenden Moskauer Macht wandte er alle ihm zu Gebote stehenden Mittel an, entband die Krieger der Gegner Moskaus von dem ihrem Fürsten geschworenen Eide und anathematisierte die Fürsten von Smolensk und Twer, die sich mit den Litauern verbündet hatten.

In gleicher Weise erwarb sich Metropolit Iona (1448—1461) um Moskau besondere Verdienste. Doch dies gehört bereits in die Zeit der endgültigen Befreiung von der Tatarenherrschaft.

3

Versuche zur Spaltung
der russischen Metropolie

Die Verlagerung des politischen und kirchlichen Zentrums nach dem Nordosten blieb keineswegs unumstritten, seit ein Teil der russischen Lande nicht mehr der Hoheit des Großfürsten unterstand. Die Schwächung durch den Tatareneinfall war begleitet vom Verlust der westrussischen Gebiete. Ungarische Feudalherren eigneten sich im 13. Jahrhundert das Transkarpatengebiet an, polnische Mitte des 14. Jahrhunderts das Gebiet von Halitsch/Wolynien. Etwa Mitte des 13. Jahrhunderts hatten sich die vorwiegend noch heidnischen litauischen Stämme zu einem Staat zusammengeschlossen und eroberten im 14. Jahrhundert, innerhalb weniger Jahrzehnte bis zum Schwarzen Meer vordringend, den größten Teil Weißrußlands und der Ukraine. Der sich durch dynastische Verbindung ergebende Zusammenschluß mit Polen im Jahre 1386 festigte die Position in den okkupierten Gebieten. Diese Lostrennung und der Einfluß des lateinischen Westens beförderte und prägte in nicht geringem Maße das spätere Entstehen der sich von den Großrussen unterscheidenden ukrainischen und weißrussischen Nation.

Diese politische Teilung Rußlands gab den Anlaß, den russischen Metropolitensitz zum Spielball der politischen Auseinandersetzungen werden zu lassen und eine eigene kirchliche Oberleitung in den abgetrennten Gebieten anzustreben. Byzanz lag es freilich daran, die kirchliche Einheit zu wahren, durch einen über den Mächtegruppierungen stehenden Metropoliten — möglichst griechischer Herkunft — gleicherweise auf die Rivalen einzuwirken und damit den Einfluß auf die ost- und westrussischen Gebiete zu bewahren. Das ließ sich jedoch nur in begrenztem Maße realisieren.

Als Metropolit Maxim (1283–1305) von Kiew nach Wladimir an der Kljasma übergesiedelt war, gab Patriarch Athanasios I. (1289–1293, 1303–1311) dem Drängen des galizischen Füsten Juri nach und weihte in der Person Nifons einen

40

eigenen Metropoliten von Halitsch. Derselbe Patriarch stellte die Einheit der russischen Kirche nach dem fast gleichzeitigen Ableben der beiden russischen Metropoliten im Jahre 1305 wieder her, indem er einen Kandidaten des Halitscher Fürsten Juri, den Wolynier Peter (1308—1326), zum Metropoliten von Kiew und ganz Rußland weihte und ihm Kiew als Residenz zuwies. Wie bereits erwähnt, erfüllte Peter die in ihn gesetzten Hoffnungen nicht, sondern wurde zum eigentlichen Begründer der Verflechtung der russischen Metropoliten mit dem Moskauer Herrscherhaus.

Es gab in der Folgezeit nochmals einzelne Metropoliten von Halitsch. Vor allem war es aber den Litauern nach ihrer Eroberung der westrussischen Gebiete unerwünscht, daß die dortigen orthodoxen Christen einem mit ihrem Gegner, dem Moskauer Großfürstentum, aufs engste verbundenen Metropoliten unterstanden. Sie konnten sich bereits von 1316—1330 eines eigenen Metropoliten von Litauen mit Sitz in Nowogrodek erfreuen.

Dagegen beabsichtigte Großfürst Olgerd (1340—1377), durch einen in Litauen residierenden Metropoliten von ganz Rußland den eigenen Einfluß bis nach Moskau ausdehnen zu können. Das schlug zunächst fehl. Aber nachdem Patriarch Philotheos (1353—1355, 1364—1376) gerade erst den mit dem Moskauer Fürstenhaus verbundenen Alexi (1354—1378) zum Metropoliten von Kiew und ganz Rußland geweiht hatte, weihte er kurz danach auch noch Roman (1354—1361), einen Verwandten von Olgerds Frau, ebenfalls zum Metropoliten von Kiew und ganz Rußland. Der Anlaß für dieses unkanonische Verhalten bleibt ungeklärt: Olgerds Versprechen, sich taufen und sein Land zum orthodoxen Glauben bekehren zu lassen oder ein hohes finanzielles Angebot für das von den Türken bedrängte Byzanz.

Patriarch Kallistos I. (1350—1353, 1355—1363) bereinigte die unkanonische Situation auf einer Synode im Jahre 1356 durch offizielle Teilung der russischen Metropolie. Roman bekam als Metropolit von Litauen die weiß- und kleinrussischen (ukrainischen) Eparchien, mußte jedoch auf das von ihm begehrte Kiew verzichten, das Alexi zusammen mit Großrußland einschließlich Nowgorods und dem Titel eines Metropoliten von Kiew und ganz Rußland zugesprochen erhielt.

Als Roman im Jahre 1361 verstarb, fiel sein Metropolitanbereich wieder dem in Moskau residierenden Alexi zu. Doch konnte dieser die kirchliche Einheit nur für wenige Jahre aufrechterhalten. Angesichts seines Engagements für Moskau blieb es ihm verwehrt, die geistliche Betreuung der Eparchien im Bereiche des politischen Gegners wahrzunehmen. Mit dem Hinweis auf diesen Umstand, auf die einstige Existenz einer Metropolie von Halitsch, sowie durch die Drohung, das ihm unterstehende Gebiet dem Katholizismus zuzuführen, erreichte es König Kasimir III. von Polen (1333–1370) im Jahre 1370, einen Metropoliten von Halitsch zu bekommen.

Auf ähnliche Proteste Olgerds hin, der sein Gebiet wieder dem Moskauer Metropoliten unterstellt sah, setzte Patriarch Philotheos im Jahre 1375 den aus Bulgarien stammenden Kiprian Zamblak als neuen Metropoliten von Kiew und ganz Rußland mit dem Recht ein, nach Alexis Ableben auch die Jurisdiktion über dessen Gebiet auszuüben, während Galizien selbständig bleiben sollte. Tatsächlich konnte Kiprian nach Alexis Tod (1378) und zwölfjährigen Wirren um dessen Nachfolge die Metropolie von 1390–1406 wieder unter seiner Person vereinigen, und für fast zwei Menschenalter blieb die kirchliche Einheit leidlich gewahrt.

4

Das Mönchtum

Das älteste christliche Mönchtum als der «engelgleiche Stand», der durch Überwindung irdischer Sündhaftigkeit zur überirdischen Welt führt, hatte in seiner dreigestaltigen Entfaltung als Einsiedlertum, Einsiedlerkolonien (sketisches Mönchtum) und Klosterwesen in der räumlichen Loslösung von den Versuchungen der Welt seinen Anfang genommen. Allmählich näherte sich die verbreitetste Form, das Kloster, den Städten, woraus sich ein neuer Bezug zum Gemeindeleben ergab.

Das von Byzanz übernommene russische Mönchtum, das bereits für die Frömmigkeit im Kiewer Staat zentrale Bedeutung besaß, ging im wesentlichen den umgekehrten Weg. Von Ausnahmen abgesehen, befanden sich nicht nur die durch repräsentative Stiftungen von Fürsten und Hierarchen, sondern auch die von Asketen begründeten Klöster vorwiegend in den Residenzstädten oder in deren naher Umgebung. Die durch das Eindringen von Nomadenstämmen in die südrussischen Steppen geförderte Ansiedlung in den nordöstlichen Gebieten sowie die Ereignisse der Tatareninvasion hatten zu einer Veränderung geführt. Die Bedrohung der wirtschaftlichen und persönlichen Existenz durch die Tatarenüberfälle, von denen vor allem anfangs auch die Klöster in den Städten nicht verschont blieben, ließ viele Menschen in unwegsamen Gegenden Zuflucht suchen. Außerdem veranlaßte die Vorstellung von den Tataren als «Gottesgeißel», als Strafgericht für ein sündhaftes Sein, einen verstärkten Drang nach einem Leben der Buße und des Gebets.

Die diesen Weg wählten, zogen sich nun gern in einsame Gegenden zurück. Sei es in der Abgeschiedenheit des Einsiedlers, sei es in Gestalt der seit dem 13. Jahrhundert zahlreich entstehenden Mönchskolonien oder Einödklöster (pustyn). Dabei entschlossen sich viele erst zu einem Aufenthalt in der Gemeinschaft des Klosters, bevor sie sich in die Einsamkeit der Wälder zurückzogen.

Solch Einsiedler blieb meist nicht lange allein. Der Ruf eines strengen Asketen veranlaßte andere, sich seiner geistlichen Führung anzuvertrauen. Es entstand ein Einödkloster mit einem Kirchlein. Die Mönche rodeten den Wald und begannen zur eigenen Versorgung mit der Feldarbeit. In ihrer Nähe entstanden Dörfer, ihre Einwohner bildeten mit den Mönchen in deren Kirche eine Gemeinde. Oft veranlaßte das die Mönche fortzuziehen und in noch unbewohntem Gebiet erneut Einsamkeit zu suchen. So entstanden im 14.–16. Jahrhundert mindestens 150 Einödklöster, die für die Kolonisation von großer Bedeutung wurden. Ihre Zahl überstieg bei weitem die der städtischen Klostergründungen jener Zeit.

Manche Klöster, wie das Anfang des 14. Jahrhunderts auf

einer Inselgruppe im Norden des Ladogasees entstandene Wa-
laam-Kloster, konnten sich ihre Abgeschiedenheit bewahren.
Bei anderen entstand bald eine große Klostergemeinschaft mit
einem Vorsteher, einer Regel und größeren Bauten. Ein mar-
kantes Beispiel ist die von Sergi von Radonesh (etwa 1314
bis 1392) und seinem älteren Bruder im Walde von Radonesh
70 km nordöstlich von Moskau begründete Einsiedelei, aus
der das zum heutigen geistlichen Zentrum der Russischen Orthodoxen Kirche gewordene Troize(Dreifaltigkeits)-Sergi-
Kloster hervorgegangen ist. Bereits Sergi sah sich genötigt,
für die große Bruderschaft die koinobitische (gemeinschaft-
liche) Form des klösterlichen Lebens einzuführen. Sein Kloster
wurde zum Vorbild für die weitere Entwicklung des russischen
Mönchtums.

Hier zeigte sich zugleich die Wandlung von einer Einsiedelei in ein großes Kloster, das nicht nur wieder in Berührung
mit der Welt kam, sondern auch an der weiteren geschichtlichen und kulturellen Entwicklung teilhatte. Obwohl Sergi
selbst ein streng asketisches Leben führte, wußte er sich nicht
nur mit dem Moskauer Metropoliten Alexi verbunden, sondern setzte sich auch in den Fürstenstreitigkeiten mehrfach
für den Moskauer Großfürsten Dmitri Donskoi ein. Die Überlieferung berichtet, Sergi habe Dmitri für die Schlacht gegen
die Tataren auf dem Kulikowo-Feld am Don im Jahre 1380
gesegnet.

Mit Sergis Namen sind noch acht weitere Klostergründungen verbunden, darunter das gemeinsam mit Metropolit Alexi
errichtete Moskauer Andronikow-Kloster (1360, jetzt Rubl-
jow-Museum), das Borissoglebski-Kloster bei Rostow (1363),
das Moskauer Simonow-Kloster (1370) und das in Sergis Auftrag von Afanassi gegründete Wysozki-Kloster in Serpuchow
(1374). Weitere Klostergründungen im Transwolgagebiet, bei
Kostroma, Perejaslawl und Nishni Nowgorod gehen auf Sergis Schüler zurück.

Einer der markantesten Schüler des Sergi von Radonesh
war Kirill vom Beloosero (vom «Weißen See», gest. 1427), in
dessen sumpfigen Wäldern er 1397 das nach ihm benannte
Kirillow-Beloserski-Kloster mit besonders strengem Gemein-

schaftsleben gründete. Noch zu seinen Lebzeiten, dieses Kloster als geistliches Zentrum betrachtend, entstanden in dessen Umgebung, dem Sawolshije (Transwolgagebiet), jene kleinen Einsiedlergemeinschaften, aus denen bald jene Richtung der Transwolga-Starzen (Sawolshskije starzy) hervorgehen sollte.

Eine Reihe städtischer Klöster wurde schließlich befestigt und in das militärische Verteidigungssystem einbezogen. Das galt in erster Linie für die vor den Toren Moskaus gelegenen Klöster, so besonders das Simonow-Kloster.

Da die Klosterkolonisation in die Gebiete noch heidnischer Völkerschaften vorstieß, ergab sich damit die Frage missionarischen Wirkens. Das blieb zunächst dem einzelnen überlassen. Als einer der ältesten Missionare unter den Heiden des Nordens ist Kirill Tschelmogorski (gest. 1367), der Begründer des Tschelmogorski-Klosters am Onegafluß, zu nennen. Bald entsandte das Warlaam-Kloster im Ladogasee verschiedentlich Mönche zur Mission unter den heidnischen Karelen.

Einer systematischen Missionstätigkeit widmete sich jedoch erstmals der Mönch Stefan von Perm (1340–1396) unter dem finnischen Volk der Syrjänen(Komi)-Permier im Gebiet zwischen der Dwina und dem Ural. In dreizehnjähriger intensiver Arbeit erforschte er die Sprache der Syrjänen, schuf hierfür auf der Grundlage des griechischen und kyrillischen ein eigenes Alphabet und übersetzte die gottesdienstlichen Bücher in deren Sprache. Mit dem Segen des Metropoliten und einem Schutzbrief des Großfürsten Dmitri Donskoi missionierte er besonders im Gebiet des Flusses Wytschegda, errichtete Kirchen, gründete eine Schule zur Ausbildung von Diakonen, Küstern und Chorsängern und bemühte sich um die religiöse Unterweisung. 1383 wurde er zum Bischof von Perm geweiht und später als der «Erleuchter» der Syrjänen als Heiliger verehrt.

5

Die geistig-religiöse Entwicklung

Trotz der Verwüstungen und Belastungen unter der Tatarenherrschaft ist die geistige, religiöse und kulturelle Entwicklung
nicht zum Erliegen gekommen. Allerdings wurde die teilweise
bereits vor dem Tatareneinfall vollzogene Schwerpunktver-
lagerung in die nördlichen Gebiete für die weitere Entwicklung
bestimmend. Das frei gebliebene Nowgorod konnte seine traditionelle Eigenart weiter entfalten.

In den Städten des nordöstlichen Gebietes wurde der Aus-
beziehungsweise Wiederaufbau verstärkt in Angriff genommen. Die neuen Steinbauten dienten vorwiegend kirchlichen
Zwecken. Metropolit, Bischöfe sowie die Klöster verfügten
über fähige Baumeister und hervorragende Künstler für die
Ausmalung.

So arbeiteten an der Moskauer Uspenski(Entschlafen der
Gottesmutter)-Kathedrale die Maler Sachar, Iossif und Nikolai. Einer der bedeutendsten Fresken- und Ikonenmaler, Andrej Rubljow (etwa 1360 bis etwa 1430), malte zusammen mit
Feofan Grek (dem Griechen) und dem Mönch Prochor aus Go-
rodez die Mariä-Verkündigungs-(Blagowestschenski-)Kathe-
drale des Moskauer Kreml aus und mit Daniil Tschorny die
Uspenski-Kathedrale in Wladimir an der Kljasma.

Etwa zwischen 1411 und 1422 schuf Andrej Rubljow für
die Dreifaltigkeitskirche im Troize-Sergi-Kloster seine be-
rühmte Dreifaltigkeitsikone. Schließlich arbeitete er im Moskauer Andronikow-Kloster, in dem er auch verstarb.

Das weiterhin in hohem Maße von der Kirche geprägte und
besonders in den Klöstern gepflegte Schrifttum entfaltete sich
in vielfältiger Weise. Metropolit Alexi hatte in zwei Rundschreiben die Geistlichkeit ermahnt, durch eifriges Predigen
«ihre geistlichen Kinder zur Gottesfurcht, zur Beichte der Sünden, zum Almosengeben, zum friedlichen Zusammenleben und
zur Wahrhaftigkeit» zu ermahnen. Von den erhaltenen Predigten seien die des Bischofs Kirill von Rostow (gest. 1262)
und des aus dem Kiewer Höhlenkloster hervorgegangenen

Bischofs Serapion von Wladimir (gest. 1275) erwähnt. Schlichte Belehrungen finden sich ferner in einer aus der Tatarenzeit erhaltenen Predigtsammlung anonymer Prediger.

Die Chronikschreibung lag weithin in den Händen von Geistlichen und Mönchen. Der erste gesamtrussische Chronikkodex entstand am Hofe des Metropoliten Peter. Die meisten Chroniken wurden in Klöstern zusammengestellt, so im Troize-Sergi-, im Kirillow-Beloserski- und im Christi-Geburts-Kloster von Wladimir. Im Auftrage des Fürsten Dmitri Konstantinowitsch von Susdal und Nishni Nowgorod verfaßte der Mönch Lawrenti im Jahre 1377 den berühmten Lawrenti-Kodex. Er überliefert uns den ganzen Text der Nestorchronik und berichtet ferner über die Ereignisse des Gebietes von Wladimir-Susdal im 12.–14. Jahrhundert.

Ende des 13. oder Anfang des 14. Jahrhunderts entstand die Vita des Alexander Newski. Sie bietet weniger Biographisches, sondern beschreibt Alexander als Heiligen, als Verteidiger von Volk und Glauben.

Als bedeutender russischer Hagiograph jener Zeit ist der Mönch Jepifani hervorzuheben, der wegen seiner hohen Begabung den Beinamen «Premudry» («der überaus Weise») erhielt (gest. 1420). Geprägt durch die literarische Schule des Troize-Sergi-Klosters, verfaßte er eine Vita des Gründers dieses Klosters, Sergi von Radonesh, sowie eine weitere des Missionars der Syrjänen, Stefan von Perm. Sein Traktat über die Dreifaltigkeit hat möglicherweise Rubljows Dreifaltigkeitsikone beeinflußt.

Eine Überarbeitung der Sergi-Vita besorgte in der Mitte des 15. Jahrhunderts der aus Serbien gekommene Mönch Pachomi Logofet (Geburts- und Todesdatum sind unbekannt). Seine in Nowgorod, im Troize-Sergi-Kloster, in Moskau und am Beloosero (Weißen See) gesammelten Materialien verarbeitete er in den Viten und Preisworten der bedeutendsten Hierarchen und Mönche, des Nikon, Warlaam Chutynski, Kirill Beloserski, und schilderte das Wirken des Metropoliten Alexi an der Seite des Moskauer Großfürsten Dmitri Donskoi. Pachomi stellte ferner 1442 die ursprüngliche Redaktion des Russischen Chronographen zusammen.

Durch den bereits erwähnten, aus Tirnovo, der Hauptstadt des Zweiten Bulgarenreiches, gekommenen Metropoliten Kiprian Zamblak verstärkte sich erneut byzantinischer Einfluß auf das russische religiöse Schrifttum. Kiprian hatte im Studiu-Kloster von Konstantinopel und auf dem Athos die byzantinische Spiritualität kennengelernt. Indem er an erste Bemühungen des Metropoliten Alexi anknüpfte, widmete sich Kiprian der Aufgabe, einen Teil der durch Abschreibfehler oder Verbesserungsversuche etwas abweichenden russisch-kirchenslawischen liturgischen Bücher wieder mit den byzantinischen in Übereinstimmung zu bringen. Dabei stützte er sich auf die vom Patriarchen Philotheos von Konstantinopel bearbeitete Textfassung, die er teils selbst aus dem Griechischen übersetzte, teils nach der Übersetzung des bulgarischen Patriarchen Evtimij von Tirnovo zugrunde legte.

Besonders auf die russische Mönchsspiritualität wirkte Kiprians Übersetzung der «Himmelsleiter» des Johannes Klimakos aus dem 7. Jahrhundert. Dagegen bleibt es unklar, ob der sich in vielen Klöstern durchsetzende Brauch, die Gottesdienste nach der sogenannten Jerusalemer Ordnung statt wie bisher nach der Ordnung des Studiu-Klosters zu halten, von Kiprian beeinflußt war.

Im Stile blumenreicher Rhetorik überarbeitete Kiprian die vom Mönch Prochor verfaßte Vita des Metropoliten Peter. Er ließ in Moskau regionale Chroniken sammeln und zur Dreifaltigkeits-(Troizkaja-)Chronik zusammenstellen, wobei außer der Moskauer auch der litauischen Entwicklung, Kiprians dortigem Wirken als Metropolit entsprechend, Aufmerksamkeit geschenkt wurde.

6

Die Ketzerbewegung der Strigolniki

Nicht alle Probleme der damaligen Kirche standen mit der Tatarenherrschaft in Verbindung. Vielmehr ging es bei den kritischen Strömungen, die seit dem Anfang des 14. Jahrhunderts an Einfluß gewannen, darum, daß sich allgemein die in den bestehenden gesellschaftlichen Verhältnissen gewachsene Bedeutung und materielle Festigung der mit mancherlei Vorrechten ausgestatteten russischen Kirche keineswegs immer in ihrem geistlichen Wirken niederschlug.

Reiche Schenkungen hatten die als Stätten geistlicher Besinnung gegründeten Klöster zu Besitzern bedeutender Ländereien werden lassen, deren Bewohner zu ihrem Unterhalt und Ausbau verpflichtet waren. In seiner Lebenshaltung hob sich der Episkopat stark vom einfachen Klerus ab. Konnte eine derartige Einbeziehung der Kirche in die Feudalstruktur der Gesellschaft dem vom Evangelium her gewiesenen Auftrag noch voll gerecht werden? So trägt die dagegen gerichtete Kritik ein durchaus antifeudales und zugleich genuin christliches Gepräge.

Die Kirchenkritik erfolgte unter verschiedenen Gesichtspunkten. Das Vorhandensein von Klöstern, die sich auf Kosten der von ihnen abhängigen Bevölkerung bereicherten, konnte Zweifel an der Heilsbedeutung des Mönchtums aufkommen lassen. Ähnlich stand es mit der Simonie, der Käuflichkeit der Weihen, gegen die sich bereits die Synode zu Wladimir im Jahre 1274 gewandt, aber durch die Festlegung von Weihgebühren nicht überwunden hatte. Wenn die Weihe zum geistlichen Amt, ein seinem Wesen nach geistlicher Akt als Voraussetzung für eine gültige Spendung der Sakramente, mit einem Akt der Bereicherung verbunden war, ergab sich die Frage, ob nicht die Echtheit der Weihe und die Würdigkeit des Weihenden in Zweifel zu ziehen sei, ein Zweifel, der durch das moralische Verhalten vieler geistlicher Würdenträger noch genährt wurde. Und waren die von solchen Geistlichen gespendeten Sakramente gültig? Von der gegen einzelne gerichteten Anklage her konnte sich ein Infragestellen der Hierarchie oder des geistlichen Amtes, verbunden mit einem laizistischen Denken, ergeben.

War es zu verwundern, wenn von daher auch Zweifel an der gottesdienstlichen Praxis, der Bilderverehrung und überkommenen Glaubensvorstellungen geübt wurden? Ähnliche Gedanken charakterisierten zu jener Zeit auch die Entwicklung im westlichen Europa. Und so zeichnete sich, auch wenn sich unmittelbare Berührungspunkte schwer nachweisen lassen, eine von den russischen Verhältnissen geprägte, der vorreformatorischen Kirchenkritik des Westens ähnliche Entwicklung ab, bei der es um die Frage ging, ob das Heil in der damaligen Kirche noch gewährleistet sei.

Bereits Anfang des 14. Jahrhunderts hatte ein von Bischof Andrej von Twer lancierter Mönch namens Akindin gegen Metropolit Peter den Vorwurf der Simonie erhoben. Er war in dieser Frage eigens zum Patriarchen nach Konstantinopel gereist und hatte seine Anschauungen in der «Niederschrift Akindins, des Mönches aus der Lawra (Ehrenbezeichnung eines besonders angesehenen Klosters) der heiligen Gottesmutter, an den Großfürsten Michail über jene, die für Geld weihen» dargelegt, einer kirchenpolitisch bedeutsamen Schrift, in der Akindin seinem Herrscher in Twer weitgehende Rechte zur Aufrechterhaltung der kirchlichen Ordnung zuerkannte. Obwohl dieses Vorgehen aus den Streitigkeiten zwischen Twer und Moskau um die Vorrangstellung zu erklären ist und die Synode von Perejaslawl im Jahre 1311 die Vorwürfe gegen Peter entkräftete, zeigt sich die wieder aufgebrochene Bedeutung dieses Problems. Es fand auch in der etwa gleichzeitig entstandenen «Blasphemie» (Wlasfimija) Ausdruck, dem gegen die Simonie gerichteten Sammelwerk eines unbekannten Autors.

Mitte des 14. Jahrhunderts erhob sich ein Streit zwischen dem Nowgoroder Erzbischof Wassili Kalika (1330–1352) und dem Bischof Fjodor von Twer. Während letzterer erklärte, seit dem Sündenfall könne das Paradies nur geistig vorgestellt werden, beharrte Wassili darauf, es gebe ein Paradies auf der Erde, und Nowgoroder Kaufleute, die «bis ans Ende der Welt» gereist seien, hätten es dort gesehen. Die Polemik, die möglicherweise vom damals in Byzanz geführten Streit um die rationalistische Kritik von Glaubensaussagen durch den kalabresischen Mönch Barlaam (gest. 1348) beeinflußt war, zeugt von einem auch in Rußland begonnenen kritischen Durchdenken des überkommenen Weltbildes.

Diese verschiedenen Momente kritischen Denkens fanden ihren Ausdruck in der ersten größeren russischen Ketzerbewegung der sogenannten Strigolniki. Sie entstand in Nowgorod gegen Ende der Amtsperiode des dortigen Erzbischofs Wassili Kalika und erlebte nach ihrer dortigen Niederschlagung Anfang des 15. Jahrhunderts in Pskow nochmals einen Höhepunkt. Die in der Forschung umstrittene Bedeutung ihres Namens hängt wohl mit dem Verbum «stritsch» = «scheren» zusammen und geht möglicherweise auf ein rituelles Haarscheren zurück. Diese gegen Simonie und andere kirchliche Mißstände aufbegehrenden niederen Geistlichen und Laien kamen zu umfassender Kirchenkritik. Der Besitz der Kirchen und Klöster an Land und sonstigen Werten galt ihnen als mit dem Glauben unvereinbar. Im Gegensatz zur Unwürdigkeit des simonistisch geweihten Klerus tendierten sie, unter Berufung auf den Apostel Paulus, zu einem allgemeinen Priestertum der Laien. Mit der Ablehnung des Klerus erstrebten sie ein kultfreies, allein auf der Heiligen Schrift, vor allem den Evangelien, beruhendes Christentum. Ihre gegenüber der Erde vollzogene Beichte deutet auf heidnisch-pantheistische, möglicherweise altslawische Einflüsse hin.

Vor allem der Pskower Zweig der keineswegs einheitlichen Bewegung läßt starke Gegensätze erkennen. Während dort manche zwar die Simonie bekämpften, sonst aber am kirchlichen Leben teilnahmen, lehnte der radikalere Flügel mit dem Klerus auch das Mönchtum ab, leugnete die Auferstehung und verwarf teilweise sogar die Bibel. Beide Zweige fanden in ihrer antifeudalen Tendenz Resonanz, besonders bei der einfachen Bevölkerung.

Mit den Strigolniki, die sich großenteils durch ungewöhnlich gute Bibelkenntnis auszeichneten, setzte sich außer dem Nowgoroder Erzbischof Foti und dem Bischof Stefan von Perm sogar der Patriarch Neilos von Konstantinopel (1380–1388) literarisch auseinander. Schon 1375 waren die Nowgoroder Anführer der Strigolniki im Wolchow ertränkt worden. Doch konnten die Probleme nicht durch Gewaltanwendung gelöst werden. Das Auftreten eines weiteren Antitrinitariers in Twer in den achtziger Jahren des 14. Jahrhunderts mit Namen Markian, bereitete bereits das Aufflammen neuer tiefgreifender Auseinandersetzungen vor.

III.

Die Kirche
im jungen Moskauer Staat

1

Moskaus «Sammeln»
der russischen Lande

Die Tatarenzeit stellt keine eindeutig abgrenzbare Periode
dar, zumal bereits in dieser Zeit die Herausbildung des Moskauer Staates ihren Anfang nahm. Seit Ende des 13. Jahrhunderts war es gelungen, die Verwüstungen des Tatareneinfalls im wesentlichen zu beseitigen. Getragen von einem wirtschaftlichen Aufschwung im nordöstlichen Rußland, der durch
die Entwicklung des Handwerks gekennzeichnet war, kam es
zu größerer Annäherung der einzelnen Territorien, dem Bemühen um Überwindung der Zersplitterung durch die von den
Moskauer Fürsten eingeleiteten Bestrebungen. Es gelang ihnen,
den Widerstand der Fürsten von Susdal-Nishni Nowgorod,
von Twer und Rjasan zu brechen sowie Angriffe des litauischen
Großfürsten Olgerd zurückzuschlagen. Unter Dmitri Donskoi
wurde in den Jahren 1366/67 der Moskauer Kreml durch die
Errichtung von Kalksteinmauern zu einer fast uneinnehm-
baren Festung.

Gleichzeitig leitete das Eindringen feudaler Verhältnisse bei
den Tataren den Zerfall der Goldenen Horde ein. Anfang der
sechziger Jahre des 14. Jahrhunderts verselbständigte sich
Choresm, Ende des Jahrhunderts die große Nogaier Horde,
1427 entstand das selbständige Krim-Khanat und in den dreißiger Jahren des 15. Jahrhunderts das Kasaner Khanat. So
konnte es Großfürst Dmitri Donskoi (1361–1389) wagen,
einen Versuch zum Abschütteln des Jochs zu unternehmen.

Im Jahre 1378 errang erstmals ein Moskauer Heer an den Grenzen des Fürstentums Rjasan in offener Schlacht einen Sieg über die Tataren. Daraufhin sammelte der tatarische Heerführer Mamaj ein großes Heer, verbündete sich mit dem litauischen Fürsten Jagajlo und spekulierte auf den Verrat des mit Moskau unzufriedenen Fürsten von Rjasan. In der Schlacht auf dem Felde von Kulikowo (Kulikowo Pole) am Don – daher stammt Dmitris Ehrenname «Donskoi» – gelang es im Herbst 1380 seinen russischen Kriegern, den Tataren unter Mamaj eine bedeutende Niederlage beizubringen.

Noch konnten sich die Russen nicht lange ihres Sieges erfreuen. Bereits zwei Jahre danach mußte Dmitri Donskoi vor den Scharen des Khans Tochtamysch (1381–1395) fliehen, der, infolge Verrats der Fürsten von Susdal-Nishni Nowgorod, Moskau einnahm und niederbrennen ließ.

Und doch war die Schlacht bei Kulikowo äußerst wichtig für die weitere Entwicklung. Denn sie verhalf dem Bewußtsein zum Durchbruch, daß Einigkeit und Zusammenfassung aller Kräfte unter einer zentralen Führung selbst den Tataren Einhalt gebieten können. Mit diesem Bewußtsein, wie es in dem Epos der Schlacht auf dem Felde von Kulikowo, der «Sadonstschina», seinen literarischen Niederschlag fand, wurde der Boden für den künftigen Moskauer Staat bereitet, bahnte sich das Ende der feudalen Zersplitterung an.

Zunächst hatte sich nur eine graduelle Verschiebung der Macht zugunsten Moskaus ergeben. Noch Großfürst Wassili II. (1425–1433, 1434, 1434–1446, 1447–1462), der von einem seiner Gegner geblendet wurde und deshalb den Beinamen «der Blinde» (Tjomny) erhielt, verlor im Streit mit anderen Fürsten dreimal seinen Thron, bevor er die innere Ordnung stabilisieren konnte. Erst in der zweiten Hälfte des 15. Jahrhunderts war die Entwicklung so weit herangereift, daß es zur Herausbildung eines neuen Staatswesens, des zentralistischen Moskauer Staates, kam.

Die entscheidende Phase bildete die Regierungszeit des Moskauer Großfürsten Iwan III. (1462–1505). Als «Sammler der russischen Lande» konnte Iwan die Vereinigung des überwiegenden Teils der nordrussischen Gebiete zu einem gewissen

Abschluß bringen. Im Jahre 1463 gliederte er das Fürstentum Jaroslawl, 1474 das Fürstentum Rostow an. Die Stadtrepublik Nowgorod geriet 1471 in Abhängigkeit von Moskau und wurde 1478 völlig unterworfen. In den achtziger Jahren konnte Iwan Perm und die nördlichen Besitzungen Nowgorods in Moskauer Provinzen verwandeln. Und schließlich gelang es dem Großfürsten im Jahre 1485, seinen hartnäckigsten Rivalen, das Fürstentum Twer, nachdem es ebenso wie Nowgorod vergebens versucht hatte, durch ein Bündnis von den Litauern Unterstützung und Waffenhilfe zu erhalten, dem Moskauer Staat einzugliedern.

Da auch das Fürstentum Rjasan in ein Vasallenverhältnis zu Moskau geriet, hatte sich unter Iwan III. anstelle der bisher unabhängigen Herrschaftsgebiete des nördlichen Rußland ein einheitlicher russischer Staat herausgebildet, genauer gesagt, ein Nationalitätenstaat der Großrussen und nichtrussischer Völker, dem sich die unter litauischer und polnischer Herrschaft befindlichen, wie man später sagte, Weiß- und Kleinrussen (Ukrainer) erst in den folgenden Jahrhunderten anschließen konnten.

Gleichzeitig mit der «Sammlung» der russischen Lande kämpfte Iwan III. um die Befreiung von der Tatarenherrschaft. Nach Einstellung der finanziellen Abgaben an die Tataren sah sich Moskau nochmals in großer Gefahr. Khan Achmed verbündete sich mit dem litauischen Großfürsten und König von Polen, Kasimir IV. (1440–1492), sowie dem Deutschen Orden zu gemeinsamer Aktion. Selbst russische Fürsten konspirierten gegen Iwan. Trotzdem konnte Moskau im Entscheidungsjahr 1480 das Heer des Deutschen Ordens schlagen und Khan Achmed zum Rückzug zwingen, er wurde kurz danach von Tataren der ihm feindlich gesonnenen Nogaier Horde erschlagen. Damit fand die Tatarenherrschaft ihr Ende.

Wenn man etwa seit den achtziger Jahren des 15. Jahrhunderts vom Bestehen eines Moskauer Staates beziehungsweise vom Moskauer Rußland (Moskowskaja Rus) sprechen kann, so nicht nur, weil mit der Befreiung von den Tataren der territoriale Zusammenschluß zu einem gewissen Abschluß gekommen war, sondern weil die diesen begleitenden Umwandlungen der politisch-gesellschaftlichen Struktur ein Stadium erreicht hatten, in dem, wenigstens in den Grundlagen, anstelle der bisherigen teilfürstlichen Zersplitterung ein mehr oder weniger geschlossenes Regierungs- und Verwaltungssystem unter Moskaus Führung getreten war.

Während bis zu den achtziger Jahren die Beziehungen des Moskauer Großfürsten zu den einzelnen Fürstentümern auf Verträgen relativ gleichberechtigter Partner beruhten, gingen nun entscheidende Machtbefugnisse auf die Moskauer Verwaltung über. So wurde zum Beispiel ein zentrales Heer geschaffen.

Das unter Iwan III. erarbeitete «Gesetzbuch» (Sudebnik) von 1497 schuf für den jungen Moskauer Staat eine einheitliche Gesetzesgrundlage. Immer mehr stützte sich der Großfürst auf einen neuen Dienstadel, den er mit der Verpflichtung, Kriegs- und anderweitige Dienste zu leisten, mit einem «Dienstgut» (pomestje) belehnte. Allerdings beharrten die zum großfürstlichen Bojarenrat (duma) gehörenden altangestammten Fürsten weiterhin auf ihrem Mitspracherecht und opponierten auch unter den Nachfolgern Iwans III. immer wieder und oft mit Erfolg gegen die zunehmend autokratisch regierenden Herrscher.

Trotz aller Gegnerschaft gegen die westlichen Nachbarn, in deren Ländern der katholische Glaube vorherrschte, blieb eine Vielfalt von Verbindungen erhalten. Der wachsenden Geltung seines Staates wünschte Iwan III. durch repräsentativen Ausbau seiner Hauptstadt Ausdruck zu verleihen. Hierzu benötigte er ausländische Fachleute. Mit der Eroberung Konstantinopels im Jahre 1453 hatten die Türken dem Byzantinischen Reich ein Ende bereitet. Deshalb holte sich der Großfürst aus dem lateinischen Westen Baumeister, Künstler und Techniker ins Land. Davon zeugen, um nur einige Beispiele zu nennen, die mit dem Neubau der Kremlmauer, -kathedralen und -paläste verbundenen Namen der italienischen Meister Aristotele Fioraventi, Pietro Antonio Solari, Anton Frjasin und Marco Ruffo, ferner der aus Venedig herbeigeholte jüdische Arzt Leon oder der italienische Münzmeister Iwan Frjasin.

Mit dem Sturz des Kaisertums von Konstantinopel und dem endgültigen Abschütteln des Tatarenjochs war die bis dahin nie eindeutig gelöste Frage, wer als letzte Obrigkeit zu gelten habe, der christliche byzantinische Kaiser, der Tatarenkhan oder ein russischer Fürst, zugunsten des Moskauer Großfürsten entschieden. Nun entlehnte Iwan III. Ausdrucksformen des byzantinischen Kaisertums zur Betonung seiner Würde.

Bereits bei Michail von Twer und in Urkunden aus der Zeit Iwans I. Kalita begegnete die Bezeichnung «Großfürst von ganz Rußland (wseja Rusi)». Iwan III. unterstrich das Neue seiner Stellung durch gelegentliches Benutzen der slawischen Form des Titels «Kaiser» als «Zar von ganz Rußland» und der Bezeichnung «Selbstherrscher» (samodershez, Autokrat).

Seine im Jahre 1472 erfolgte Hochzeit mit Sofia Palaiolog, der Nichte des letzten byzantinischen Kaisers, konnte bei manchen den Gedanken nähren, daß Iwan III. das byzantinische Erbe angetreten habe. Das Moskauer Hofzeremoniell wurde dem byzantinischen ähnlich gestaltet. Anstelle der bisherigen Ausdrucksweise «Iwan, Herrscher und Großfürst» übernahm er die griechische Namensform und die Vorstellung vom Gottesgnadentum: «Ioann, durch Gottes Gnade Herrscher von ganz Rußland». Bei der Einführung des Metropoliten Simon (1495–1511) hielt sich Iwan III. an die Form, nach der in Konstantinopel die Patriarchen geweiht wurden. Schließlich krönte der Großfürst für das von Byzanz übernommene, die Nachfolge regelnde Amt des Mitregenten seinen Enkel Dmitri im Jahre 1498 in der als repräsentativer Mittelpunkt des Moskauer Staates neu errichteten Uspenski-Kathedrale des Moskauer Kreml mit einem der Kaiserkrönung ähnlichen Zeremoniell. Dabei benutzte er die sogenannte «schapka Monomacha», jene mit Pelz besetzte russische Zarenkrone, von der man irrigerweise erklärte, der byzantinische Kaiser Konstantin IX. Monomachos (1042–1054) habe sie dem Großfürsten Wladimir Monomach (1113–1125) verliehen. Nun erschien auch in Moskau als Emblem der doppelköpfige Adler, der vordem bereits z. B. auf Münzen aus Twer zu finden war.

Iwans Nachfolge trat jedoch sein Sohn Wassili III. (1505 bis 1533) an, der das vom Vater Geschaffene fortführte. Im Jahre 1510 gliederte er Pskow und 1521 Rjasan seinem Staate an. Mit der Eroberung der Stadt Smolensk im Jahre 1514 leitete er eine weitere Entwicklungsphase ein: die Rückgewinnung der abgetrennten westrussischen Gebiete.

2
Die Autokephalie
der russischen Kirche

Im Zusammenhang mit den gesellschaftlichen und politischen
Faktoren kann der Beitrag der russischen Kirche zum Entstehen und zur Festigung des Moskauer Staates nicht übersehen
werden. Die bereits von Hierarchen wie den Metropoliten Peter und Alexi bekundete Haltung fand sich auch in der weiteren Entwicklung.

Metropolit Iona (1448–1461) unterstützte Wassili II. gegenüber dem letzten Aufbäumen eines Teilfürstengeschlechtes
und entband ihn von dem Eide, mit dem er gegenüber Fürst
Dmitri Schemjaka vom nordrussischen Galitsch auf den Thron
verzichten mußte. Wassilis Bedenken, dadurch selbst eidbrüchig zu werden, zerstreute laut Chronik der Abt Trifon vom
Kirillow-Beloserski-Kloster mit den Worten: «Diese Sünde
komme auf mein Haupt und das meiner Bruderschaft ...»
Ionas mutiges Eintreten trug mit dazu bei, daß die Moskauer
bei der Belagerung ihrer Stadt im Jahre 1451 durch Tataren
bis zum Sieg ausharrten. Erwähnt sei ferner ein Schreiben des
Rostower Erzbischofs Wassian Rylo. Gegenüber den zaudernden Bojaren, die Iwan III. davon abhalten wollten, ermunterte
er den Großfürsten zum Feldzug gegen Khan Achmed im
Jahre 1480, dessen glücklicher Ausgang das Ende der Tatarenherrschaft brachte.

Mit Metropolit Iona begann eine neue Epoche der russischen Kirchengeschichte, denn seine Amtseinführung im Jahre
1448 stellte zugleich den Beginn der Autokephalie, der völligen Unabhängigkeit und Eigenständigkeit der russischen Kirche, dar. Sie steht mit einem gesamtkirchlichen Ereignis in
Zusammenhang, dem Abschluß der Florentiner Union vom
Jahre 1439.

Noch immer unterstanden die russischen Christen im Moskauer und im litauischen Staat offiziell einem gemeinsamen Metropoliten. Nach dem Tode des aus Konstantinopel entsandten Metropoliten Foti (Photios, 1408–1431), eines Griechen, wählte eine Synode von Bischöfen, Repräsentanten des Klerus, des Mönchtums und der Laien den Bischof Iona von Rjasan zu dessen Nachfolger. Patriarch Joseph II. (1416 bis 1439) entschied sich jedoch für den westrussisch-litauischen Bischof Gerassim von Smolensk (1432–1435). Die Moskauer fügten sich, beeilten sich aber nach dem Tode von Gerassim, der vermutlich niemals ins Moskauer Rußland gekommen war, erneut in Konstantinopel um die Bestätigung ihres Kandidaten Iona nachzusuchen. Dort zog man es jedoch vor, vielleicht wegen der inzwischen von Kaiser und Patriarch aufgenommenen Verhandlungen mit dem katholischen Abendland, den daran bereits beteiligten Griechen Isidor (1436–1441) als Metropoliten einzusetzen. Für eine Nachfolge Isidors wurde die Bestätigung Ionas in Aussicht gestellt.

Um in der harten Bedrängnis durch die Türken vom Abendland Hilfe zu erhalten, hatte sich Byzanz zu Verhandlungen mit der römischen Kirche bereit gefunden. Im Jahre 1439 kam es auf dem Konzil zu Florenz zum Abschluß einer Kirchenunion. Der neue Metropolit von Kiew und ganz Rußland, Isidor, gehörte zu den Unterzeichnern und war vom Papst in den Rang eines Kardinals erhoben worden. Als er nach seiner Rückkehr in Moskau die Union durchzusetzen versuchte, stieß er auf den hartnäckigen Widerstand des Großfürsten, des russischen Klerus und der Bojarenschaft, wurde eingesperrt und floh schließlich über Twer und Nowogrodek nach Rom.

Da die Russen in der Union einen Abfall vom wahren Glauben sahen und eine Rückkehr Isidors ausschalten wollten, der Patriarch aber ebenfalls vom Glauben abgefallen zu sein schien, griffen sie zur Selbsthilfe. Eine Bischofssynode vom Dezember 1448 erneuerte die Wahl des auch vom Patriarchen als Isidors künftiger Nachfolger designierten Iona zum «Metropoliten von ganz Rußland».

Dieses Ereignis wurde in zweifacher Hinsicht von Bedeutung. Obwohl Moskau zunächst offenbar nur einen Präzedenzfall zu schaffen beabsichtigte, um künftig die gültige Wahl eines Metropoliten selbst vorzunehmen und sie durch den nach Aufkündigung der Union wieder rechtgläubigen Patriarchen nur bestätigen zu lassen, bedeutete der Akt von 1448 faktisch die Loslösung von Konstantinopel. Denn trotz Aufgeben der Union besaßen die Patriarchen nach der Eroberung Konstantinopels durch die Türken im Jahre 1453 und damit dem Ende des Byzantinischen Kaiserreichs keine Einflußmöglichkeit mehr.

Das zweite Moment betrifft die Einheit der russischen Kirche. Mit Billigung des Großfürsten von Litauen und Königs von Polen, Kasimir IV., konnte Iona zehn Jahre lang auch die dortigen russischen Christen, mit Ausnahme von Galizien, betreuen. Doch dann erreichte es Papst Kalixt III. (1455–1458), daß Kasimir im Jahre 1458 Iona als nicht kanonisch geweiht die Anerkennung entzog und die Orthodoxen im polnisch-litauischen Gebiet erneut dem unierten Isidor unterstellte, beziehungsweise dem Grigori, den der geflüchtete einstige Patriarch Gregorios Mammas von Konstantinopel (1446–1450) in Rom anstelle des bereits betagten Isidors zum Metropoliten von Kiew und ganz Rußland weihte. Als Kasimir dann von Wassili II. verlangte, Grigori an Ionas Stelle auch für Moskau als Metropolit anzuerkennen, entschloß man sich dort zu einem schwerwiegenden Schritt. Auf einer Bischofssynode vom Jahre 1459 wurde offiziell der Trennungsstrich zur Kirche in den westrussischen Gebieten gezogen und gleichzeitig die Autokephalie der Kirche im Moskauer Staat endgültig festgelegt. Damit war die russische Metropolie zur Moskauer Metropolie geworden, und folglich bezeichnete sich künftig das dortige kirchliche Oberhaupt als «Metropolit von Moskau».

Die nunmehr getrennte kirchliche Entwicklung in den westrussischen Gebieten konnte nicht ohne Folgen bleiben. Ganz anders als im Moskauer Staat stand man hier in ständiger Begegnung und Auseinandersetzung mit dem römischen Katholizismus, nach der Reformation auch mit dem Protestantismus. Da hier außerdem die Verbindung zu den Patriarchen in Konstantinopel bestehenblieb, ergab sich ein stärkerer Einfluß durch die zeitgenössische griechische kirchliche Praxis. Das sollte zu ernsten Problemen führen, als mit der Rückgewinnung der westrussischen Gebiete in den folgenden Jahrhunderten eine Wiedervereinigung mit der Heimatkirche stattfand.

Wohl waren besonders im Gefolge der byzantinischen Prinzessin Sofia zahlreiche Ausländer nach Moskau gekommen, darunter die sich zur Union bekennenden griechischen Brüder Dmitri und Juri Trachaniotis, die vor allem auf kirchliche Kreise Nowgorods beträchtlichen Einfluß ausübten. Doch zeichnete sich im Moskauer Staat eine zunehmend nationalrussische kirchliche Entwicklung ab, die sich in manchem von der der einstigen griechischen Mutterkirche unterschied.

Als die im Auftrag Iwans III. nach dem Vorbild der gleichnamigen Kathedrale in Wladimir an der Kljasma im Moskauer Kreml errichtete Uspenski-Kathedrale eingeweiht wurde, empörte es den Großfürsten, daß Metropolit Geronti (1473 bis 1489) die Einweihungsprozession entgegen dem Lauf der Sonne statt in umgekehrter Richtung vollziehen ließ. Hier standen sich griechischer und russischer Brauch gegenüber, wobei man schließlich den von Geronti praktizierten griechischen akzeptierte. In Pskow entschied man sich zur grundsätzlichen Anerkennung beider Bräuche, als es zum Streit kam, ob das Halleluja nach russischer Sitte dreimal oder nach dem Brauch des Athos zweimal zu singen sei. Die Auseinandersetzungen zeugen von einer bestehenden Unsicherheit und veranlaßten dazu, die eigene Praxis an der griechischen zu überprüfen. Dies wurde jedoch nicht unbedingt im Sinne einer Angleichung entschieden.

3

Die monastischen Reformanliegen von Iossif Wolozki und Nil Sorski

Die orthodoxen Kirchen, und das gilt in gleicher Weise für die russische Orthodoxie, sind in ihrer Entwicklung nachhaltig vom Mönchtum geprägt worden. Die Bischöfe als Träger der geistlichen Vollmacht und Lehrautorität gehen aus dem Mönchsstand hervor. In den Klöstern lebende oder zu Bischöfen gewordene Mönche gehörten zu den wichtigsten Repräsentanten des geistlichen Schrifttums, und das bedeutete in der damaligen Zeit in hohem Maße auch der geistigen Kultur. Viele Gläubige beichteten lieber bei durchziehenden Mönchen als bei der eigenen Pfarrgeistlichkeit. Durch die für jedermann offenen Klostergottesdienste – und für viele in der Nähe eines Klosters liegenden Dörfer gab es nur diese – wirkte die Mönchsspiritualität auf die Gemeindefrömmigkeit ein. Mönche prägten die kirchlich-theologische Entwicklung. Aber angesichts der damaligen Verflechtung des religiösen und gesellschaftlichen Denkens gab es eine über den Rahmen des rein Kirchlichen hinausgehende Wechselwirkung zwischen kirchlich-theologischen Zielsetzungen und den gesellschaftlichen und politischen Gegebenheiten. Dies wird besonders deutlich im Wirken der markantesten Vertreter des damaligen Mönchtums, Iossif Wolozki (1439–1515) und Nil Sorski (1433 bis 1508).

Als Reformer des Mönchtums wollten beide bestehende Mißstände und Unzulänglichkeiten überwinden, den Glauben als bestimmendes Moment christlichen Seins in der konkreten Existenz wirksam werden lassen und dadurch Mönchtum und Kirche zu neuer Blüte führen. Die Wege aber, auf denen sie dieses Ziel zu erreichen hofften, unterschieden sich beträchtlich.

Iossif Sanin, genannt Wolozki nach dem von ihm gegründeten Kloster von Wolokolamsk, beabsichtigte aufgrund selbst erfahrener Mißstände, nach dem Vorbild der Klöster des Ostens, vor allem des Athos, und unter Wahrung russischer Mönchstraditionen im russischen Mönchtum die strenge koinobitische Ordnung zu erneuern. In der strengen äußeren Zucht sah er die beste Voraussetzung für die innere Läuterung und Vervollkommnung. Deshalb stand für ihn die detaillierte, in manchem lateinischen Mönchsregeln ähnelnde Reglementierung des Mönchslebens im Vordergrund. Sie war geprägt von absolutem Gehorsam, anfangs auch von der Forderung absoluter persönlicher Besitzlosigkeit, die Iossif jedoch später aufgab. Es ging ihm nicht um völlige Weltabgeschiedenheit. Für ihn war das Kloster sowohl Mittelpunkt sozialer Wirksamkeit als auch Pflanzstätte der künftigen Hierarchie. Deshalb spiegelte die Mönchsgemeinschaft in dreifacher Abstufung die hierarchische Struktur der Kirche wider, unterschied sich vor allem die Lebensweise der für ein höheres kirchliches Amt Bestimmten.

Dieser praktisch-nüchternen koinobitischen Ausrichtung stand das monastische Ideal von Nil Sorski gegenüber. In den Mönchskolonien des Transwolgagebietes (Sawolshje) beim Kirillow-Beloserski-Kloster wurde er zum Repräsentanten der Transwolga-Starzen, zum eigentlichen Vater des russischen Starzentums (Starez = alter Mönch, Mönchsvater). Für ihn konnte eine Erneuerung des Mönchtums nicht durch äußere Disziplin, sondern allein durch innere Wiedergeburt Wirklichkeit werden. Deshalb galt sein Bemühen der inneren Selbstvervollkommnung. Das Einsiedlertum verwarf er wegen der Gefahr des geistlichen Hochmuts. Das koinobitische Mönchtum lehnte er nicht ab, bevorzugte aber als höhere Stufe ein Sichlossagen von der Welt und jeglichem Besitz durch ein Zurückziehen in die Einsamkeit, in der sich der Mönch in der Stille und unter Anleitung eines Starzen dem kontemplativen Dasein widmet. Gegenüber koinobitischer Gesetzlichkeit und Betriebsamkeit knüpfte Nil an die Vorstellungen der Leidenschaftslosigkeit und das immerwährende innere Gebet des orientalischen Mönchtums an, jene frühe Ausprägung des Hesychasmus, wie sie in den Sprüchen der orientalischen Wüstenväter (Apophthegmata patrum), bei Johannes Klimakos (gest. um 649) und Isaak dem Syrer (gest. um 700) zu finden war. Dabei zeugt sein vom Neuen Testament als Norm ausgehendes nüchternes Prüfen der Väterschriften von gründlicher theologischer und philologisch-kritischer Arbeit.

Beide Richtungen verstanden sich nicht als Gegensätze und unterhielten gegenseitige Beziehungen. Erst bei der Anwendung der von ihnen vertretenen Grundsätze in den kirchlichen und gesellschaftlichen Fragen der Zeit sollten die tiefgehenden Unterschiede zutage treten.

62

4

Der Streit um den Grundbesitz
der Klöster und Kirchen

Ein großer Teil des russischen Bodens, nach Meinung einiger Forscher sogar ein Drittel, befand sich im Besitz der Klöster, selbst einiger Einödklöster, und Kirchen. Hervorgegangen war dieser Besitz aus Stiftungen für die Gründung und den Unterhalt von Klöstern, für Seelenmessen oder beim Eintritt in den Mönchsstand. Nach byzantinischem Vorbild, das sich von den Verhältnissen in den lateinischen Ländern keineswegs wesentlich unterschied, waren darüber hinaus zahlreiche Privilegien und Abgabedispense erteilt worden. Der Vertrag zwischen Großfürst Wassili I. (1389–1425) und Metropolit Kiprian, durch den sich der Großfürst eine stärkere Unterstützung seitens der Kirche versprach, besiegelte faktisch die Immunitätsrechte der kirchlichen Ländereien im Moskauer Staat. Bei jedem Herrschaftswechsel bemühten sich die Geistlichkeit und die Vorsteher der Klöster, eine Bestätigung der vordem erhaltenen Rechte oder noch weitere zu erlangen. Das galt in entsprechender Weise gegenüber den kleineren Fürsten.

Die Gestaltung der ökonomischen Verhältnisse war ein wesentliches Moment für die Festigung des zentralistischen Moskauer Staates. Im Gegensatz zu den Eigeninteressen der alteingesessenen Fürsten- und Bojarengeschlechter begann man sich auf den Dienstadel zu stützen, der seinen Besitz aus der Hand des Großfürsten erhielt und im Interesse der Erhaltung des eigenen Wohlstands diesem diente. Immer mehr Adlige für den großfürstlichen Dienst zu gewinnen, setzte die Verfügungsmöglichkeit des Großfürsten über entsprechende Ländereien voraus.

Deshalb erließ Iwan III. für die seinem Staat neu angegliederten Gebiete das Verbot, den Klöstern «um des Seelenheiles willen» Ländereien zu überschreiben und beschlagnahmte mehrfach mit dem Hinweis auf die staatliche Notwendigkeit kirchlichen Landbesitz. Das fand bei der Bevölkerung durchaus Sympathie. Hatten doch sogar mancherorts die Bauern mit Waffengewalt die Gründung eines Klosters verhindert, weil sie fürchteten, über kurz oder lang samt Grund und Boden in den Besitz eines entstehenden Klosters überzugehen.

Iwan III. wollte keinen Gegensatz zur Kirche, sondern eine grundsätzliche Lösung. Dabei standen sich die Konzeptionen der von Iossif Wolozki repräsentierten «Besitzenden» (stjashateli) und der Nil Sorski folgenden «Besitzlosen» (nestjashateli) gegenüber.

Iossif Wolozki galt der Besitz der Klosterländereien für die Aufgaben von Mönchtum und Kirche als unaufgebbar. Wenn auch jenes Zitat nicht wörtlich verbürgt ist, demzufolge der Besitz der Klöster eine Voraussetzung für den Eintritt von wohlhabenden und angesehenen Männern ins Mönchtum und damit für die Erhaltung der Hierarchie und des orthodoxen Glaubens sei, spiegelt es doch ein zentrales Anliegen von Iossifs monastischem Denken wider.

Dazu kam der Gesichtspunkt sozialer Wirksamkeit. An zahlreichen Beispielen belegte er, wie ein Kloster in der Lage sein müsse, den Menschen in seiner Umgebung nicht nur geistlichen Beistand zu gewähren, sondern auch bei materieller Not, durch das Speisen von Armen und so weiter, hilfreich wirken zu können.

Demgegenüber vertraten Nil Sorski und nach seinem Tod dessen streitbarer Schüler, der Fürst-Mönch Wassian Patrikejew (ca. 1460–ca. 1532/35), das Ideal völliger Besitzlosigkeit nicht nur des einzelnen Mönches, sondern der ganzen Mönchsgemeinschaft. Aller irdische Besitz, besonders die sich aus der Verwaltung von Klosterländereien ergebenden Ungerechtigkeiten, beeinträchtige nicht nur ein Leben in Gebet und Demut, sondern verleite auch zu dem widersprechenden Handlungen. Allerdings gestand Wassian den Kathedralkirchen Landbesitz zu, der jedoch ausschließlich von einem Laien, einem Ökonomen, zu verwalten sei.

Publizistisch und durch einen Synodalbeschluß vom Jahre 1503 setzte die um ihre wirtschaftliche Basis fürchtende Kirche die Unantastbarkeit ihres Besitzes durch, erklärte jede Säkularisierung für Kirchenraub und Sakrileg.

Erst danach flammte die eigentliche Polemik zwischen «Be-

sitzlosen» und «Besitzenden» auf. Nils Schüler Wassian Patrikejew, der dem sinaitischen Hesychasmus seines Lehrers
ferner stand und mehr zur Mönchstradition des Basilios (gest.
379) neigte, unterzog die russische «Kormtschaja kniga»
(Steuermannsbuch) einer kritischen Überarbeitung. Dabei
stellte er nicht nur fest, daß die russischen kirchenrechtlichen
Artikel, auf die sich die «Besitzenden» stützten, in der serbischen «Kormtschaja» fehlten, sondern fand, es gebe Stellen
«in den heiligen Kanones, die dem heiligen Evangelium, dem
Apostel und der Lebensweise aller heiligen Väter widersprechen».

Wassian fand Unterstützung durch den gebildeten, vom
abendländischen Humanismus beeinflußten Maxim Grek (Ma-
ximos der Grieche, gest. 1556). Dieser stellte fest, daß der
vom 7. Ökumenischen Konzil von 787 gebilligte Besitz von
«Ackerland und Weingärten» im Russischen fälschlich als
«Dörfer mit darin wohnenden Christen» wiedergegeben wurde
und die russischen liturgischen Texte Übersetzungsfehler auf-
wiesen. Außerdem polemisierte Maxim Grek leidenschaftlich
gegen die Veräußerlichung der Anhänger des Iossif Wolozki
(Josefiten) sowie eine Reihe von kirchlichen und staatlichen
Mißständen in Rußland. Die Folge war die gerichtliche Ab-
urteilung von Wassian Patrikejew und Maxim Grek im Jahre
1531. Das Denken der Josefiten hatte sich durchgesetzt.

5

Die Häresie der «Judaisierenden»

In wesentlich tiefer gehender Weise sah sich die russische
Kirche durch das Wiederaufflammen kritischen Denkens in
der erneut von Nowgorod ausgehenden, nun aber auch Moskau erfassenden häretischen Bewegung der «Judaisierenden»
(Shidowstwujustschije) in Frage gestellt. Diese unkorrekte,
aber in der Fachliteratur noch heute gebräuchliche Bezeichnung
rührt daher, daß ihre namhaftesten zeitgenössischen literarischen Gegner, der Nowgoroder Erzbischof Gennadi (1485 bis

1504) und Iossif Wolozki, die «Häresie der Nowgoroder Ketzer» auf einen aus dem litauischen Kiew gekommenen Juden
Sacharja zurückführten und ihnen vorwarfen, sie «lehrten,
sich jüdisch zu geben». Doch nur bei wenigen Anhängern des
radikaleren Nowgoroder Zweiges scheint es judaistische Momente gegeben zu haben, weswegen die heutige sowjetische
Forschung, die sich vor allem mit deren antifeudalem Charakter befaßt, durchaus berechtigt von der «Nowgorod-Moskauer
Häresie» spricht.

Die erstmals 1487 in Nowgorod bekannt gewordene, sich
zunächst verborgen haltende Bewegung läßt sich wegen der
Komplexität ihrer Anschauungen schwer auf einen Nenner
bringen. In Nowgorod war sie unter dem niederen Klerus, in
Moskau mehr unter gebildeten Laien vertreten. In manchem
erneuerten diese Häretiker die Kritik der Strigolniki, so in
der Verwerfung der Simonie — sie wurde erst auf der Synode
von 1503 abgeschafft — und ihrer Kritik am kirchlichen Kult.
Vor allem im radikaleren Nowgoroder Kreis finden wir die
rationalistische Bestreitung des Trinitätsdogmas, die Gleich-
setzung Jesu, dessen Auferstehung viele leugneten, mit Mose,
David und den Propheten, die daraus resultierende Ablehnung
der Verehrung Marias als der Gottesmutter, die Verwerfung
von Ikonen und Heiligenkult und teilweise vielleicht überhaupt ein Infragestellen der Kirche.

Dagegen scheint sich im Moskauer Kreis die rationalistische
Kritik mehr auf eine Ablehnung der kirchlichen Überlieferung
gerichtet zu haben. Hier berief man sich gerade auf die Evangelien und die apostolischen Schriften, wenn man mit den
Werken der Väter die aus diesen abgeleiteten Einrichtungen
wie das Mönchtum sowie den Besitz der Kirchen und Klöster
verwarf.

Besonders dem Moskauer Kreis ging es offenbar um eine
Reform der Kirche, die trotz aller russischen Spezifik einen
Bezug zu abendländischen reformatorischen Strömungen erkennen läßt. Die Bewegung war von einem recht unterschiedlich akzentuierten, Momente des Humanismus widerspiegeln-
den Bildungsstreben gekennzeichnet. Es war ein Streben nach
umfassender Kenntnis und einem von der Verstandeserkennt-

nis getragenen Bezug zu Kirche und Glauben, einer Vergeisti-
gung des kirchlich-hierarchischen, ein Verständnis von Lehre,
Liturgie und Sakramenten im Sinne des «vernünftigen Gottesdienstes» von Röm. 12, 1.

Die gegen sie gerichtete Polemik läßt dagegen einen be-
denklichen Tiefstand der damaligen kirchlichen Bildung zutage treten. Selbst Erzbischof Gennadi, von den des Lesens
nur mangelhaft kundigen Priestern ganz zu schweigen, mußte
sich, um einer Auseinandersetzung mit seinen Gegnern gewachsen zu sein, die jenen zugänglichen und von ihnen benutzten biblischen und kirchlichen Schriften erst mühsam beschaffen. Es wurde Gennadis Verdienst, daß er im Zusammenhang mit dieser theologischen Kontroverse im Jahre 1499
erstmals einen vollständigen Kodex der russisch-kirchenslawischen Bibel zusammenstellte. Iossif Wolozki verfaßte eine
Reihe umfangreicher Traktate, die sich mit der gegenwärtigen
und früheren christlichen Häresie auseinandersetzten. Sie
wurden von seinen Schülern unter dem Titel «Der Erleuchter»
(Proswetitel) zu einem Handbuch zusammengefaßt, das einen
ersten russischen Versuch systematischer Darstellung orthodoxer Glaubensgrundlagen bietet.

Der Nowgoroder und in noch stärkerem Maße der Moskauer Kreis, dem Laien aller Gesellschaftsschichten bis in die
höchsten Kreise des Hofes hinein angehörten, beschränkten
sich nicht auf die religiöse Thematik. Durch ihr Schrifttum, dem
Werke der klassischen Literatur, arabischer und jüdischer Ge-
lehrter zugrunde lagen, förderten sie alle damaligen Wissens-
gebiete, wie Grammatik, Logik, Metaphysik, Geschichte, Ma-
thematik und Astronomie, vermittelten sie der geistig-kultu-
rellen Entwicklung in Rußland maßgebliche Impulse.

In der Auseinandersetzung mit den «Judaisierenden», deren
Moskauer Kreis zunächst die Unterstützung Iwans III. und
selbst des aufgeschlossenen Metropoliten Sossima (1490 bis
1494) fand, trat erneut die unterschiedliche Haltung von Nil
Sorski und Iossif Wolozki zutage. Nil vertraute auf das für-
bittende Gebet zur Überwindung des Häretischen und das
allein Gott zukommende letztgültige Urteil. Gennadi und
Iossif verlangten in leidenschaftlicher Polemik den Vollzug

irdischer Strafgewalt, wobei ihnen, vermittelt durch den kroa-
tischen Dominikaner Benjamin, das Vorbild der katholischen
Inquisition vor Augen schwebte und damit eine Verflechtung
mit der staatlichen Gewalt. Gerade ihr Staats- und Gesellschaftsdenken war der Grund, weshalb sich die Josefiten groß-
fürstlicher Gunst erfreuten.

6
Die religiöse Verklärung
der Staatsgewalt

Nil Sorskis allen «Leidenschaften» absagende Mönchsspiritualität besann sich auf den Auftrag der Kirche, die Botschaft des
Evangeliums vorzuleben und dadurch wirksam werden zu lassen, sie nicht aber mit weltlicher Gewalt durchzusetzen. In
dieser Unterscheidung der Aufgaben von kirchlicher und weltlicher Macht zeichnete sich eine Tendenz zur Trennung dieser
beiden Gewalten ab.

Im Bestreben, dem Evangelium notfalls mit irdischen
Machtmitteln Geltung zu verschaffen, knüpfte Iossif Wolozki
ebenso wie Erzbischof Gennadi an die besonders im Byzantinischen Reich entfaltete und im Prinzip auch im Kiewer Reich
vorherrschende Verflechtung von Kirche und Staat an. Iossif
verfaßte eine Reihe von Schriften, die dem zögernden Herrscher seine Pflicht zum Schutz von Glaubenslehre und kirchlichem Besitz vor Augen führen sollte. In Kreisen um den
Nowgoroder Erzbischof Gennadi griff man sogar auf katholische Gedanken einer Vormachtstellung der Kirche gegenüber
dem Staat zurück. Hierzu dürfte auch die «Erzählung von der
Nowgoroder Weißen Mitra» zu rechnen sein. Bei letztlich
antikatholischer Tendenz erweist sie sich als eine russische
Fortführung der lateinischen Legende von der Donatio Constantini: Kaiser Konstantin (324–337) habe Papst Silvester I.
(314–335) eine weiße Mitra als Zeichen der höchsten Würde
überreicht, die infolge der Unwürdigkeit der späteren Päpste
über Konstantinopel nach Nowgorod gelangt sei. Damit sollte

nicht nur die bevorrechtigte Stellung der Nowgoroder Erzbischöfe in der russischen Kirche, sondern auch die des geistlichen gegenüber dem weltlichen Amt bewiesen werden, denn die Weiße Mitra sei als die «Kaiserkrone des Engelranges» weit «mehr zu ehren» als die Krone des irdischen Zaren.

In einer gewissen Dialektik zu dieser zeitweiligen Tendenz setzte sich jedoch die vor allem von Iossif Wolozki entfaltete Konzeption durch, die nach byzantinischem Vorbild die für die Erfüllung der kirchlichen Aufgaben des irdischen Herrschers notwendige Autorität durch eine religiöse Glorifizierung des Herrscheramtes unterstrich. Der Vergleich des christlichen Herrschers mit Gestalten aus dem Alten Testament und seine Verherrlichung als «zweiter Konstantin» war ebenso wie in anderen orthodoxen Ländern auch in Rußland keineswegs unbekannt. Gewichtiger wurde ein Übertragen der christologischen Zwei-Naturen-Lehre auf die Herrscher des Moskauer Staates. So bezog Iossif Wolozki auf Großfürst Wassili III. jenes Wort, das der Diakon Agapetos gegenüber Kaiser Justinian I. im Jahre 527 bei dessen Thronbesteigung in Konstantinopel geäußert hatte: «Der Zar ist nämlich seiner Natur nach allen Menschen gleich, seiner Macht nach gleicht er aber Gott dem Höchsten.» Über Agapetos hinausgehend, umriß Iossif die fast uneingeschränkten Rechte und Pflichten des Herrschers gegenüber der Kirche.

Dem entsprach eine religiöse Verklärung des Moskauer Staates. Schon Ilarion und Nestor hatten die Bedeutung der Russen als der Letztberufenen erwähnt. Als das für 1492 erwartete Weltende nicht eingetreten war, mußten neue Paschalientafeln (Festlegung der Ostertermine) geschaffen werden. In deren Einleitung deutete Metropolit Sossima an, daß nicht nur die russischen Fürsten Konstantin vergleichbar seien, sondern daß Moskau das legitime Erbe Konstantinopels und seiner Kaiser angetreten habe. Er bezog den eschatologischen Gehalt des Schriftwortes: «Die Ersten werden die Letzten und die Letzten werden die Ersten sein» auf die Verherrlichung, die Gott dem «durch seine Rechtgläubigkeit hervorragenden» Iwan III., Moskau als der neuen Stadt Konstantins und dem ganzen russischen Lande habe zuteil werden lassen.

So war es nur noch ein weiterer Schritt, wenn der Mönch Filofej aus Pskow all diese Momente in seiner Theorie von Moskau als dem dritten Rom zusammenfaßte. Rom, heißt es, sei wegen des Gottesdienstes mit den ungesäuerten Abendmahlsbroten vom wahren Glauben abgefallen. Das zweite Rom, Konstantinopel, habe wegen seiner Union mit den Lateinern Gottes Strafgericht erfahren. Nun repräsentierten nur noch Moskaus Herrscher und das russische Reich den orthodoxen Glauben in voller Reinheit. «Zwei Rome sind gefallen», schrieb er an Wassili III., «aber das dritte steht, und ein viertes wird es nicht geben. Dein christliches Reich wird nicht mehr in die Hände anderer fallen ...» Und in einem Schreiben an Iwan IV. (den «Schrecklichen», 1533–1584) erklärte Filofej: «Auf der ganzen Erde leitet und lenkt allein der rechtgläubige große russische Zar – wie Noah in der Arche von der Sintflut gerettet wurde – die Kirche Christi und festigt den orthodoxen Glauben.»

Durch ihre Parteinahme hat die damalige russische Kirche einen beträchtlichen Beitrag für das Entstehen und die Festigung des Moskauer Staates und der sie repräsentierenden Macht geleistet. Aber die dabei zum Tragen kommenden Vorstellungen einer Verflechtung von Kirche und Staat, einer Identifizierung von Glaube und bestehender Gesellschaftsordnung begründeten eine sich schließlich verhängnisvoll auswirkende Bindung an das russische Zarentum, das ein Erfüllen des der Kirche vom Evangelium her gewiesenen Auftrags nachhaltig beeinträchtigen sollte.

7

Höhepunkte und Kritik josefitischen Denkens im 16. Jahrhundert

Mit den Prozessen gegen Wassian Patrikejew und Maxim Grek zur Zeit des seinem Herrscher Wassili III. vorbehaltlos ergebenen Metropoliten Daniil (1522–1539) hatte das josefitische Denken in der russischen Kirche die Vorherrschaft erlangt. Gegenüber den um die Machtausübung streitenden Bojarengeschlechtern, die den im Alter von erst drei Jahren zur Herrschaft gelangten Iwan IV. (1533–1584) machtlos zu sehen wünschten, stellten sich maßgebliche Kirchenmänner auf die Seite des jungen Großfürsten. Sein Beichtvater Silvester hatte dem jungen Iwan einen Bojarenrat zur Seite gestellt, den er selbst maßgeblich beeinflußte. In josefitischem Denken auf sein hohes Amt hin erzogen, wurde Iwan IV. schließlich im Jahre 1547 vom Metropoliten Makari (1543–1564), obwohl der Titel schon von seinen Vorgängern benutzt wurde, als erster russischer Herrscher offiziell zum Zaren gekrönt.

Die Zeit zeichnete sich durch eine kulturelle Blüte aus. In der kirchlichen Baukunst traten spezifisch russische Züge hervor. Nach Vorbildern altrussischer Holzarchitektur entstand im Jahre 1532 als Zeltdachkirche die Christi-Himmelfahrts-Kirche in Kolomenskoje südlich von Moskau. Kuppel und Zeltdach verbanden sich architektonisch bei der prachtvollen Mariä-Schutz-Kathedrale, die nach dem in ihr begrabenen «Narren in Christo» Wassili als Wassili-Blashenny-Kathedrale bezeichnet wird und anläßlich der Eroberung des Khanats Kasan im Jahre 1552 vor den Toren des Moskauer Kreml erbaut wurde.

In der darstellenden Kunst, wie der ebenfalls der Einnahme von Kasan gewidmeten monumentalen Ikone «Die streitende Kirche», fand die historische Größe des gläubigen Rußland kirchlichen Ausdruck.

Durch die Einrichtung der ersten russischen Druckerei konnte das Buch an die Stelle der bisherigen Pergamenthandschriften treten. Im Jahre 1564 erschien eine Ausgabe des «Apostol» (Apostelgeschichte und -briefe) als erstes in Rußland gedrucktes Buch. Ein umfangreiches Schrifttum betonte in josefitischer Sicht die Bedeutung der russischen Kirche sowie ihre Einheit mit der russischen Gesellschaft.

Jede orthodoxe Kirche gedenkt der Segnungen, deren sie durch Heilige, Asketen und Wundertäter teilhaftig geworden ist. Sollte die russische als die Kirche des Landes, das erst «in elfter Stunde» zum Glauben berufen worden war, anstelle der byzantinischen als Mittelpunkt und letzter Hort des reinen

Glaubens gelten, mußte sie sich auf eine den älteren Kirchen
gleichwertige Tradition stützen können.

Bereits als Erzbischof von Nowgorod hatte es Makari mit
einem größeren Mitarbeiterstab unternommen, aus der vorhandenen Heiligenliteratur die «Großen Lese-Menäen», ein
den Monaten entsprechendes zwölfbändiges Menologion und
Martyrologion zusammenzustellen. Als Metropolit von Moskau setzte er diese Arbeit fort. Im Vordergrund sollten nun
die Viten der russischen Heiligen stehen. Doch mußte er feststellen, daß manche vom Volk seit langem als Heilige Ver-
ehrte niemals offiziell kanonisiert worden waren und daß es
von vielen russischen Heiligen und Wundertätern nur unzu-
reichende oder gar keine Viten gab.

Deshalb ließ Metropolit Makari auf zwei Synoden der Jahre
1547 und 1549 insgesamt 39 russische Asketen und Wundertäter heiligsprechen, so daß sich die Zahl der russischen Heiligen auf 52 erhöhte. Gleichzeitig ließ er die vorhandenen Viten
unter dem Gesichtspunkt von Verdiensten gegenüber dem
Moskauer Staat und seinen Herrschern überarbeiten oder neue
Viten verfassen. Sie fanden Eingang in die erweiterte, 1552
fertiggestellte Fassung der «Großen Lese-Menäen». Bis Ende
des 16. Jahrhunderts wurden fünfundzwanzig weitere Heilige
kanonisiert, darunter auch Iossif Wolozki.

Als ein Höhepunkt erwies sich das «Stoglaw», die «Hun-
dert-Kapitel-Synode» (Stoglawny sobor) vom Jahre 1551,
benannt nach den in hundert Kapiteln zusammengefaßten Beschlüssen, die sich gegen kirchliche Mißstände richteten und
eine einheitliche Ordnung in der russischen Kirche anstrebten.
Der sich aus Vertretern der Geistlichkeit, Bojaren, gewählten
Vertretern des Dienstadels, der Kaufmannschaft, Handwer-
kern und Staatsbauern zusammensetzende erste russische
Landtag (Semski sobor) hatte 1550 ein neues «Rechtsbuch
des Zaren» (Zarski sudebnik) verabschiedet. Nun ließ Zar
Iwan IV. die Stoglaw-Synode an der weltlichen Gesetzlichkeit teilhaben, indem er von ihr das Rechtsbuch prüfen und
bestätigen ließ.

Andererseits unterbreitete der Zar der Synode einen viele
Seiten des kirchlichen Lebens umfassenden Fragenkatalog, der

die Gottesdienstordnung, kirchenrechtliche und Finanzproble-
me, das lasterhafte Betragen mancher Priester und Mönche, das
ehrfurchtslose Stehen in den Kirchen, Fragen der Ikonenmalerei, Mißbräuche bei der Ausgabe von Antimensien (geweihte
Altartücher) und anderes betraf. Gestützt auf griechisches und
russisches Traditionsgut, sah die Stoglaw-Synode im josefitischen, äußerlich-formalistischen Geist die sicherste Gewähr
dafür, den reinen Glauben vor allen Neuerungen, besonders
katholischer und reformatorischer Herkunft, rein zu bewahren.
Als eine Art geistlicher Zensur erweist sich die Forderung,
darüber zu wachen, daß keine häretischen Gedanken in das
religiöse Schrifttum eindringen. Erneut unterstrich man die
Unantastbarkeit kirchlichen Besitzes.

Als eine Ursache der zu überwindenden Mißstände erkannte
man das Fehlen von Schulen in Rußland. In einer Zeit, in der
in den lateinischen Ländern Geistliche und Laien in Schulen
und Universitäten eine Ausbildung von beachtlichem Niveau
erhalten konnten, waren viele russische Priester des Lesens
und Schreibens fast unkundig. Sie lernten das zum Halten der
Gottesdienste Notwendige von ihren Vätern oder in einer kurzen Ausbildung beim Bischof. Selbst die Klosterbibliotheken
waren dürftig ausgestattet. Deshalb hielt das Stoglaw die
Einrichtung von Schulen für erforderlich, ohne sie jedoch
durchsetzen zu können.

Es hatte gelegentlich Auseinandersetzungen über rituelle
Unterschiede gegeben. Die Stoglaw-Synode beschloß deren
Vereinheitlichung unter Betonung der russischen Bräuche.
Künftig durfte man sich nur noch mit dem «Zweifingerkreuz»
bekreuzigen, das heißt mit aneinanderliegendem ausgestreck-
tem Zeige- und Mittelfinger und nicht mit den drei sich berüh-
renden Spitzen von Daumen, Zeige- und Mittelfinger. Anstelle
des verbreiteten dreimaligen war allerorts nur noch das zwei-
malige Halleluja zu singen. Noch ahnte man nicht, daß sich
gerade diese Festlegungen hundert Jahre später als Zündstoff
zur Spaltung der russischen Kirche erweisen sollten.

Etwa zur gleichen Zeit erschien der vielleicht vom Beichtvater des Zaren, Silvester, verfaßte «Domostro» (Hausord-
nung). Durch ihn sollten die herrschenden Prinzipien in allen

73

Lebensbereichen, Kirche, Staat und Familie, in gleicher Weise zur Geltung kommen. Eng aufeinander bezogen wurden die Ausführungen, «wie man glauben» und «wie man den Zaren ehren soll». Den autokratischen Rechten des Zaren entsprachen, in Anlehnung an die hierarchische Struktur des koinobitischen Klosters, die patriarchalischen Rechte und Pflichten des Familienvaters bei der Erziehung von Frau, Kindern und Gesinde zu religiöser und sittlicher Reinheit. Die Pfarrgeistlichen sollten sich durch Seelsorge dieser «Hauskirchen» als Keimzellen der idealen Kirche annehmen. Das bereits in russischer Umgangssprache verfaßte Werk schließt mit der Behandlung von wirtschaftlichen Fragen.

Zu Anfang des 16. Jahrhunderts hatte Spiridon-Sawwa im Ferapont-Kloster in der Nähe des Weißen Sees (Beloosero) ein Sendschreiben verfaßt, das in seiner späteren Überarbeitung als «Erzählung von den Fürsten von Wladimir» bekannt wurde. Darin wurde die traditionelle Version einer Abstammung des russischen Herrschergeschlechts vom legendären Warägerfürsten Rjurik bis zur Abstammung von einem Verwandten (srodnik) des römischen Kaisers Augustus weitergeführt.

Zusammen mit den übrigen, die Bedeutung Rußlands und seines Herrscherhauses verherrlichenden Gedanken ging diese Genealogie in das etwa 1560–1563 im Auftrag des Metropoliten Makari geschriebene «Stufenbuch» (Stepennaja kniga) ein. Es ist eine Darstellung der russischen Herrscher seit Wladimir dem Heiligen bis zur «Stufe» höchster Vollendung im «von Gott gekrönten Zaren, Selbstherrscher und Gebieter» Iwan IV. In josefitischem Sinn beschreibt das «Stufenbuch» die Kirche als ständigen Begleiter der weltlichen Gewalt und diese als Schirmherrn der Kirche.

Viele dieser Gedanken hat Iwan IV. selbst für sich nutzbar gemacht. Doch zeigten sich schon im «Heiligen Rußland» jener Zeit die Keime einer künftigen säkularen Entwicklung, die das josefitische Ideal in Frage stellten.

Von den äußerlich-formalen Beschlüssen der Stoglaw-Synode wurde die wesentlich tiefer gehende kirchlich-theologische und geistig-gesellschaftliche Problematik nicht erfaßt. Mit einigen dieser Probleme hatten sich die Synoden der folgenden Jahre auseinanderzusetzen.

Rationales kritisches Denken und laizistische Momente zeigten sich auch nach Ausmerzung der «Judaisierenden» in verschiedenem Gewande. In den vierziger/fünfziger Jahren des 16. Jahrhunderts bildete sich ein Kreis um Matwej Baschkin, den recht gebildeten Sohn eines kleineren adligen Gutsbesitzers. Er erkannte den Widerspruch zwischen der Abhängigkeit der leibeigenen Knechte und dem Gebot der Nächstenliebe, der Botschaft des Neuen Testaments. So schenkte er seinen eigenen Knechten die Freiheit. Da auch in der Tradition und im Erscheinungsbild der Kirche manches dem Neuen Testament nicht entsprach, stellte er schließlich die kirchliche Überlieferung und die Lehren der Väter und Konzile überhaupt in Frage, lehnte die Lehren von der Gottheit Christi und der Dreifaltigkeit, die kirchlichen Sakramente und die überkommenen Gottesdienstformen, die Verehrung der Heiligen und der Ikonen ab. Eine Synode vom Jahre 1553/54 verbannte ihn in das Kloster von Wolokolamsk, die Wirkungsstätte des Iossif Wolozki.

Radikaler in der Aussage und Grundlage einer Bewegung, die in Moskau, Nowgorod, Staraja Russa und anderen Orten besonders des nordwestlichen Rußland Verbreitung fand, war die «Neue Lehre» des Feodossi Kossoi. Der aus dem Moskauer Gebiet entflohene Leibeigene war bei den Transwolga-Starzen Mönch geworden. In seiner stark sozial motivierten Kritik an Kirche und Gesellschaft polemisierte er gegen die hierarchisch verfaßte Kirche, ihre Gottesdienste, Sakramente, die Dreifaltigkeitslehre, stellte die Erlösung durch Christus in Frage und verwarf das Mönchtum in seinen verschiedenen Ausprägungen. Das Alte Testament betonend, sah er im Auszug der Israeliten aus Ägypten den Weg der Unterdrückten in die Freiheit vorgezeichnet. Auch ließ ihn die Gleichheit aller Menschen vor Gott eine nationale Enge überwinden. Feodossi Kossoi wurde 1554 von der Moskauer Synode verurteilt. Nach gelungener Flucht setzte er sein Wirken in Litauen fort.

In der literarischen Auseinandersetzung bot der Mönch Sinowi Otenski (gest. um 1568) aus dem im Nowgoroder Gebiet gelegenen Otenski-Kloster mit seiner in Dialogform verfaßten Schrift «Nachweis der Wahrheit für die, welche wegen der neuen Lehre und vor allem für die, welche nach der rechten Wahrheit fragen», eine erste systematische russische Darlegung der orthodoxen Glaubenslehre. Ausgehend vom kosmologischen und teleologischen Gottesbeweis, erläuterte er die Dreifaltigkeitslehre, entfaltete im Blick auf die Kritik der «Judaisierenden», des Matwej Baschkin und Feodossi Kossoi ausführlich die Lehre von der Kirche, von der Menschwerdung und vom Erlösungswerk Christi. Weitere Kapitel verteidigten die Verehrung der Ikonen, der Reliquien, des Kreuzes, befaßten sich mit Fragen der Buße, des Betens und Fastens und dienten insbesondere einer Rechtfertigung der orthodoxen kirchlichen Tradition. Schließlich wurden diese Fragen noch einmal im Blick auf die Polemik gegen die Hierarchie, das Mönchtum und den Klosterbesitz behandelt.

Im Gegensatz zu dieser stärker dogmatisch geprägten Schrift widmete sich Sinowi in seinem «Wortreichen Schreiben» einzelnen Fragen der kirchlichen Praxis auf Grund von Anfragen, die in der Auseinandersetzung mit Feodossi Kossoi aus Litauen an ihn gerichtet worden waren.

Die kirchlichen Verfolgungsmaßnahmen beschränkten sich allerdings nicht nur auf die eigentlichen Häretiker. Sie richteten sich auch gegen Vertreter der Transwolga-Starzen, der «Besitzlosen», mit denen die Häretiker in Berührung gestanden hatten und die den Josefiten als Nährboden häretischer Gesinnung galten. Als bedeutendster der hiervon betroffenen sei der Starez Artemi genannt. Iwan IV., der von diesem Repräsentanten der von Nil Sorski geprägten Mönchsspiritualität beeindruckt war, hatte Artemi im Jahre 1551 zum Abt des Troize-Sergi-Klosters berufen, von dem sich der Starez jedoch schon nach sechs Monaten wieder in die Einsamkeit des Nordens zurückzog. Wegen angeblicher Nähe zur Häresie Matwej Baschkins verbannte ihn die Moskauer Synode von 1553/54 in das Solowezki-Kloster am Weißen Meer, aus dem er nach Litauen fliehen konnte. Dort verteidigte er gegenüber Feodossi Kossoi eifrig den orthodoxen Glauben. Noch stärker als Nil Sorski stützte sich Artemi auf die Heilige Schrift als die eigentliche Norm für alles christliche Sein. An die Stelle des von Nil betonten «geistigen Gebets» trat bei ihm als Ziel asketischen Lebens die «geistige Liebe». Für ihn erschloß sich der von der Heiligen Schrift gewiesene Weg der Demut und der Buße im «Tun des Kreuzes».

Mit der Synode von 1553/54, auf der die als «Erleuchter» zusammengefaßten Traktate des Iossif Wolozki mit als Richtschnur dienten, schien die Vorherrschaft josefitischen Denkens samt der damit postulierten Einheit von Kirche und Zarentum endgültig gefestigt zu sein. Und doch fielen in diese Zeit bereits die ersten Konflikte mit Iwan IV., zeichnete sich die dramatische Periode der sogenannten Opritschnina ab.

8
Die Krise unter Iwan IV.

Die unter Iwan IV. und seinen Ratgebern, dem «Auserwählten Rat», in den fünfziger Jahren durchgeführten Reformen dienten der Weiterentwicklung des Staates sowie einer weiteren Festigung der zentralen Staatsmacht. Man schlug die Krimtataren, vernichtete die Khanate Kasan und Astrachan. Mit der Säuberung des Wolgagebietes vom Feinde konnte die Ausdehnung nach dem Osten, zum Ural und nach Sibirien beginnen. Dadurch gewann der Staat neue Ländereien für den Dienstadel, durch den der Einfluß der alten Bojarengeschlechter weiter zurückgedrängt wurde. Letztere traf es hart, daß nunmehr die wichtigsten Staatsämter nicht mehr nach Anciennität des Adels, sondern nach sachlichen Notwendigkeiten besetzt wurden.

Es zeichnete sich ein zunehmender Gegensatz ab. Während Iwan IV. die unumschränkte, absolute Gewalt in einem immer mehr zentral geleiteten Staat erstrebte, versuchten damit unzufriedene Bojaren an der einstigen teilfürstlichen Eigengewalt festzuhalten und die Macht des Zaren zu begrenzen. Diese Gegensätze verschärften sich zur Zeit des Livländischen Krieges (1558–1582/83), der Rußland einen Zugang zur Ostsee verschaffen sollte. Der nun überall Verräter vermutende Zar ließ viele hinrichten, andere flohen zum litauischen Gegner. Das betraf auch einstige Mitarbeiter des «Auserwählten Rates». Seinen einstigen Berater Silvester verbannte der Zar ins Kloster. Der für die russische Niederlage bei Polozk im Jahre 1564 verantwortliche Fürst A. M. Kurbski zog es vor, zu den Litauern überzugehen.

Als Machtinstrument zur Ausschaltung oder Vernichtung der nun allgemein des Verrats verdächtigten großen Feudalherren und ihrer Familien schuf sich Iwan IV. mit der sogenannten Opritschnina (1565–1572) einen ihm bedingungslos ergebenen Staat im Staate. Die Opritschnina (das Abgesonderte) bezeichnete zunächst eine persönliche Truppe des Zaren, die bei der Vernichtung von Gegnern im Innern mit derart erbarmungsloser Grausamkeit vorging, daß ihr Name zum Inbegriff des Schreckens wurde. Ihr Auftreten trug mit dazu bei, daß der Zar als Iwan Grosny, der Gewaltsame oder Schreckliche, bezeichnet wurde. Zu ihrem Unterhalt und zur weiteren Schwächung der Opposition im Inneren teilte Iwan IV. das Staatsgebiet sowie die Stadt Moskau in zwei Teile. Das dem Zaren unmittelbar unterstehende Gebiet der Opritschnina erhielt die wirtschaftlich und militärisch wichtigsten Landesteile. Soweit die bisher dort wohnenden Feudalherren am Leben blieben, wurden sie umgesiedelt, ihr Land dem Zaren treu ergebenen kleinen Dienstadligen zugeteilt. Für das übrige Land, die «Semstschina» (von semlja = Land), das weiterhin die dem Zaren unterstehende Bojarenduma verwaltete, setzte der Zar sogar zeitweilig einen tatarischen Pseudozaren ein.

Als das für die Entwicklung Rußlands Bedenkliche der Opritschnina offenkundig wurde, hob Iwan IV. sie im Jahre 1572 wieder auf und ließ manchen seiner bisherigen Getreuen hinrichten. Das Experiment hatte den Druck auf die bäuerliche Bevölkerung verstärkt, die, soweit sie nicht aufbegehrte, den zentralen russischen Gebieten den Rücken zu kehren begann. Andererseits hat die Opritschnina durch eine beträchtliche Schwächung der auf ihre Eigenständigkeit und traditionelle Machtstellung bedachten Bojarenkreise die Autokratie gefestigt und damit den Übergang zum Absolutismus der russischen Zaren eingeleitet. Während dieser später unter Peter I. säkulare Züge annehmen sollte, begründete Iwan IV., wie es vor allem der Briefwechsel mit dem nach Litauen geflohenen Kurbski zeigt, seine Position noch stark religiös.

Im Geiste der Josefiten erzogen, benutzte der Zar die in ihrem Schrifttum vertretene Konzeption, ohne sich allerdings von der Zielsetzung der Josefiten leiten zu lassen, die bei ihrer religiösen Verklärung der Zarenmacht vom Interesse der Kirche ausgingen.

Iwan IV. eignete sich die Vorstellung an, daß sein Geschlecht auf den Kaiser Augustus zurückgehe. Seine Machtvollkommenheit begründete er gegenüber dem polnischen König Stefan Batory (1575–1586) mit dem Hinweis, er habe «durch Gottes Willen und nicht durch den Wunsch der aufrührerischen Menschheit» sein Amt inne. Folglich galt ihm Gehorsamsverweigerung als Todsünde, während er für sich selbst uneingeschränkte Rechte über seine Untertanen, auch über ihr Leben, beanspruchte. «Wir sind frei», schrieb er an Andrej Kurbski, «uns unserer Knechte zu erbarmen, wir sind aber auch frei, sie hinrichten zu lassen.» Sich dem Zaren zu widersetzen bedeute so viel wie sich Gott zu widersetzen, folgerte er aus Eph. 6, 5 f.: «Ihr Knechte seid gehorsam eueren leiblichen Herrn, nicht mit Dienst allein vor Augen, als den Menschen zu gefallen, sondern wie Gott ...»

Das Einmischen der Bojaren in die Regierungsgeschäfte schien mit der Unbegrenztheit der Zarenmacht nicht vereinbar: «Wie kann man ihn Selbstherrscher nennen, wenn er nicht alles selbst bestimmt? Die Erde wird durch Gottes Gnade und durch die Gnade der allerreinsten Gottesmutter, durch die Gebete aller Heiligen, den Segen unserer Eltern und schließlich durch uns, ihre Herrscher, gelenkt, nicht aber durch Richter und Wojewoden, durch Edelleute und Strategen.»

Dabei konnte er sich auf den Rat von Josefiten berufen, zum Beispiel den Mönch Wassian Toporkow. Auf seine Frage: «Wie muß ich herrschen, damit meine Edelleute Gehorsam bezeugen?» hatte er die Antwort erhalten: «Wenn du ein Selbstherrscher sein willst, dann dulde in deiner Umgebung auch nicht einen einzigen Ratgeber, der klüger als du sein könnte, denn du bist besser als alle. Wenn du so handelst, wirst du dein Reich und alles fest in der Hand haben. Behältst du aber bei dir Männer, die klüger sind als du, dann wirst du unvermeidlich auf sie hören müssen.»

Es wäre jedoch falsch anzunehmen, daß sich Iwan IV. allein von josefitischen Vorstellungen leiten ließ. Anregung und Unterstützung bei seinen Reformplänen fand Iwan IV. unter anderem durch den Publizisten Iwan Pereswetow, einem Wortführer des Dienstadels, der nach Aufenthalten in Polen, Ungarn und in der Moldau 1538/39 nach Moskau kam. In seiner «Erzählung vom Kaiser Konstantin», und zwar vom letzten byzantinischen Kaiser Konstantin XI. Palaiologos, schildert er dessen humane, den Feudalherren zu großen Einfluß gewährende Regierungsweise als Ursache für den Fall von Konstantinopel. Dagegen pries er in seiner «Erzählung vom Sultan Mohammed» das Vorbild des türkischen Eroberers von Konstantinopel, der nach Entmachtung des Feudaladels mit einer Art Militärherrschaft seine absolute Machtfülle begründete. Damit stützte Pereswetow Iwans Reformgedanken bis hin zur Opritschnina. Da diese Werke frei von Resten des Kirchenslawischen sind und sich keiner biblischen Begründung bedienen, zeichnet sich hier die Entwicklung zu einem säkularen Schrifttum ab.

Trotz des Anknüpfens an josefitische Gedanken richteten sich die Maßnahmen des Zaren auch gegen den kirchlichen Besitz und den Einfluß jener Hierarchen, die auf der Seite oppositioneller Bojarenkreise standen. Religiöser Mummenschanz und Verhöhnung der Kirche in den Orgien des Zaren im engsten Kreis seiner Opritschniki wechselten zwar mit harter Buße, trugen aber zur Entfremdung bei. Der den «Besitzlosen» nahestehende Metropolit Filipp (1566–1568) schien den Wünschen des Zaren nach einem willfährigen Hierarchen zu entsprechen. Als er dennoch im März 1568 offen der Willkür des Zaren widersprach und, wie es die Vita berichtet, in der Moskauer Uspenski-Kathedrale den Segen verweigerte, ließ Iwan IV. ihn ins Kloster sperren und Ende desselben Jahres durch den Opritschnik Maljuta Skuratow erdrosseln.

Die russische Kirche hat Filipp als Märtyrer 1636 heiliggesprochen. Er blieb nicht das einzige Opfer. Die Nowgoroder Erzbischöfe Pimen und Leonid, der Vorsteher des Pskower Höhlenklosters, Kornili, und andere verloren Amt und Leben. Auch durch das Verbot von größeren Schenkungen an die Klöster versuchte der Zar, den Einfluß der Kirche zu mindern, sie seiner eigenen Macht und den Interessen seines Amtes unterzuordnen.

9
Erste überkonfessionelle Gespräche

Das Mittel- und Westeuropa im 16. Jahrhundert erfassende Ringen von Reformation und Gegenreformation spiegelte sich in Rußland im Entstehen häretischer reformatorischer Strömungen wider, die ähnlich gelagerten Verhältnissen entsprachen, hat aber die russische Kirche in ihrer Gesamtheit nicht berührt. Die Begegnung mit dem Protestantismus ergab sich zunächst vor allem durch jene Deutschen und Holländer, die als Offiziere oder Fachleute nach Rußland kamen. Sie konnten sich sogar in Moskau 1575 eine kleine Kirche errichten. Man duldete dies wohl als eine Eigenart ihrer fremden Lebensgewohnheiten. Während des Livländischen Krieges hatte Iwan IV. zwei dortigen Städten, Dorpat und Reval, für den Fall freiwilliger Unterwerfung die Glaubensfreiheit anbieten lassen.

Die offizielle Duldung wird weniger in religiöser Gleichgültigkeit oder bewußter Toleranz zu sehen sein als in der Annahme, daß die Eigenart der Ausländer den Glauben der Russen nicht berühre. Die aufkeimende antiprotestantische Polemik zeugt noch von Unkenntnis über Wesen und Anliegen der Reformation. Allerdings stellt man schon die östliche Erlösungstheologie der noch ganz undifferenziert unter dem Begriff der Gerechtigkeit beziehungsweise Rechtfertigung (justificatio) gesehenen abendländischen Theologie gegenüber.

Iwan IV. glänzte gelegentlich gern als «Theologe». Dabei machte er aus seiner Verachtung der Protestanten kein Hehl.

Er ließ dies deutlich in einer «Disputation» mit dem Prediger der Böhmischen Brüder, Jan Rokyta, spüren, der 1569 mit einer Gesandtschaft des polnischen Königs Sigismund II. nach Moskau gekommen war. Iwan IV. schmähte ihn als einen Ketzer, für den das Gebot Christi gelte, man dürfe die Perlen nicht vor die Schweine werfen. Rokyta hatte auf zehn Fragen zu antworten, die sich auf Kontroverspunkte wie die Lehre von der Rechtfertigung, den guten Werken, das Verständnis des geistlichen Amtes, die Bilderverehrung, das Fasten, die Liturgie, Priesterehe und das Mönchtum bezogen. Die in einer weiteren Audienz des Zaren feierlich überreichte Antwort war zwar in Goldbrokat gebunden und mit Perlen geschmückt, strotzte jedoch von Sarkasmen und Schimpfworten. «Du bist», hieß es, «nicht nur ein Ketzer, sondern ein Diener des Antichrist und vom Teufel angestiftet. Deshalb verbieten wir dir, deine Lehre in unserem Lande zu verkündigen, bitten vielmehr unseren Herrn Jesus Christus eifrig, unser russisches Land vor der Finsternis eueres Unglaubens zu bewahren.»

Etwas entgegenkommender zeigte sich Iwan IV. im Gespräch mit dem lutherischen Pastor Bockhorn. Dagegen soll er nach der Einnahme der Stadt Polozk den dortigen Pastor Thomas eigenhändig verprügelt haben und ihn dann unter das Eis der Düna werfen lassen.

Einen ähnlichen Mißerfolg wie der protestantische Rokyta erlitt der Jesuit Antonio Possevino, der im Zusammenhang mit dem Abschluß eines russisch-polnischen Waffenstillstands im Jahre 1582 nach Moskau kam. In eingehenden Gesprächen legten Possevino und Zar Iwan IV. das Charakteristische ihrer Kirchen dar. Doch den Wunsch von Papst Gregor XIII. (1572 bis 1585), Iwan IV. für eine antitürkische Koalition sowie eine Kirchenunion zu gewinnen, konnte Possevino nicht durchsetzen. Auch verweigerte der Zar weiterhin das Abhalten katholischer Gottesdienste und den Bau einer katholischen Kirche. Die unter diesem Papst erfolgte Ablösung des Julianischen durch den Gregorianischen Kalender hatte keine Aussicht, von Rußland übernommen zu werden. Sie setzte sich selbst in den nichtorthodoxen Ländern erst allmählich durch.

IV.
Wirren und Konsolidierung –
Das Moskauer Patriarchat

1

Die Gründung
des Moskauer Patriarchats

Dem damaligen Verständnis einer «Symphonia» von Kirche und Staat hätte es konsequenterweise entsprochen, den gewissermaßen an der Seite des Zaren stehenden Ersthierarchen der russischen Kirche in den Rang eines Patriarchen zu erheben. Die bulgarischen Zaren hatten das schon Jahrhunderte früher durchgesetzt. Iwan IV. vermied es wohl wegen seiner Auseinandersetzungen mit einer Reihe von Repräsentanten der Kirche, wegen einer gewissen Verbundenheit des Metropoliten Filipp und anderer Hierarchen mit den erzkonservativen Bojarengeschlechtern, Ansehen und Einfluß des Hauptes der Kirche durch eine Rangerhöhung zu vergrößern. Das geschah erst einige Jahre nach dem Tode dieses Zaren.

Unter Zar Feodor (1584–1598) stritten erneut die rivalisierenden Bojaren um Macht und Einfluß. Die Regierungsgeschäfte übernahm bald Feodors Schwager, der aus einem Tatarengeschlecht stammende und als Opritschnik zu Ansehen gekommene Boris Godunow. Um ihn zu entmachten, hatten seine Rivalen mit Unterstützung des Metropoliten Dionissi (1581–1586) den Zaren zu überreden versucht, sich von seiner unfruchtbaren Frau Irina, Godunows Schwester, zu trennen. Godunow rächte sich blutig an seinen Widersachern, der Metropolit wurde abgesetzt und in ein Kloster verbannt. An seine Stelle trat der Godunow genehme Erzbischof von Rostow, Iow (Hiob, 1586–1605).

Bereits in den siebziger Jahren hatte es katholischerseits Erwägungen gegeben, ein von Rom anerkanntes russisches Patriarchat werde sich vielleicht zu einer Kirchenunion bereit finden. Andererseits erörterte man in den streng orthodoxen Kreisen des litauischen Herrschaftsbereichs um den Fürsten Konstantin II. von Ostrog den Gedanken, ein Patriarchat mit Sitz in Ostrog in Wolynien zu begründen. Ob hiervon beeinflußt oder nicht, machte man sich auch in Moskau diesen Gedanken zu eigen. Gelegenheit boten dazu die häufiger werdenden Besuche orthodoxer Hierarchen aus dem türkischen Machtbereich, die als Bittsteller in Moskau vor allem um finanzielle Unterstützung nachsuchten.

Die Verhandlungen wurden dadurch erschwert, daß seitens der anderen orthodoxen Kirchen eine offizielle Anerkennung der eigenmächtigen Autokephalieerklärung von 1448 fehlte. Wichtigste Voraussetzung war eine Anerkennung durch die bisherige Mutterkirche, das Patriarchat von Konstantinopel. Die Gespräche beim Moskauer Aufenthalt des Patriarchen Joachim V. von Antiochien (etwa 1581–1592) und zweier Vertreter des nur kurze Zeit amtierenden Patriarchen Theoleptos II. von Konstantinopel (1585–1586) blieben ohne Ergebnis. Schließlich kam der zum drittenmal in Konstantinopel Patriarch gewordene Jeremias II. (1572–1579, 1580–1584, 1586–1595). Für die Beziehungen des deutschen Luthertums zur Orthodoxie war er bedeutsam geworden durch seinen Briefwechsel mit Tübinger Theologen über das Augsburgische Bekenntnis (Confessio Augustana). Als er zu Ostern 1588 Polen-Litauen besuchte, hatte ihm der polnische Kanzler vorgeschlagen, seinen Sitz von Konstantinopel, wo das Patriarchat unter den Türken zum Spielball skrupelloser Machtinteressen geworden war, nach Kiew zu verlegen. Dazu zeigte sich Jeremias wenig geneigt, vielleicht auch aus Sorge, hier zur Union genötigt zu werden. Im Juli desselben Jahres reiste er nach Moskau. Hier erlangte man in langwierigen Verhandlungen, in deren Verlauf sich Jeremias überlegte, selbst in Moskau zu bleiben, seine Zustimmung zur Errichtung eines Patriarchats von Moskau und ganz Rußland. Im Januar 1589 wurde Metropolit Iow vom Patriarchen Jeremias in das neue

Amt eines Patriarchen eingeführt. Die Hierarchen von Nowgorod, Kasan, Rostow und Krutizy bei Moskau erhielten die Metropolitenwürde.

Die alten östlichen Patriarchate erkannten Moskau nur den fünften statt des erhofften dritten Platzes in der offiziellen Patriarchatsrangfolge zu. Außerdem wiesen sie nachdrücklich auf die Pflicht des russischen Zarentums und der Moskauer Patriarchen hin, den griechisch-orthodoxen Glauben treu zu bewahren. Dafür besaß die russische Kirche nun die gesamtorthodoxe jurisdiktionelle Anerkennung, die sich bei den unter türkischer Herrschaft Leidenden oft mit überschwenglichem Lobpreis der russischen Schirmherrschaft über den orthodoxen Glauben verband.

Das Vorhandensein eines Patriarchen von Moskau und ganz Rußland schuf neue Voraussetzungen für den Anspruch auf die orthodoxe Kirche in den westrussischen Gebieten. Schließlich bedeutete die Errichtung des Moskauer Patriarchats einen persönlichen Erfolg des unbeliebten Boris Godunow. Als mit dem Tode des kinderlosen Zaren Feodor die sogenannte Rjurikidendynastie erlosch, verhalf der Patriarch dem Boris Godunow dazu, den Zarenthron zu besteigen (1598–1605). Es begann jene Zeit der Machtkämpfe, die in der russischen Geschichte als Zeit der «Wirren» (smuta) bezeichnet wird.

2

Der Widerstand gegen die Brester Union

Während im westlichen Europa die Gegenreformation gegen Lutherthum und Kalvinismus zu Felde zog und in Rußland alles getan wurde, um die dortigen Reformbewegungen in Gestalt rationalistischer und zum Teil antitrinitarischer Häresien auszurotten, erfreute sich Polen-Litauen unter König Sigismund II. August (1548–1572) einer für das damalige Europa einmaligen Religionsfreiheit. Viele «Protestanten» hatten hier Zuflucht gesucht und schnell Anhänger gefunden.

Als aber durch die Lubliner Union von 1569 der offizielle Zusammenschluß der polnischen und litauischen Landesteile zu einem einheitlichen Staat erfolgte, erklärte Sigismund, er gedenke die staatliche Einheit durch die Glaubenseinheit auf der Grundlage des römischen Katholizismus zu untermauern. Die damit beauftragten Jesuiten belebten die Predigttätigkeit, disputierten mit Erfolg und fanden dadurch Anklang, daß die von ihnen eröffneten Schulen kostenlosen Unterricht gewährten. Viele Protestanten und manche Orthodoxe, die sich außerdem in ihren bürgerlichen Rechten benachteiligt sahen, konvertierten zum Katholizismus.

Besondere Aufmerksamkeit schenkte man der Gewinnung der Russen, die an ihrem orthodoxen Glauben festhielten und durch Flüchtlinge aus dem Staat Iwans IV. Unterstützung fanden. Diese Orthodoxen nahmen sich im Dialog mit Katholizismus und Protestantismus schon zu einer Zeit, als im Moskauer Staat noch keine Druckerei existierte, der Verbreitung der Bibel an. Für die Griechisch-Orthodoxen waren bereits 1491 in Krakau Teile der Bibel und liturgische Bücher gedruckt worden. Den ostslawischen Buchdruck begründete der gelehrte weißrussische Arzt Skorina (gest. etwa 1541). Unter Verwendung der tschechischen Bibel und der Vulgata erschien zunächst in Prag 1517–1519 unter dem Titel «Russische Bibel, vorgelegt von Doktor Franziskus Skorina aus der ruhmreichen Stadt Polozk, Gott zur Ehre und den Menschen zur nützlichen und guten Unterweisung» seine Übersetzung von 23 Büchern des Alten Testaments. Seit 1525 folgten in Wilna der «Apostel» und andere Bücher.

Wirkliche Bedeutung erhielt jedoch erst die Ostroger Bibel von 1581. Mit Unterstützung des Fürsten Konstantin II. von Ostrog (1526–1608) war diese kirchenslawische Vollbibel von einem Mitarbeiterstab anhand der noch ungedruckten Gennadi-Bibel, der von Skorina besorgten Texte sowie Handschriften aus Griechenland, Serbien und Rom zusammengestellt worden. Sie verbreitete sich auch im Moskauer Staat und ist hier im Jahre 1663 als sogenannte Moskauer Bibel nachgedruckt worden.

Nach der Autokephalieerklärung der Kirche des Moskauer

Staates im Jahre 1448 blieben die Orthodoxen der westrussischen Gebiete dem Patriarchen von Konstantinopel unterstellt. Die Errichtung eines Patriarchats von Moskau und ganz Rußland beinhaltete einen neuen Anspruch, den es in der Sicht Polen-Litauens von vornherein zu unterbinden galt. Als aussichtsreichstes Mittel, das zugleich der religiösen Einheit Polen-Litauens dienen konnte, erschien die Einbeziehung der dortigen Orthodoxen in eine Union mit der römisch-katholischen Kirche.

Man konnte an die unwirksam gewordene, aber nicht aufgehobene Florentiner Union von 1439 anknüpfen, zumal sie der damalige Kiewer Metropolit Isidor mit unterzeichnet hatte. Unter König Sigismund III. (1587–1632) fanden sich etliche der Hierarchen, die der aus Moskau zurückgekehrte Patriarch Jeremias II. eingesetzt hatte, zur Union bereit, darunter der Metropolit von Kiew, Michael Rahoża, und der mit dem hier neuen Amt eines Exarchen betraute Bischof von Luzk, Cyrill Terlecki.

Nach den Verhandlungen in Rom wurde auf einer Synode in Brest im Oktober 1596 die Union gebilligt und in der päpstlichen Unionsbulle durch die Bezeichnung des Metropoliten Michael Rahoża als «Archiepiscopus Metropolita Kiovensis et Haliciensis ac totius Russiae» sogar die erhoffte Ausdehnung auf den Moskauer Staat angedeutet.

Die Brester Union stieß auf erheblichen Widerstand. Eine gleichzeitig in Brest gehaltene Gegensynode, unter deren Laienvertretern Fürst Konstantin II. von Ostrog das Wort führte, exkommunizierte die Unierten, was diese in gleicher Weise beantworteten. Es erschwerte die Lage der nichtunierten Orthodoxen, daß ihnen die staatliche Anerkennung verweigert wurde.

Sie fanden im Kampf um die freie Betätigung ihres Glaubens einen Verbündeten in den ebenfalls bedrängten polnischen und litauischen Protestanten, die sich vorwiegend zum Kalvinismus hielten. Es kam sogar zu einer ersten ökumenischen Gemeinschaft. Die im Jahre 1599 in Wilna gegründete orthodox-protestantische Konföderation beschränkte sich allerdings auf gegenseitigen Beistand bei Verfolgungen und

Übergriffen. Der von einigen erstrebte kirchliche Zusammenschluß erwies sich als nicht vollziehbar.

Geistlichen Rückhalt boten den Orthodoxen ihre im westlichen Rußland bestehenden Bruderschaften, Laienorganisa-
tionen, die einst vom polnischen König gebilligt worden waren, ein weitgehendes Mitspracherecht selbst gegenüber ihren
Bischöfen besaßen und Krankenanstalten, Waisenhäuser, Schulen und auch Druckereien unterhielten.

Zu den Bruderschaftslehrern und Beratern des Konstantin
von Ostrog zur Zeit des Abschlusses der Brester Union gehörte der aus Kreta stammende Kyrillos Lukaris. Die in Polen-Litauen erlebte Auseinandersetzung mit dem Katholizismus sowie die Begegnung mit dem Protestantismus prägte
auch sein späteres Wirken als Patriarch von Alexandrien
(1602–1620) und auf dem Patriarchenstuhl von Konstantinopel, den er von 1620 bis zu seiner Ermordung im Jahre 1638
siebenmal innehatte. Sein zuerst 1629 in Genf in lateinischer
Sprache veröffentlichtes «Glaubensbekenntnis» (Confessio fidei) weist kalvinistische Einflüsse auf und rief in den orthodoxen Kirchen lebhaften Widerspruch hervor.

3

Die frühe «ukrainische Theologie»

Begegnung und Auseinandersetzung mit Katholizismus und
Protestantismus prägten auch die Eigenart der sich entfaltenden sogenannten «ukrainischen Theologie».

Die westrussische Orthodoxie unterstand weiterhin dem Patriarchen von Konstantinopel, sofern sie sich nicht der Union
angeschlossen hatte. Dabei ergab sich ein unmittelbares Binde-
glied durch griechische Bevölkerungsteile in den Städten der
Moldau bis hin zum südwestlichen Rußland. So wurde in den
ersten Bruderschaftsschulen auf den Griechischunterricht großer Wert gelegt. Manche Schüler der Schulen in Lwow (Lem-
berg), Wilna und Luzk sollen sogar griechisch gesprochen haben. Die vorhandenen Bibliotheken enthielten viel griechische

Literatur. Daraus resultierte eine engere Bindung an die griechische Kirche, ihre Praxis und Theologie, als im Moskauer Staat.

Bald spielte Kiew erneut eine maßgebende Rolle. Etwa im Jahre 1615 scharten sich um den Archimandriten des Kiewer Höhlenklosters, Jelissej Pletenezki, vor allem aus Lwow gekommene gebildete Mönche. Es entstand eine Kiewer Bruderschaft. Man richtete eine Druckerei ein, die seit 1617 patristische und gottesdienstliche Werke herausbrachte. Etwa gleichzeitig gründete man im Kiewer Bruderschaftskloster eine Bruderschaftsschule, in der, wie es in einem damaligen Schreiben nach Moskau hieß, «slawisch-russische, helleno-griechische und andere Lehrer» orthodoxe Jugendliche unterrichteten, «damit sie nicht, aus fremder Quelle trinkend, vom todbringenden Gift des westlichen Schisma trunken geworden, zur Finsternis der Römer abfallen». Ganz in diesem Sinne verfaßte der Ukrainer Sachari Kopystenski, der 1624 Jelissej Pletenezki als Archimandrit des Höhlenklosters ablöste, seinen etwa 1621 erschienenen Traktat «Palinodija». In ihm stellte er uniertem Denken das orthodoxe Verständnis von kirchlicher Einheit gegenüber. Erwähnt sei ferner der bereits 1595 erschienene, nicht erhaltene Katechismus des vor allem in den Bruderschaften von Lwow und Wilna tätigen Lawrenti Sisani. In seinem Traktat «Die Predigt des heiligen Patriarchen Kyrill von Jerusalem über den Antichrist und seine Merkmale» (Wilna 1596) polemisierte er scharf gegen jene, die um materieller Vorteile willen eine Union mit dem römischen Papst als dem Antichristen eingegangen seien.

Trotzdem läßt sich schon bei diesen Theologen der Einfluß ihnen bekannter lateinischer Werke nicht verleugnen. So findet sich bereits bei Tarassi Semka der thomistische Terminus der katholischen Abendmahlslehre «Substanzwandlung» (Transsubstantiation, preloshenie sustschestw). Er hatte auch ins griechische Schrifttum Eingang gefunden (metousiosis). Denn im türkischen Machtbereich stagnierte die einst fruchtbare griechische Theologie. Mangels eigener Ausbildungsmöglichkeiten konnten selbst griechische Theologen ein fundiertes Studium nur an den abendländischen Universitäten erhalten.

Auf diese Weise beschränkte sich die orthodoxe Frontstellung gegen den Katholizismus im wesentlichen auf die Ablehnung des päpstlichen Primats und jene Momente katholischer Theologie und Praxis, die als namhaftester Verteidiger der Orthodoxie schon Patriarch Photios im 9. Jahrhundert als Inbegriff lateinischer Ketzerei gebrandmarkt hatte, während andere katholische Auffassungen und Denkstrukturen relativ unbefangen rezipiert wurden.

Das charakterisiert auch die Entwicklung der «ukrainischen Theologie». Die bekanntesten ihrer Vertreter besuchten katholische Ausbildungsstätten. Und trotz aller Polemik gegen Katholizismus und Protestantismus bedienten sie sich zunehmend der lateinischen Sprache sowie der katholischen scholastischen Methode und legten sie ihrer eigenen Lehrtätigkeit zugrunde.

Diese Tendenz setzte sich unter Peter Mogila (gest. 1647) durch. Um 1596 in der Familie des 1607 vertriebenen Fürsten der Moldau geboren, besuchte er die Bruderschaftsschule in Lwow und studierte an westeuropäischen Universitäten. Er stand in engem Kontakt zu polnischen Magnaten. Zwei Jahre nach seinem Eintritt ins Kiewer Höhlenkloster betraute ihn der polnische König Sigismund III. Wasa (1587–1632) als Nachfolger von Sachari Kopystenski mit dessen Leitung in der Hoffnung, er werde das Kloster für die Union gewinnen.

Dem hat sich Mogila widersetzt. Doch begründete er ein neues Schulsystem. Er richtete eine lateinisch-polnische Schule ein, die bald mit der Schule im Bruderschaftskloster zum Kiewer Kollegium verschmolzen wurde. Als Vorbild dienten die Jesuitenschulen. Der erste Rektor, Issai Koplowski, sowie der erste Präfekt, Silvester Kossow, waren aus solchen Schulen hervorgegangen. Fast gleichzeitig entstand ein weiteres Kollegium in Winniza, das bald ins Gostschanski-Kloster in Wolynien verlegt wurde.

Mit lateinischer Unterrichtssprache, neben der auch das Griechische gepflegt wurde, war das Kiewer Kollegium zunächst keine theologische Schule, sondern vermittelte das klassische und Allgemeinwissen der Zeit. Allmählich verstärkte sich das theologische Moment, so daß aus dem Kolle-

gium in der zweiten Hälfte des 17. Jahrhunderts die erste
russische theologische Akademie hervorging, von der ein star-
ker Einfluß auf die Entwicklung der russischen Kirche aus-
gehen sollte.

Die Gestalt des Peter Mogila ist von einer gewissen Dialektik gekennzeichnet. Gleich nach der Thronbesteigung akzeptierte ihn König Ladislaus IV. (1632–1648) als Metropolit
von Kiew und Haupt eines nunmehr vom Staat anerkannten
nichtunierten orthodoxen Episkopats. Als solcher wurde er zum
Wortführer der kirchlichen Auseinandersetzung mit dem Katholizismus. Andererseits näherte er sich stark der katholischen
Theologie an.

Das zeigt seine in Zusammenarbeit mit Issai Koslowski
etwa 1640 lateinisch verfaßte Confessio fidei orthodoxae, eine
Art Katechismus mit bewußter Frontstellung gegen die kalvi-
nistisch beeinflußte Confessio fidei des Patriarchen Kyrillos
Lukaris von Konstantinopel. Erst nach Milderung der rein
katholischen Momente durch den in Padua ausgebildeten Griechen Meletios Syrigos fand die griechische Übersetzung auf
der Synode von Jassy 1642 Anerkennung. Über diese Änderungen verärgert, ließ Mogila sie in Kiew nicht drucken, sondern erst seinen Kleinen Katechismus, für den er den Catechismus Romanus und Arbeiten des Jesuiten Petrus Canisius
verwandte. Dieser wurde wenige Jahre später in Moskau nachgedruckt. Wie stark er sich trotzdem von der katholischen Kirche abgrenzte, zeigt sein polemisches Werk mit dem griechischen Titel «Lithos» (Der Stein), das er 1644 unter einem
Pseudonym veröffentlichte.

Neben ähnlich geprägten Arbeiten wie der «Lehre von den
sieben Sakramenten» (1637) von Silvester Kossow, der Mogila auf dem Stuhl des Metropoliten von Kiew folgte (1648
bis 1657), ist besonders das homiletische Schrifttum hervorzuheben. Ioanniki Galjatowski, 1658–1662 Rektor des Kiewer
Kollegiums, ergänzte seine Predigtsammlung «Schlüssel der
Erkenntnis» durch einen homiletischen Leitfaden (erste Auflage 1659), in dem an die Stelle der byzantinisch-russischen
Rhetorik scholastische Grundsätze traten. Barockpredigten finden sich bei Lasar Baranowitsch, Rektor in Kiew 1650–1658,

später Erzbischof von Tschernigow, und unter anderem Simeon Polozki (gest. 1680), der 1664 nach Moskau ging und auf die dortige Entwicklung Einfluß ausübte.

Die eigenartige Verbindung des griechisch-byzantinischen Erbes und seiner russischen Ausprägung mit lateinischem Gedankengut in der «ukrainischen Theologie» sollte die russische Kirche noch vor schwerwiegende Probleme stellen.

4

Die Überwindung
der Zeit der «Wirren»

Die Zeit, in der Boris Godunow an der Seite von Zar Feodor und nach dessen Tod als vom Landtag (Semski sobor) gewählter Zar (1598–1605) die Regierungsgeschäfte führte, brachte Rußland manche Erfolge. Nach der Niederwerfung der westsibirischen Khanate begann noch in den letzten Lebensjahren Iwans IV., gefördert durch die reiche Kaufmannsfamilie der Stroganows, der «russischen Fugger», die Erschließung Sibiriens. Seit den ersten Erfolgen unter dem Kosaken Jermak vergingen nur sechs Jahrzehnte, bis die Russen im Jahre 1648 die Küsten des Stillen Ozeans erreichten. Seit Sibirien unter Boris Godunow zum Verbannungsort wurde, mehrten sich die russischen Niederlassungen und die in ihnen entstehenden Kirchen. Mit Hilfe staatlicher Mittel unternahmen die Bischöfe Guri, German und Warsonofi eine noch recht äußerlich auf Massentaufen zielende und deshalb wenig erfolgreiche Missionsarbeit unter den moslemischen Tataren sowie den heidnischen Tschuwaschen, Mordwinen, Tscheremissen und Wotjaken.

Zugleich mehrten sich die Probleme im Inneren. Die grenznahen Städte von Archangelsk im Norden bis Astrachan im Süden erhielten zum Schutz vor drohenden Angriffen gewaltige Befestigungsanlagen. Zu diesem Zweck mußten aus der Bevölkerung große Summen herausgepreßt werden. Dies fiel um so schwerer nach dem harten Druck der kostspieligen

Kriege Iwans IV. und dem wirtschaftlichen Rückgang durch die Opritschnina-Zeit. Immer wieder flammten Bauernunruhen auf. So in den neunziger Jahren im Bereich des Iossif-Wolokolamski-Klosters und infolge der Hungersnot von 1601/02 in fast allen Gegenden Zentralrußlands.

Es fiel den mit Boris Godunows gewalttätigem Regiment Unzufriedenen nicht schwer, ihn in den Augen des Volkes als Hauptschuldigen hinzustellen. Hieß es doch, der gewählte sei einem angestammten Zaren nicht ebenbürtig, außerdem habe er durch Ermordung des letzten Nachkommen aus dem Rjurikidengeschlecht die Macht usurpiert.

Die Umstände, unter denen Iwans IV. jüngster Sohn aus seiner letzten Ehe mit Marija Nagaja, der neunjährige Dmitri, im Jahre 1591 in der Stadt Uglitsch ums Leben gekommen ist, haben sich nie ganz aufhellen lassen. Doch wurde Dmitris Schicksal zu einem wichtigen Moment für die sogenannte Zeit der «Wirren» (smuta), die nach dem Tode des Boris Godunow im Jahre 1605 erst voll zum Ausbruch kam.

Nur allzu gern schenkte man im Volk der Nachricht Glauben, Dmitri lebe noch, habe sich unter Godunow verbergen müssen und schicke sich jetzt an, den Thron zu besteigen, um aller Ungerechtigkeit ein Ende zu bereiten. Wiederholt gelang es einem «falschen Demetrius», als Usurpator (samoswanez) in Rußland zur Macht zu kommen.

Die Polen sahen darin eine willkommene Gelegenheit, ihre Macht auf Rußland auszudehnen. Mit Hilfe polnischer Truppen, die ihm König Sigismund III. zur Verfügung stellte, herrschte der erste Pseudo-Dmitri vom Juni 1605 an für ein Jahr auf dem Moskauer Thron. Der sich gegen ihn stellende Patriarch Iow wurde in ein Kloster verbannt, wo er wenig später verstarb. An seine Stelle trat als Patriarch (1605–1606) der Erzbischof Ignati von Rjasan, ein Grieche. Der Pseudo-Zar erhoffte sich Unterstützung durch Gewährung von Privilegien an jene Geschlechter, die Boris Godunow entmachtet hatte. Zu ihnen gehörte die Familie Romanow (Koschka), aus der die erste Frau Iwans IV. stammte. Ein Glied dieser Familie, Fjodor Nikititsch Romanow, hatte sich auf Godunows Geheiß von seiner Frau trennen und ins Kloster gehen müssen, wo er den

Namen Filaret annahm. Der Pseudo-Dmitri befreite Filaret und erhob ihn zum Metropoliten von Rostow.

Die Ermordung des Usurpators bedeutete auch den Sturz von Patriarch Ignati. Doch sahen sich der neue russische Zar Wassili Schuiski (1606–1610) und Patriarch Germogen (1606 bis 1612) einem zweiten Pseudo-Dmitri gegenüber, der wiederum von Polen unterstützt wurde, sich für den ermordeten ersten ausgab und wegen seiner zeitweiligen Residenz im Dorf Tuschino bei Moskau als der «Gauner von Tuschino» bezeichnet wurde. Er erklärte Filaret zu seinem Patriarchen. Für den russischen Widerstand war es von großer Bedeutung, daß das von starken Festungsmauern umgebene Troize-Sergi-Kloster einer im September 1608 beginnenden sechzehnmonatigen Belagerung durch eine weit überlegene Armee standhielt. Etwa gleichzeitig erschütterten soziale Unruhen weite Teile des Landes, besonders der Bauernaufstand von 1606–1607 unter Iwan Bolotnikow.

Doch die Lage wurde immer verwirrter. Als sich Moskau an die Schweden um Hilfe wandte, ließ Polens König Sigismund III. den Pseudo-Dmitri fallen und fiel mit seinen Truppen in Rußland ein, um dort selbst an die Macht zu gelangen. Der zum Patriarchen erklärte Rostower Metropolit Filaret Romanow wurde polnischer Gefangener. Der Unfähigkeit bezichtigt, sah sich Zar Wassili Schuiski im Jahre 1610 zum Rücktritt genötigt. Die Regierung übernahm für die folgenden Jahre ein Bojarenrat (duma).

Die Polen und die Rußlands Bedrängnis ausnutzenden Schweden scheiterten schließlich am leidenschaftlichen nationalen Widerstand. An ihm hatte die russische Kirche, nicht nur das Troize-Sergi-Kloster und Patriarch Germogen, beachtlichen Anteil. Schon nach der Befreiung Moskaus wurde dort Anfang 1613 ein Landtag einberufen, um die Normalisierung der Verhältnisse einzuleiten. Er wählte den sechzehnjährigen Michail, Sohn des Rostower Metropoliten Filaret aus dem mit Iwan IV. verschwägerten Geschlecht der Romanows, zum Zaren (1613–1645), einem Geschlecht, das bis zur Februarrevolution den russischen Zarenthron innehatte. Erst nach dem Waffenstillstand mit Polen im Dezember 1618 kehrten die

Gefangenen, darunter Metropolit Filaret, zurück. Der gerade in Moskau «bettelnde» Patriarch Theophanes von Jerusalem weihte Filaret im Juli 1619 zum Patriarchen von Moskau und ganz Rußland (1619–1634).

Erst allmählich gelang es, die Folgen der Zeit der «Wirren» zu überwinden, unter der wiederholten Bedrohung durch Polen, Schweden, Krimtataren und Türken den russischen Staat zu konsolidieren. In der Folgezeit wurde er immer wieder von sozialen Aufständen erschüttert. Dabei überließ sich der junge Zar der Führung durch seinen Vater, den Patriarchen Filaret, der sich ebenso wie der Zar mit dem Titel «Großer Herrscher» (Weliki gosudar) bezeichnen ließ. Als erstes beseitigte er das Mitspracherecht der Bojaren, denen der unerfahrene Michail bei der Krönung gelobt hatte, nichts ohne ihr Einverständnis zu entscheiden, und leitete damit faktisch die Regierungsgeschäfte. Der Zar übertrug seinem Vater für die dem Patriarchen unmittelbar unterstehenden Kirchen, Klöster und Ländereien sehr weit gehende Rechtsbefugnisse.

Der sich mehr auf die Staatsgeschäfte konzentrierende Filaret hatte in geistlichen und kirchenleitenden Fragen, wie der Besetzung der Bischofsstühle, nicht immer eine glückliche Hand. Er förderte aber die Druckereiarbeiten. Durch die Gründung des Erzbistums Tobolsk im Jahre 1620 konnte das Missionswirken in Sibirien intensiviert werden. Nach dem Eindringen des lateinischen Westens zur Zeit der «Wirren» verband sich jetzt die Festigung der russischen Kirche mit einem noch strengeren Konfessionalismus, der ängstlichen Abwehr jeder abweichenden theologischen Haltung oder kirchlichen Praxis. Deshalb beschloß eine 1620 unter Filaret abgehaltene Bischofssynode im Gegensatz zum bisherigen Brauch, bei den Katholiken, Unierten und Protestanten, die sich der russischen Kirche anschlossen, eine nochmalige Taufe mit dreimaligem Untertauchen zu vollziehen. Diese Praxis konnte aber nur bis 1667 beibehalten werden.

5

Nikons Reformen und der Raskol
der «Altgläubigen»

In der Amtsperiode Nikons (1652–1667), der zur Zeit des zweiten Romanow-Zaren, Alexej (1645–1676), den Patriarchenstuhl innehatte, begann mit der Lostrennung des Altgläubigentums jene tiefgehende Spaltung (Raskol), unter der die russische Orthodoxie bis heute leidet. Bei dieser spezifisch russischen Erscheinung ging es um die Grundsätze einer als notwendig erkannten kirchlichen Erneuerung. Gegenüber einer stärkeren Angleichung an die gesamtorthodox-griechische Kirchlichkeit beharrten die Wortführer des künftigen Altgläubigentums auf der nationalrussischen, wie sie nach der Autokephalieerklärung von 1448 in der Stoglaw-Synode von 1551 und im Domostroi ihren Ausdruck fand. Es zeigte sich, daß der Zar und die Hierarchie bei ihren den Gegebenheiten der Zeit entsprechenden, aber teilweise apodiktisch und rigoros durchgeführten Reformmaßnahmen das Gemeindebewußtsein außer acht ließen. Dieses versteifte sich bei den Gegnern jener Reformen zu einer Überspitzung des formalistischen Ritualismus, der durch josefitisches Denken genährt worden war.

Zunächst bestand Einigkeit in dem Ziel, Mißstände zu beseitigen, die sich besonders in der Zeit der «Wirren» verbreitet hatten. Ein Übel der Zeit war die «Vielstimmigkeit» (mnogoglassije), jene Unsitte, die langen Gottesdienste nicht durch Auslassen, sondern das verwirrende gleichzeitige Zelebrieren verschiedener liturgischer Teile zu verkürzen. Dagegen wandte sich schon Patriarch Ioassaf (1634–1640) in seiner «Pamjat», einem Memorandum vom Jahre 1638. Vor allem bemühten sich aber junge Geistliche aus verschiedenen Landesteilen um Verbesserungen des gottesdienstlichen und sittlichen Lebens, nicht zuletzt um eine Wiederbelebung der Predigttätigkeit. Der Beichtvater des jungen Zaren Alexej, Stefan Wonifatjew, holte die tüchtigsten nach Moskau. Sie bildeten den «Kreis der Eiferer für die Frömmigkeit» oder «Gottesfreunde». Zu ihnen gehörten Repräsentanten der späteren Altgläubigen wie der aus

Nishni Nowgorod gekommene Priester Awwakum (üblicherweise betont man die letzte, bei den Altgläubigen aber die
vorletzte Silbe des Namens). Ihnen eng verbunden wußte sich
auch der spätere Patriarch Nikon, den Zar Alexej 1646 zum
Archimandriten des Moskauer Nowo-Spasski-Klosters, der
Begräbnisstätte der Romanows, und drei Jahre später zum
Metropoliten von Nowgorod erhob. Im Interesse einer allsei-
tigen Konsolidierung des Staates genoß der reformfreudige
Kreis die volle Unterstützung des Zaren.

Eines der Probleme war die schon wiederholt erkannte Notwendigkeit eines einheitlichen, von Fehlern freien liturgischen
und kirchenrechtlichen Schrifttums. Schon Patriarch Filaret
hatte der Arbeit des Moskauer Druckhofes verständnisvolle
Unterstützung zuteil werden lassen. Hier erarbeiteten gebildete Männer wie der Priester Iwan Nassedka, auch einige des
Griechischen kundige, die Drucktexte nach den besten slawischen wie auch einigen griechischen Vorlagen. Dabei trafen
sie, wie einst schon Maxim Grek, harte Vorwürfe wegen der
von ihnen vorgenommenen Korrekturen. Daneben hatten bis
zum Ende der zwanziger Jahre die in manchem abweichenden
Texte aus westrussischen Druckereien in Lwow, Wilna, Su-
prasl, Kiew und anderen Orten im Moskauer Rußland unbe-
anstandet Verbreitung gefunden. Es ergab sich also die Frage,
welche Textvarianten als verbindlich zu gelten hätten.

Im Zusammenhang damit ergaben sich als weiteres Problem
die bestehenden rituellen Unterschiede. Der mit der Bitte um
finanzielle Unterstützung 1649 in Moskau weilende Patriarch
Paisios von Jerusalem (1645–1660) brandmarkte es als unzulässige Neuerung und Abfall von der wahren Orthodoxie,
daß man sich dort, nach den Festlegungen der Stoglaw-Synode, mit zwei statt mit drei Fingern bekreuzigte, das Halleluja
zwei- statt dreimal sang und anderes mehr.

Es kam zu leidenschaftlichen Auseinandersetzungen. Der
Zar holte Kiewer Gelehrte nach Moskau. Boten wurden zu den
anderen orthodoxen Kirchen entsandt, um deren Praxis zu studieren und die besten Texte aufzufinden. Dabei zeichneten sich
für die russische Reformtätigkeit zwei gegensätzliche Positionen ab. Die eine Richtung erstrebte die Angleichung an das

zeitgenössische griechische Schrifttum und die griechische Praxis, wie es in den westrussischen Gebieten und den anderen
orthodoxen Kirchen der Fall war. Andere beharrten auf der
bisherigen russischen Tradition. Manche der Streitgespräche
wurden in der Unbefangenheit historischer Unkenntnis geführt. Die Russen, hieß es in einem dieser Gespräche, hätten
ihre Taufpraxis (dreimaliges Untertauchen) von den Aposteln,
die Griechen aber (ganz oder teilweises Übergießen) von den
Lateinern. Die Russen hätten das Zweifingerkreuz vom Apostel Andreas, die Griechen das Dreifingerkreuz von den Nemzy
(Deutsche, zugleich Sammelbezeichnung für die benachbarten
katholischen Völker). Denn die Griechen ließen ihre Bücher
in Venedig drucken und gingen zum Lernen nach Rom und
Venedig.

Alles, was die Vorstellung von Moskau als dem dritten
Rom, als dem alleinigen Hort des rechten Glaubens, beinhal-
tet, wurde herausgestellt: «Alles Gute, das ihr einst hattet,
ist durch Christi Gnade zu uns gekommen.» Wohl galt weiterhin das Anknüpfen an die alte griechische Tradition als legitim. Aber sollte nun etwa das, was durch die Frömmigkeit
und die Verdienste der russischen Heiligen gewachsen war,
durch Angleichung an ein zeitgenössisches griechisches Braucht-
tum aufgegeben werden, das einen katholischen Einfluß erkennen ließ? Solche Gedanken fanden sich bei der Mehrheit des
«Kreises der Eiferer» und lagen dem entstehenden Altgläubigentum zugrunde.

Aber der 1652 zum Patriarchen erhobene Nikon erließ bereits nach einem Jahr im Einverständnis mit dem Zaren die
erste Reformverordnung, derzufolge nun nach griechischem
Vorbild während des Gebets Ephräms des Syrers in der Liturgie die Zahl der Vereinigungen verringert wurde und man sich
mit drei statt wie bisher mit zwei Fingern zu bekreuzigen
hatte. Nikon soll gesagt haben: «Ich bin Russe und Sohn eines
Russen. Aber mein Glaube und mein Gottesdienst sind griechisch.» Später erklärte er, veranlaßt habe ihn zu seiner Haltung das Lesen des Beschlusses der Synode von Konstantinopel über die Anerkennung des Moskauer Patriarchats, und
zwar die darin enthaltene Verpflichtung der Moskauer Patri-

archen zum Bewahren völliger Übereinstimmung mit dem Glauben der ganzen Orthodoxie. Ein entscheidendes Motiv dürfte jedoch die von Nikon offenbar erstrebte Vormachtstellung innerhalb der Orthodoxie gewesen sein. Diese ließ sich nur dann verwirklichen, wenn sich die übrige Orthodoxie in Übereinstimmung mit der Moskauer sah. Das galt ganz konkret für den im Jahre 1654 proklamierten Anschluß der Ukraine an den Moskauer Staat, dem auch die kirchliche Eingliederung folgen sollte. Das von Nikon nahe Moskau gegründete Kloster Neu-Jerusalem deutet jedoch auf weitergehende Pläne hin. Dort begann er eine imposante Nachbildung der Jerusalemer Grabeskirche zu bauen und sah darin fünf Sitze für die fünf Patriarchen, den mittleren für sich selbst, vor.

Die Widersacher aus dem «Kreis der Eiferer» wurden verbannt. Auf einer Synode von 1654 setzte Nikon einen etwas verschwommenen Beschluß durch, aufgrund dessen nun der Bücherrevision die modernen griechischen Texte zugrunde gelegt wurden. Der serbische und antiochenische Patriarch unterstützten sein rigoroses Vorgehen. Nur Patriarch Paisios I. von Konstantinopel (1652–1653, 1654–1655) verwies auf das historisch Gewachsene des Rituals und warnte davor, durch dessen Verabsolutierung den kirchlichen Frieden zu gefährden. Doch Nikon mißachtete die Warnung.

Nikon konnte sein Amt nur sechs Jahre ausüben. Seinen Sturz veranlaßten weniger die «Altgläubigen» (starowery) oder «Altritualisten» (staroobrjadzy), wie wir sie jetzt schon nennen können, als sein politischer Ehrgeiz.

Im 17. Jahrhundert zeigten sich Ansätze zu einer der damaligen strukturellen Entwicklung in anderen europäischen Ländern vergleichbaren Neuorientierung, auf der das Staatswesen Peters I. aufbauen konnte. An der Spitze des Feudalstaates stand der sich auf den Adel stützende autokratische Zar. Die staatliche Verwaltung besorgten besondere Behörden, die Prikasy. Unter Zar Alexej wurden die Erfahrungen des Auslands für Rußland nutzbar gemacht, nach dortigem Vorbild ausgebildete Truppen aufgestellt und Fabriken angelegt. Der Zar unternahm sogar erste Ansätze zum Bau einer russischen

Kriegsflotte. Die schon unter Iwan IV. vor Moskaus Toren
entstandene und während der Zeit der «Wirren» zerstörte
Ausländersiedlung, die «Nemezkaja sloboda», errichtete man
neu. Es gab in ihr eine reformierte und mehrere lutherische
Kirchen. Von hier, aber auch von Ausländern, die sich in
anderen Landesteilen niederließen, ging ein beträchtlicher
wirtschaftlicher und kultureller Einfluß aus.

Dabei zeichnete sich bereits eine etwas mehr säkulare Ausrichtung des russischen Staates ab. Das neue «Gesetzbuch»
(Uloshenije) von 1649, das die Pflichten und Rechte der einzelnen Stände neu festlegte und nunmehr das System der
Leibeigenschaft rechtlich verankerte, ließ der Zar vorwiegend
von Laien ausarbeiten. Das «Uloshenije» ging zwar ebenfalls
von der Reinerhaltung des Glaubens als Grundlage für Staat
und Gesellschaft aus. Doch wurden einige der bisherigen kirchlichen Vorrechte eingeschränkt. Die Gerichtsbarkeit des Patriarchen blieb erhalten. Nun gab es aber die Möglichkeit, von
seinem Entscheid an einen staatlichen Gerichtshof zu appellieren. Den Bischöfen und Klöstern wurde die Gerichtshoheit genommen und einem Klosteramt (Monastyrski prikas) übertragen. Es wurde untersagt, den Klöstern Grund und Boden
zu schenken. Andererseits unterstützte Zar Alexej das kirchliche Reformprogramm, half es ihm doch, die moskowitische
Enge und Abgeschlossenheit zu überwinden. Der selbst aus
einer Bauernfamilie stammende Nikon bezeichnete das «Uloshenije» als ein «fluchwürdiges Buch, ein teuflisches Gesetz»,
das «nicht um der Gerechtigkeit willen», sondern «aus Furcht
vor allen gemeinen Leuten» verfaßt worden sei.

Entgegen diesen Neuerungen tendierte der in vielem konservativere Nikon zum Festhalten an den moskowitischen Verhältnissen. Er versuchte, Rechte und Einfluß der Ausländer zu
beschneiden. Und wenn er auch mit seinem Reformprogramm
die nationale Enge der damaligen russischen Kirche sprengte,
so beschränkte sich dies auf den Bezug zur übrigen Orthodoxie.

Als der ehrgeizige Nikon drei Jahre nach Verabschiedung
des «Uloshenije» Patriarch wurde, bemühte er sich nicht nur,
die traditionellen kirchlichen Privilegien wiederherzustellen,

sondern erstrebte eine eindeutige Vorrangstellung der Kirche, und besonders seine eigene, gegenüber Zar und Staat. Noch im Jahr seines Amtsantritts ließ er aus dem Solowezki-Kloster im Weißen Meer die Gebeine des 1569 auf Geheiß von Iwan IV. getöteten Metropoliten Filipp demonstrativ nach Moskau überführen und von Zar Alexej das Verhalten Iwans IV. verurteilen. Die 1654 von Nikon besorgte Neuausgabe der «Kormtschaja kniga» (Steuermannsbuch) enthielt das auf die kirchliche Vorherrschaft abzielende Gedankengut der Donatio Constantini. Nikon führte nicht nur wie Patriarch Filaret den Zarentitel «Großer Herrscher» (Weliki gosudar), sondern verglich das Verhältnis des Zaren zum Patriarchen mit dem Mond, der sein Licht von der Sonne erhält. Die auf diese Weise zunehmenden Spannungen nötigten Patriarch Nikon im Jahre 1658, sich von der Ausübung seiner Amtsgeschäfte zurückzuziehen.

Trotzdem führte der Zar gegen den verbreiteten Widerstand das kirchliche Reformprogramm weiter. Die Synode von 1666 verurteilte wegen Ungehorsams die Wortführer der alten Riten, unter ihnen Awwakum, nicht aber die alten Riten selbst. Doch dann vollzog die Synode vom Jahre 1667 auf Drängen der nach Moskau gekommenen Patriarchen von Alexandrien und Antiochien den weitergehenden Schritt. Wegen der von ihm bezeigten Haltung wurde Patriarch Nikon offiziell verurteilt und seines Amtes enthoben. Im Mittelpunkt stand jedoch die rigorose Verwerfung von Besonderheiten des russischen kirchlichen Brauchtums. Der unter Patriarch Filaret gefaßte Beschluß zur Neutaufe der sich der Orthodoxie anschließenden Christen wurde aufgehoben. Die Synode verurteilte alles, was im russischen Ritual dem griechischen widersprach, als unzulässige Neuerung. Sie hob die dem entgegenstehenden Festlegungen der Stoglaw-Synode von 1551 auf, weil sie «in Unvernunft, Einfalt und aus Mangel an Bildung» beschlossen worden seien. Schließlich schloß sie alle Gegner der Reform als Häretiker aus der Kirche aus und überantwortete sie der weltlichen Macht zur Bestrafung. Das erwies sich als folgenschwer. Hatten nämlich die Altgläubigen bisher nur eine innerkirchliche Opposition dargestellt, standen sie nunmehr außerhalb der Kirche. Damit war der Raskol, die bis heute dauernde Spaltung der russischen Kirche, definitiv vollzogen.

Die bisher der Reform widerstrebenden Bischöfe fügten sich. Um den Widerstand in den Gemeinden zu erschweren, wurde deren Mitbestimmungsrecht eingeschränkt. Nun wurden die Geistlichen nicht mehr von den Gemeinden gewählt, sondern von den Bischöfen bestimmt. Besonders hartnäckigen Widerstand leisteten die Mönche des Solowezki-Klosters, in dem auch reformfeindliche Mönche aus anderen Klöstern Zuflucht fanden. Hier hatte 1658 der Mönch Gerassim Firsow mit seinem weitverbreiteten «Schreiben an einen Bruder über das Zusammenlegen der Finger» eine Rechtfertigung des Zweifingerkreuzes verfaßt. Von der Bruderschaft des Klosters waren fünf «Bittschriften über den Glauben» an den Zaren gerichtet worden. Nach der Synode von 1667 leistete das mit neunzig Kanonen ausgerüstete Kloster einer vom Zaren entsandten Strelitzen-(Schützen-)Truppe jahrelang hartnäckigen Widerstand und konnte erst 1676 durch Verrat eingenommen werden.

Angesichts der josefitisch beeinflußten Vorstellung, daß der reine Glaube letztlich durch den von Gott gesalbten Herrscher gewährleistet werde, traf die Altgläubigen der «Abfall» des Zaren schwerer als der des Patriarchen. Es bedeutete für sie den Anbruch der apokalyptischen Endzeit: Nun war auch das dritte Rom gefallen, aber ein viertes würde es nicht geben. Awwakum verglich jetzt Nikon und Zar Alexej mit den beiden Hörnern des Tieres von Offenbarung 13, 11, die das Kommen des Antichrist vorbereiten. Diese Sicht erleichterte vielen Altgläubigen die Unterstützung des sozial geprägten, gegen das System der Leibeigenschaft gerichteten Kosaken- und Bauernaufstandes, der unter Führung des Ataman Stepan Rasin von 1666–1671 weite Gebiete zwischen Don, Wolga und Ural erfaßte.

Jetzt galten die alten Bräuche als Wahrzeichen des reinen Glaubens, vor allem das Zweifingerkreuz, das man dem Dreifingerkreuz als dem Zeichen des Antichrists gegenüberstellte. Nun sprach auch ein Awwakum nicht mehr davon, daß er einst selbst die vor Nikon gedruckten Bücher für verbesserungsbedürftig hielt. Was sich von den altrussischen Lebensformen unterschied, galt nun als mit dem Makel der Häresie behaftet: das Rasieren des Bartes, das schon der Stoglaw verboten hatte, modernere Kleidung, das Schminken der Frauen, die von der vornikonschen abweichende, besonders die weltliche Kunst, zum Beispiel das Theater, die Komödienaufführungen, die ein «Ketzer», der deutsche evangelische Pfarrer Georgi aus der Ausländervorstadt, damals am Moskauer Hof arrangierte.

Angesichts der Verfolgungen wählten viele die Flucht in entlegene Gebiete oder den Flammentod, die Selbstverbrennung. Es fehlten Bischöfe für die Weihe eines eigenen Klerus. Aus der unterschiedlichen Lösung dieses Problems ergaben sich noch im 17. Jahrhundert die beiden bis heute bestehenden Hauptrichtungen der Altgläubigen.

Die «Priesterlosen» (Bespopowzy) richteten sich in der Überzeugung, daß in der Zeit antichristlicher Gewalten die ordentliche Priesterweihe nicht mehr gegeben sei, auf ein Leben ohne Priester ein. Trotz strengen Festhaltens an der Tradition mußte im nunmehr von Laien gehaltenen Gottesdienst alles wegfallen, was allein priesterlichem Vollzug vorbehalten war, zum Beispiel die Sakramente mit Ausnahme der Taufe, die auch Laien gültig vollziehen können. Der sich sonst hinter dem Ikonostas (Bilderwand) befindliche, den Priestern vorbehaltene Altarraum fehlt in ihren Kirchen. Die «Priesterlosen» zerspalteten sich in zahlreiche Gruppierungen.

Wesentlich geschlossener blieben die «Priesterlichen» (Popowzy). Lange Zeit behalfen sie sich mit «übergelaufenen Priestern» (Beglopopowzy). Erst 1846 begründete ein bosnischer Metropolit eine Hierarchie der Altgläubigen.

Trotz ihrer konservativen Haltung sind von den Altgläubigen, zu denen fähige Männer gehörten, manche Impulse ausgegangen. Als einer der bedeutenden russischen Schriftsteller seiner Zeit begründete Awwakum mit seiner realistisch darstellenden und in der Volkssprache geschriebenen Autobiographie ein neues Genre der russischen Literatur. Wie schon die Gründer des Altgläubigentums aus einfachen Priesterfamilien stammten, behielt das Altgläubigentum einen volkstümlichen Charakter. Ihr Festhalten am vornikonschen Schrifttum, an vornikonschen Gestaltungsprinzipien der Ikonographie und an der alten russischen Notenschrift (Neumen, krjuki) bewahrte vieles, das sonst vergessen oder zerstört worden wäre.

6

Die geistliche Bildung

Das allmähliche Abgehen von den strengen Prinzipien des alten Moskauer Staates kennzeichnete die Entwicklung von Kunst und Kultur. Durch die Ukraine und Weißrußland vermittelt, verbreitete sich in der Architektur barockes Raumempfinden. Mit dem traditionell Überkommenen verband sich der Barockeinfluß in der Malweise des Simon Uschakow (1626–1686), des bedeutendsten Meisters der als eine Art Kunstakademie von Zar Alexej im Moskauer Kreml gegründeten «Rüstkammer» (Orushejnaja palata). Die Neuerungen blieben hart umstritten. Nicht nur Altgläubige wie Awwakum, selbst Patriarch Nikon widersetzte sich der «ausländischen Manier» (frjashskoje pismo) in der Ikonenmalerei, die «der kirchlichen Überlieferung nicht angemessen» sei. Die Altgläubigen führten in Malerdörfern wie Palech die alten Traditionen fort.

Im 17. Jahrhundert als einer Zeit des Übergangs vom alten moskowitischen Denken zu den petrinischen Reformen entstanden neue literarische Genres und Stilformen, darunter Satiren mit kirchenkritischem Gehalt. Im theologischen Schrifttum zeigten sich selbst bei den traditionsbewußten Altgläubigen gewisse Neuansätze. Auf Awwakums etwa 1672–1675 geschriebene Autobiographie wurde bereits hingewiesen. Von Awwakum, der 1682 verbrannt wurde, sind mehr als fünfzig Briefe, Bittschriften, theologische Abhandlungen und Kommentare biblischer Texte bekannt.

Die Bemühungen der für die damalige Zeit belesenen und gebildeten Korrektoren des Druckhofes um eine «wissenschaftlich» fundierte Bearbeitung der gottesdienstlichen Texte durch Vergleich der erreichbaren Vorlagen war zunächst auf die Kritik derer gestoßen, die häretische Abweichungen befürchteten. Gegen Textverbesserungen des Archimandriten Dionissi Sobnikowski, der ebenso wie einige andere Korrektoren von einer Synode verurteilt wurde, verfaßte der Starez Antoni Podolski ein umfangreiches, vom palamitischen Hesychasmus beeinflußtes Werk. Von den Kenntnissen eines anderen der Korrektoren, Iwan Nassedka, zeugen seine Schriften über das Luthertum, besonders seine «Darlegung gegen Luther».

Die theologische Bildung stand im Zeichen der zunehmenden Verbindung zu den ukrainischen Theologen und zur griechischen Orthodoxie. Der 1640 von Peter Mogila geäußerte Vorschlag, mit Hilfe von Mönchen aus dem Kiewer Bruderschaftskloster in Moskau eine Stätte für den Unterricht im Griechischen und Slawischen einzurichten, stieß zunächst auf Ablehnung. Doch kaum zehn Jahre später reisten auf Anregung von Zar Michail Jepifani Slawinezki, Arseni Satanowski, Damaskin Ptizki und andere von Kiew nach Moskau. In dieser Zeit wurden dort Kiewer Bücher abgedruckt, darunter die 1619 vom zeitweiligen Rektor des Kiewer Kollegiums, Meleti Smotrizki (gest. 1630) verfaßte erste slawische «Grammatik» sowie der Kurze Katechismus des Peter Mogila. Anderes Kiewer Schrifttum wurde in Moskauer Werken verarbeitet. Jepifani Slawinezki (gest. 1675), von dem auch Predigten und geistliche Hymnen bekannt sind, trug mit seiner umfassenden Übersetzungstätigkeit entscheidend zu den Textverbesserungen der Nikonschen Reform bei. Wie überliefert wird, gehörten zu den Übersetzungen des humanistisch gebildeten Jepifani auch geographische Werke, die Anatomie des Andreas Vesalius und ein Traktat des Erasmus von Rotterdam, zu seinen eigenen Werken ein griechisch-slawisch-lateinisches Wörterbuch. Bei Jepifani wie bei seinem bedeutendsten Schüler, dem als Korrektor am Moskauer Druckhof arbeitenden Mönch des Moskauer Tschudow-Klosters, Jewfimi, stand das griechische Denken im Vordergrund.

Erst mit den später aus Kiew und Litauen kommenden Theologen schuf sich das latinisierende, von der Scholastik geprägte Denken Geltung. Hier ist besonders der Mönch Simeon Polozki (1629–1680), ein Freund und Schüler von Lasar Baranowitsch, hervorzuheben, der schon in Polozk durch seine dem Zaren Alexej gewidmeten panegyrischen Gedichte dessen Wohlgefallen fand. 1664 nach Moskau gekommen, leitete er im Saikonospasski-Kloster eine Art Lateinschule, unterwies die Moskauer in der Redekunst und wurde einige Jahre später Lehrer der Zarenkinder. Der eng mit dem Hofleben verbundene Simeon Polozki dramatisierte biblische Erzählungen für das neue Hoftheater und prägte als Barockdichter die russische Dichtkunst. Seine bedeutendsten Predigten erschienen postum (1682–1683) in zwei Sammelbänden.

Während er nur geringe Griechischkenntnisse besaß, lehnten sich seine theologischen Arbeiten trotz aller Frontstellung gegen den Katholizismus stark an lateinische Quellen an. So stützte sich sein Versuch einer orthodoxen Dogmatik, die 1670 erschienene «Krone des Glaubens» (Wenez wery) auf das abendländische Apostolische Glaubensbekenntnis. In weiteren Werken und Predigten bezog er sich auf Gedanken von Anselm von Canterbury, Duns Scotus und Thomas von Aquin. Als Weißrusse, der für das Festhalten an den Moskauer Traditionen wenig Verständnis besaß, verteidigte Simeon Polozki das kirchliche Reformanliegen zur Zeit der Synoden von 1666 und 1667.

Die latinisierende Richtung fand in dem nach Simeon Polozkis Tod im Saikonospasski-Kloster lehrenden Silvester (Simeon) Medwedjew (1641–1691) ihre Fortsetzung und behielt bis in die achtziger Jahre bestimmenden Einfluß.

Doch mehrten sich die Widersprüche. In der Zeit nach dem Tod von Zar Feodor (1676–1682), als dessen Schwester Sofija die Regentschaft führte, lenkte Patriarch Ioakim (1674 bis 1690) wieder mehr zur griechischen Orientierung zurück. Die Auseinandersetzung zwischen beiden Richtungen zeigte sich schon im Streit um die Prinzipien, von denen her ein neues Schulwesen aufgebaut werden sollte. Als Zentrum der Moskauer Bildung hatte der Druckhof gegolten. Hier richtete man 1679 eine Schule mit griechisch-russischer Orientierung ein.

Gleichzeitig stand das Projekt zur Gründung einer Akademie zur Diskussion, die, ebenso wie die westrussischen Schulen, nicht nur eine theologische, sondern allgemeine Bildung vermitteln sollte. Noch vor seinem Tode verfaßte Simeon Polozki im Jahre 1680 im Auftrag von Zar Feodor ein Projekt, für das sich dann Medwedjew einsetzte. Es beruhte auf der mehr lateinisch orientierten ukrainischen Schulkonzeption und den in eigener Moskauer Lehrtätigkeit gesammelten Erfahrungen.

Infolge Einspruchs des Patriarchen fand dieses Projekt keine Billigung. Statt dessen holte man sich griechische Lehrer. Unter Leitung der 1685 mit Empfehlungsschreiben des Patriarchen von Konstantinopel nach Moskau gekommenen Brüder Ioanniki und Sofroni Lichudes nahm die Hellenisch-Griechische Schule ihren Lehrbetrieb auf. Es waren bescheidene Anfänge, zumal die Brüder Lichudes bald an die Nowgoroder Schule berufen wurden, an der im Unterschied zur Moskauer die lateinische Sprache überhaupt nicht gelehrt wurde.

Wesentlich härter prallten die Gegensätze bei der ersten theologischen Sachkontroverse der russischen Orthodoxie aufeinander. In den Schriften und Gottesdienstordnungen der ukrainischen Theologen verband sich die Übernahme des auch in der damaligen griechischen Theologie gebräuchlich gewordenen thomistischen Begriffs «Substanzwandlung» (Transsubstantiation) für die Abendmahlselemente mit der katholischen Auffassung, die Wandlung erfolge bei den Einsetzungsworten statt, wie es die orthodoxe Theologie lehrt, bei der Epiklese. Deshalb hatte es schon im Jahre 1673 zwischen Simeon Polocki und Jepifani Slawinezki einen Disput gegeben. Der neue Streit entstand, als Silvester Medwedjew in seiner Polemik gegen kalvinistische Lehren auf die katholischen Vorstellungen zurückgriff. Zahlreiche Theologen beteiligten sich mit unterschiedlicher Haltung an der Auseinandersetzung, Schrift folgte auf Gegenschrift. Der Streit erregte ganz Moskau und wirkte sogar in die politischen Parteiungen hinein. Viele der zur Regentin Sofija haltenden Strelitzen der Moskauer Garnison unterstützten die latinisierende Richtung. Im Jahre 1689 endete Sofijas Regierung, verbannte Peter I.

die gegen ihn intrigierende Halbschwester ins Moskauer
Nowo-Dewitschi-(Neu-Jungfrauen-)Kloster. In diese rein politischen Ereignisse wurden auch Medwedjew und seine Anhänger unter der Beschuldigung, zur Partei der Sofija zu gehören, mit hineingezogen. Im Januar 1690 verurteilte eine nur
aus wenigen Bischöfen bestehende Synode die Gruppe der
latinisierenden Theologen, kurz danach wurde Medwedjew
hingerichtet.

Etwa gleichzeitig erfolgte der Anschluß der Kiewer Metropolie. Bei der Wahl eines neuen Metropoliten hatte der ukrainische Hetman Samojlowitsch im Jahre 1683 eine Unterstellung der Kiewer Metropolie unter den Patriarchen von Moskau
von der Zusicherung weitgehender Autonomie abhängig gemacht. Der Kiewer Metropolit solle als Exarch des Patriarchen
von Konstantinopel und die Kiewer Metropolie als erste unter
den russischen gelten, der Moskauer Patriarch dürfe sich nicht
in die inneren Angelegenheiten der Metropolie einmischen.
Mit Ausnahme der ersten Bedingung stimmte Patriarch Ioakim zunächst zu. Doch schon nach wenigen Jahren hatte die
Kiewer Metropolie ihre autonomen Rechte verloren.

V.

Die Entwicklung der russischen Kirche im 18. Jahrhundert – Der Beginn der Synodalperiode

1

Das Entstehen des russischen Kaiserreichs unter Peter I.

Die unter Zar Peter I. (1682–1725) energisch betriebene Umgestaltung stellte keinen absoluten Neuanfang dar. Vielmehr führte er, unter Ausnutzung der auf seinen Europareisen in den neunziger Jahren gesammelten Erfahrungen, intensiv jene Entwicklung weiter, deren erste Ansätze sich bis ins 16. Jahrhundert zurückverfolgen lassen. Die petrinischen Reformen haben Rußland ein bedeutendes Stück vorangebracht. Aber die Veränderungen erreichten das erhoffte Ziel nicht vollständig. Zum Teil fehlte den Reformen die notwendige Konsequenz und Planmäßigkeit. Vor allem aber haben sie die bestehenden gesellschaftlichen Verhältnisse nicht grundlegend verändert. Die Modernisierung Rußlands kam insbesondere der Oberschicht zunutze.

Peter errang und sicherte den für Rußlands Wirtschaft und Handel so wichtigen Zugang zur Ostsee. Dies unterstrich die 1703 erfolgte Gründung von Sankt Petersburg, das 1712 zur Hauptstadt wurde. Voraussetzung für die militärischen Erfolge und deshalb ein Schwerpunkt seiner Maßnahmen waren der Bau einer Flotte und die Fortführung der schon im 17. Jahrhundert begonnenen Heeresreform. An die Stelle von Adelsaufgebot und Strelitzen traten eine Armee von durch Rekrutenaushebung aufgestellten, lebenslänglich dienenden und modern ausgebildeten Berufssoldaten und ein adliges Berufsoffizierskorps.

Der Adel blieb staatstragende Macht. Seine wirtschaftliche Basis sollte durch das einer Besitzzersplitterung wehrende Einerbengesetz von 1714 gesichert werden. Die Tabelle der militärischen, staatlichen und höfischen Ränge von 1722 ermöglichte den Aufstieg befähigter Nicht-Adliger, behielt aber die Adelsherrschaft bei, indem der Aufsteigende automatisch den Erbadel erhielt.

Der Ausbau der Manufakturen und des Hüttenwesens im Ural erweiterte den Innen- und Außenhandel. Doch erweiterte sich das System der Leibeigenschaft durch das Recht der Manufakturbesitzer, Bauern für die Arbeit in ihren Betrieben zu kaufen. Die Lage der leibeigenen Bauern wurde durch die Steuerreformen erschwert.

Einrichtungen städtischer Selbstverwaltung sollten der Entwicklung in den Städten dienen. Im Rahmen der Verwaltungsreform wurden 1708 die später in Provinzen untergliederten Gouvernements gebildet. An die Stelle des Bojarenrates (duma) trat 1711 der Regierende Senat (Pravitelstvujustschi senat). An die Stelle der bisherigen Prikasy traten Kollegien, eine Art Ministerien, deren Aufgaben das Generalreglement (Generalny reglament) von 1720 festlegte. Zur Kontrollaufsicht wurden Fiskaly (vorwiegend zur Finanzkontrolle) und Prokurore (Staatsanwälte) eingesetzt, die Tätigkeit des Senats beaufsichtigte der Generalprokuror.

Die Feudalmonarchie verwandelte sich in einen Staat, den ein absoluter Herrscher, gestützt auf eine reguläre Armee und Flotte, durch einen zentralen Verwaltungsapparat leitete. Als Ausdruck seiner absoluten Macht und der neuen Bedeutung des Staates ließ sich Peter I. nach dem Nystadter Frieden mit Schweden im Jahre 1721 den Kaisertitel (Imperator) verleihen. Der Staat galt nunmehr als russisches Kaiserreich.

In der Regierungszeit Peters I. vergrößerte sich Rußlands Ansehen und Bedeutung als europäische Macht. Aber entscheidende Probleme blieben ungelöst. Die Belastung der leibeigenen Bevölkerung äußerte sich wiederholt in Aufständen, die mit militärischer Gewalt niedergeworfen wurden.

2

Der Anfang der Synodalperiode

Die petrinischen Reformen sind an der Kirche als einer die
damalige Gesellschaft mittragenden und mitprägenden Kraft
nicht vorbeigegangen. In der bisherigen russischen Entwicklung standen Kirche und Staat in einem zwar unterschiedlich
akzentuierten, jedenfalls aber engen Verhältnis zueinander.
Es galt als selbstverständlich, sich an den Normen des Glaubens zu orientieren. Würde und Vollmacht des Herrscheramtes
verstand man von dessen göttlicher Legitimation her. Es blieb
unbestrittenes Vorrecht der Metropoliten oder Patriarchen, sich
mahnend mit ihren Bedenken oder Anregungen an den Zaren
zu wenden. Dabei behielt die Kirche, unbeschadet selbstmäch-
tigen Eingreifens mancher Herrscher, ihre institutionelle Eigenständigkeit und Unabhängigkeit.

Als Anhänger der frühen Aufklärung ließen sich Peter I.
und seine Mitarbeiter vom Grundsatz der staatlichen Zweckmäßigkeit leiten. Für sie besaßen die irdischen Ordnungen
und Gewalten ihren Wert in sich selbst, ohne einer religiösen
Legitimation zu bedürfen. So hatte Peter mit Beginn des Jahres 1700 die bisher übliche Jahreszählung ab Erschaffung der
Welt aus Nützlichkeitserwägungen durch die im westlichen
Europa übliche ab Christi Geburt ersetzt und den Jahresanfang
vom 1. September auf den 1. Januar verlegt. Der absolute
Herrscher bedurfte keiner seine Entscheidungen mitbestimmen-
den kirchlichen Macht. Vielmehr sollte die Kirche wie jede
andere Kraft im Staate zum Dienst für den Staat verpflichtet
werden. Dabei nahm sich Peter I. offenbar die Unterordnung
der Kirche von England unter ihren König zum Vorbild. Ordnung und Aufbau Rußlands geschahen nunmehr allein im Namen des absoluten Herrschers. Gleichzeitig akzeptierte es Peter I., daß die Kirche, der gegenüber er den Zarentitel beibehielt, die religiöse Verklärung des Moskauer Zarentums auf
ihn übertrug und in ihm den Vollstrecker des göttlichen Willens sah. Aber er legte den Grund für die Entwicklung zur
Staatskirche, indem er ihr eine auf seine Staatsordnung orien-

tierte Aufgabe zuwies, das Volk zu «guten Menschen», zu Untertanen zu erziehen, die bereitwillig dem absoluten Willen des Herrschers folgten.

Die Haltung der Kirche im 17. Jahrhundert entsprach allerdings keineswegs Peters Vorstellungen. Die Patriarchen Filaret und Nikon hatten die Vormachtstellung der Kirche praktiziert beziehungsweise beansprucht. Der energische Patriarch Ioakim stellte sich zwar gegenüber der Regentin Sofija auf Peters Seite, beharrte jedoch ebenfalls auf den kirchlichen Privilegien und hatte noch unter Zar Feodor im Jahre 1677 die Schließung des staatlichen Klosteramtes (Monastyrski prikas) erreicht. Patriarch Adrian (1690–1700) verfügte nicht über die kämpferische Energie seines Vorgängers, vertrat aber die gleichen Grundsätze. Vor allem sah sich Peter bei seiner Nutzung ausländischer Anregungen und Vorbilder bei seinen Reformen einer kirchlichen Haltung gegenüber, für die das von dort Kommende mit dem Makel des Häretischen belastet war. Nicht zuletzt entzündete sich der Gegensatz gerade auch bei den Hierarchen, die den staatlichen Reformen positiv gegenüberstanden, hinsichtlich der von Peter I. in überspitzter Rigorosität eingeführten europäischen Lebensart, zum Beispiel dem einer Festlegung des Stoglaw widersprechenden Abschneiden der Bärte, der neuen Kleidung oder dem Einführen des Tabakrauchens. Kirchlicherseits unterlagen damals viele dem Trugschluß einer Identifizierung von christlichem Glauben und orthodoxer Kirchlichkeit mit den gesellschaftlichen Grundsätzen und der Lebenshaltung des Moskauer Staates.

Zunächst gaben die finanziellen Bedürfnisse des Staates zur Kriegführung und zum Bau der Flotte Anlaß, den gewaltigen Besitz der Kirche für den Staat zu nutzen. Schon die Erlasse von 1696 und 1698 verpflichteten Klöster und Eparchialbischöfe, jährlich über ihre Einnahmen und Ausgaben sowie die vorhandenen Getreidevorräte Rechenschaft abzulegen, Bauten und Reparaturen nur mit Genehmigung des Zaren durchzuführen. Patriarch Adrian antwortete damals mit seinem Traktat «Artikel über die geistlichen Gerichte», in dem er kanonisch und historisch die Unantastbarkeit der kirchlichen Rechte und Besitztümer verteidigte.

Nach dem Tode Adrians im Oktober 1700 machte Peter, aus welchen Gründen auch immer, von dem Gewohnheitsrecht der russischen Zaren, einen neuen Patriarchen zu bestimmen, keinen Gebrauch. Obwohl Peter I. damals sicher noch keine klaren, die Kirche betreffenden Vorstellungen besaß, markiert die Einsetzung eines Patriarchatsverwesers den Beginn der zwei Jahrzehnte später konkrete Gestalt gewinnenden Synodalperiode. Wohl angesichts der konservativen Haltung des großrussischen Klerus entschied er sich für einen der als theologisch und kulturell aufgeschlossener geltenden Ukrainer, den damals einundvierzigjährigen Stefan Jaworski (gest. 1722).

Stefans Werdegang ist für viele der gebildeten Ukrainer charakteristisch. Studium im Kiewer Kollegium. Zusatzstudium in Philosophie und Theologie an den damals die beste Ausbildung gewährleistenden Jesuitenkollegien. Den Aufnahmebedingungen entsprechend Übertritt zum Katholizismus oder zu den Unierten. Nach Beendigung des Studiums Wiederanschluß an die orthodoxe Kirche. Stefan wurde dann Mönch und Professor am Kiewer Kollegium. Zu seinen Schülern gehörte dort der spätere theologische Berater Peters I., Feofan Prokopowitsch.

Der von Peter geförderte und Anfang 1700 zum Metropoliten von Rjasan und Murom erhobene Stefan Jaworski schien nicht zuletzt durch sein Vorgehen gegen die aufrührerischen Schriften des Grigori Talizki, der den Zaren als Antichristen und Moskau als Babel brandmarkte, die Voraussetzungen für das Amt des Patriarchatsverwesers mitzubringen. Seine Vollmachten in diesem Amt waren jedoch spürbar eingegrenzt. Das im Jahre 1701 wieder eingeführte staatliche Klosteramt erließ selbst in rein kirchlichen Fragen Ukase (Erlasse) im Namen des Zaren. Den Anordnungen des 1711 gegründeten und mit umfassenden, aber nicht klar umrissenen Vollmachten ausgestatteten Regierenden Senats hatte auch die Geistlichkeit zu folgen. Dieses rein weltliche Organ untersuchte nun zusammen mit der Bischofssynode (Oswjastschenny sobor) Fragen der Berufung in kirchliche Ämter, erließ Ukase über die Weihe von Archimandriten, den Kirchenbau, die Verteilung des sakramentalen Salböls (Myron), die alljährliche Beichte,

Strafen für ungebührliches Verhalten im Gottesdienst und die Missionstätigkeit.

Stefan Jaworskis Verhältnis zum Zaren war kühl, später gespannt. Der oft unentschlossene Jaworski wich direkter Konfrontation aus, äußerte aber in seinen Predigten manches Kritische. Dazu gab auch das persönliche Verhalten des Zaren Anlaß. Dessen Haltung zu Glauben und Kirche entsprach verbreiteten Auffassungen der Aufklärung: Gottesglauben und Ernstnehmen des Evangeliumsgemäßen verband sich mit Ironie und Spott für das Äußerliche. Manchmal sang Peter I. im Gottesdienst auf dem Kliros (Erhöhung vor dem Ikonostas, auf dem der Chor steht) mit oder trug auswendig die Epistellesung vor. Andererseits schmähte er Kirche und Hierarchie ähnlich wie Iwan IV. in den wüsten Gelagen seiner «Spottsynode», wo oft aus gottesdienstlichen Gefäßen getrunken wurde, so durch die «Hochzeitsfeier» seines «Sauf-Patriarchen» in bischöflicher Gewandung. Dies verstärkte die verbreitete Opposition gegen Peter. Die dagegen wie gegen die von den Fiskaly geübte Rechtskontrolle und andere Dinge von Jaworski in Predigten geäußerte Kritik vertiefte die Entfremdung zum Zaren und brachte ihm ein zeitweiliges Predigtverbot ein.

Im ersten Jahrzehnt des 18. Jahrhunderts beschränkte sich Peters Regierung auf Einzelregelungen. Die entscheidende Wendung dürfte in den Begleitumständen des Prozesses gegen den Zarensohn Alexej aus Peters erster Ehe mit der bald verstoßenen Jewdokija Lopuchina zu sehen sein. Um Alexej scharten sich die konservativen weltlichen und kirchlichen Gegner der petrinischen Reformpolitik. Gleichzeitig mit dem Prozeß gegen Alexej — er starb 1718 vor Vollstreckung des Todesurteils an den Folgen der Folter — wurde auch eine Reihe von Bischöfen verurteilt. In diesem Zusammenhang erwähnte der Zar gegenüber Jaworski, es scheine ihm angebracht, die Leitung der Kirche einem geistlichen Kollegium zu übertragen.

Ohne Jaworski aus seinem Amt zu entlassen, fand der Zar hierbei im Bischof Feofan Prokopowitsch (1681–1736) einen seinen Vorstellungen entsprechenden Berater. Ukrainischer Herkunft wie Stefan Jaworski, beschritt Prokopowitsch in seiner Ausbildung den gleichen Weg, studierte wohl zeitweilig an der jesuitischen Gregoriana-Universität in Rom, wurde 1704 Professor für Poetik, Rhetorik und Philosophie und von 1711–1716 Rektor der Kiewer Akademie. Den Zaren beeindruckten seine Mißstände und Unwissenheit satirisch anprangernde Tragikomödie «Wladimir» (1705), die Predigt nach der Schlacht von Poltawa (1709) und seine aufgeschlossene theologische Haltung. Er erhob ihn zum Bischof von Pskow (1718) und betraute ihn mit der Ausarbeitung einer dem staatlichen Kollegiensystem entsprechenden Kirchenordnung.

Schon seiner Ernennung zum Bischof widersetzte sich eine Reihe von Hierarchen, unter ihnen Bischof Feofilakt Lopatinski, indem sie ihn protestantischer Neigungen bezichtigten. Im Gegensatz zu Jaworskis «katholisierender» Tendenz erwies sich Prokopowitsch aufgrund in Rom gemachter Erfahrungen als radikaler Gegner des Katholizismus und zeigte sich offen für reformatorische Anregungen aus der eifrig gelesenen protestantischen Literatur. Das für die russische Kirche Problematische in Prokopowitschs Theologie beruht offenbar auf seinem Bestreben, als Orthodoxer aber im Blick auf den Protestantismus eine den Anforderungen der Zeit nicht ganz gerecht werdende Kirchlichkeit mit einem als wirkungslos erscheinenden veräußerlichten Ritualismus zu überwinden. Als folgenschwer erwies sich, daß Prokopowitsch, über die bisherige Bindung von Kirche und Staat hinausgehend, die Grundlagen für ein Staatskirchentum schuf, durch das die Kirche zum Werkzeug des russischen Zarentums wurde.

In seinem «Wort über des Zaren Macht und Ehre» (Slowo o wlasti i tschesti zarskoi, 1718) und dem Traktat über «Das Recht des monarchischen Willens» (Prawda o woli monarschej, 1722) verteidigte er die uneingeschränkte Macht des absolutistischen Herrschers.

Prokopowitschs Entwurf einer neuen Kirchenordnung erhielt nach persönlicher Überarbeitung durch Zar Peter im Januar 1721 als «Geistliches Reglement» (Duchowny reglament) verbindliche Gültigkeit. An die Stelle des Patriarchen trat als Kirchenleitung ein «Geistliches Kollegium», das bereits wenige Wochen später die Bezeichnung «Heiligster regierender Synod» (Swjatejschi prawitelstwujustschi sinod) erhielt. Sein

Charakter war ambivalent. Als ein Leitungsgremium von Bischöfen und Archimandriten mit oberster Weihegewalt, zu dessen Funktionen alle Fragen der Verwaltung, der Reinerhaltung des Glaubens, der gottesdienstlichen Praxis, des kirchlichen Eigentums, des kirchlichen Schulwesens und der Herausgabe von Lehrmaterial, der Kirchenzucht sowie der Einsetzung und Überprüfung von Geistlichen gehörte, repräsentierte es in gewissem Maße den Grundsatz der orthodoxen Konziliarität. Unter diesem Gesichtspunkt fand es die vom Zaren geforderte Anerkennung durch die Patriarchen von Konstantinopel und Antiochien.

Andererseits beruhte seine Einsetzung nicht auf kanonischen Erwägungen, sondern einem staatlichen Nützlichkeitsprinzip. Unter den Begründungen findet sich der Gedanke, eine kollegiale Leitung vermindere die Gefahr eines Aufbegehrens gegen die Staatsmacht. Der Struktur der übrigen Kollegien entsprechend erhielt der Synod zunächst einen Präsidenten, Stefan Jaworski, sowie zwei Vizepräsidenten, Erzbischof Feodossi (Janowski) von Nowgorod und Feofan Prokopowitsch, der nach Jaworskis Tod (1722) die Leitung des Synods übernahm. Ähnlich wie die Beamten und Militärs hatten die Mitglieder des Synod ein Eidesformular zu unterzeichnen, das die Verpflichtung enthielt, dem Zaren und der Zarin «ein treuer und gehorsamer Knecht und Untertan zu sein».

Zur staatlichen Kontrolle berief der Zar als «unser Auge und Anwalt für die Staatsangelegenheiten» einen Oberprokuror, dem zugleich die Synodalkanzlei unterstand. Dieses Amt sollte sich im 19. Jahrhundert von einem kontrollierenden zu einem zeitweilig die Kirche regierenden entwickeln. Somit bestand die entscheidende Neuerung nicht so sehr in der Abschaffung des Patriarchats als in der, unter Peter I. allerdings noch losen Eingliederung der russischen Kirche in den zaristischen Staatsapparat.

Zusammen mit den vorausgehenden und nachfolgenden Erlassen haben das Geistliche Reglement sowie die 1722 gegebenen «Ergänzungen zu den Regeln für Klerus und Mönche» in positiv erneuernder wie auch folgenschwerer Weise in das geistliche Leben eingegriffen.

Die konkreten Reformmaßnahmen betrafen zunächst das Mönchtum. Das im Jahre 1701 erneuerte Klosteramt übernahm die Kontrolle des klösterlichen und bischöflichen Besitzes. Asketischen Idealen und mönchischer Beschaulichkeit brachte Peter I. kein Verständnis entgegen. Er sah in den Mönchen, vorhandene Mißstände aufgreifend, Nichtstuer, die dank des gewaltigen Landbesitzes auf Kosten anderer lebten. Statt dessen sollten auch die Klöster nutzbringende Funktionen übernehmen. So bestimmten Erlasse von 1701 und den Folgejahren, daß die Klöster verwundete, kranke und aus dem Dienst entlassene ältere Soldaten sowie Arme und Bedürftige aufzunehmen, zu betreuen und auf eigene Kosten zu versorgen hätten.

Das Begründen von Einsiedeleien als möglichen Nestern oppositionellen Denkens wurde verboten. Der Eintritt ins Mönchtum wurde erschwert. Ein Erlaß vom Juni 1701 zielte darauf ab, die in den Klöstern lebenden jungen Mädchen zu verheiraten. Frauen dürften erst vom vierzigsten Lebensjahr an zu Nonnen geweiht werden. Die 1722 von Feofan Prokopowitsch in Zusammenarbeit mit Peter I. herausgebrachte «Ergänzung» zum Geistlichen Reglement bestimmte für Mönche das Mindestalter von dreißig Jahren. Eheleute sollten nicht zu Lebzeiten des Partners aufgenommen werden. Alle nicht dem Mönchsstand angehörenden Personen waren aus den Klöstern zu entfernen. Die Zahl der Mönche sollte nicht erhöht werden. Vor allem wollte der Zar verhindern, daß sich desertierte Soldaten und entflohene Leibeigene durch Eintritt ins Kloster ihren Pflichten entzogen. Die Klöster hatten Schulen für Waisen einzurichten, «wo sie unterrichtet werden im Lesen, in den Zahlen und in der Geometrie». Die Mönche sollten sich durch handwerkliche Arbeit selbst unterhalten, die Nonnen sich der Handarbeit widmen.

Von diesen Bestimmungen ausgenommen wurde das im Jahre 1713 an der vermeintlichen Stelle von Alexander Newskis Sieg vom Jahre 1240 über die Schweden errichtete Petersburger Alexander-Newski-Kloster, in das man die Gebeine dieses Fürsten überführte und das 1797 den insgesamt nur vier russischen Klöstern zugesprochenen Ehrenrang einer

Lawra erhielt. Auf Grund des sich im Mönchtum abzeichnenden Widerstands bestimmte ein Erlaß von 1715, mit der Leitung der größeren russischen Klöster nur noch Mönche aus dem Alexander-Newski-Kloster zu betrauen, «weil seine Majestät der Zar keine genügende Kenntnis über die Mönche in den Gouvernements besitzt». Hierher brachte man die geeignetsten Mönche aus den verschiedenen Landesteilen, um sie auf ein späteres Bischofsamt vorzubereiten. Zeitweilig trug sich Peter I. auch mit dem Gedanken, die Bischöfe nicht mehr dem Mönchsstand, sondern dem mit Gemeindeproblemen besser vertrauten Weißen Klerus zu entnehmen.

Die Rechte des Episkopats wurden spürbar eingeengt. Die «Ergänzung» erklärte eindeutig, daß Bischöfe nur für geistliche und nicht für weltliche Aufgaben zuständig sind. Sie haben zweimal in drei Jahren ihre Eparchie und die Klöster zu inspizieren. Sie wurden verpflichtet, Schulen für die Kinder der Geistlichen zu unterhalten und nur jene zu weihen, die diese Schulen absolvierten. Die Benennung neuer Äbte und Archimandriten sowie die Versetzung von Geistlichen ging in die Befugnisse des Klosteramtes über. Seit Oktober 1725 gab es einen neuen Modus der Bischofswahl: der Synod schlug zwei Kandidaten vor, von denen der Kaiser einen auswählte.

Entsprechende Regelungen galten für den Gemeindeklerus. Da es unter den Geistlichen mehr des Lesens Kundige als in anderen Berufsgruppen gab, berief man häufig aus ihren Reihen die niedrigeren Beamten des Staatsdienstes. Kinder von Geistlichen, die sich der Schulpflicht entzogen, durften die Stellen ihrer Väter nicht übernehmen, sondern mußten zum Militär. Um zu verhindern, daß sich allzu viele der Militärpflicht entziehen, durfte die bestehende Zahl von Geistlichen an den einzelnen Kirchen nicht erhöht werden.

Gegen die Vernachlässigung von Glaubenspflichten ging Peters Regierung rein administrativ vor. Die Geistlichen hatten auf regelmäßigen Besuch und gebührendes Verhalten in den Gottesdiensten sowie die Teilnahme an der Beichte zu achten und widrigenfalls Geldstrafen zu erheben. Sie erhielten staatliche Aufsichtsfunktionen, indem sie die Zugehörigkeit zur offiziellen Kirche beziehungsweise den Altgläubigen

zu registrieren und hierüber wie über entrichtete Steuerzahlungen bei Wohnungswechsel Bescheinigungen auszustellen
hatten. Als besonders schwerwiegend erwiesen sich die Bestimmungen über das Beichtgeheimnis. In Zusammenhang mit
dem Aufstand unter dem Kosaken Kondrati Bulawin erging
1708 ein Geheimerlaß, demzufolge alle bei der Beichte bekannt gewordenen aufrührerischen Gedanken den Behörden
anzuzeigen seien. Der Synod hatte diesen Erlaß zu rechtfertigen. Doch wehrte sich ein großer Teil der Geistlichkeit dagegen, das Beichtgeheimnis zu brechen.

3

Die geistliche Bildung

Die bisher vom Mönchtum und der Geistlichkeit getragenen
Ansätze eines russischen Bildungswesens konnten den tief-
greifenden Veränderungen in Wirtschaft und Staatsverwal-
tung nicht mehr gerecht werden. Für die Ausbildung von
Beamten und qualifizierten Fachleuten begründeten die petrinischen Reformen ein neues Schulwesen. Neben Spezialschulen
für die Artillerie und für Navigation ließ Peter I. durch einen
Ukas vom Jahre 1714 «Rechenschulen» zum Erlernen des Lesens, Schreibens und der Arithmetik für Angehörige aller
Stände einrichten. Anstelle der kirchenslawischen wurde die
leichtere «bürgerliche» Schrift eingeführt. Ein Jahrzehnt später
wurde der Grund für die Akademie der Wissenschaften in
Petersburg gelegt.

Dieses säkulare Bildungswesen bedeutete kein Zurückdrängen der kirchlichen Ausbildung. Im Gegenteil. Es wurden
nicht nur Absolventen der bereits bestehenden geistlichen
Schulen in den Staatsdienst übernommen. Die der Kirche zu-
gedachte, über das Liturgische hinausgehende moralisch-päd-
agogische Aufgabe erforderte einen entsprechend vorgebildeten
Klerus. Im Jahre 1701 erhielt das Kiewer Kollegium den Rang
einer Akademie. In demselben Jahr reorganisierte Stefan Jaworski als Schirmherr die Moskauer Hellenisch-Griechische

Schule. Seine Übertragung der lateinischen Kiewer Schultradition traf sich mit den Vorstellungen des Zaren, der das im europäischen Schulwesen vorherrschende Latein als geeignetes Mittel für die Modernisierung der russischen Bildung ansah. Man holte Kiewer Lehrer, gab der Moskauer Schule den Namen Slawisch-Lateinische Akademie. Das Lateinische wurde Hauptfach und sprachliche Grundlage der geistlichen Ausbildung. Erst 1738 erhielten hier das Griechische und Hebräische wieder Bedeutung, und 1775 wurde die Schule zur Slawisch-Griechisch-Lateinischen Akademie.

Seit Anfang des Jahrhunderts errichteten mehrere Hierarchen aus eigenem Antrieb zur Heranbildung von Geistlichen für Angehörige aller Stände offene slawisch-lateinische Schulen: Bischof Ioann Maximowitsch von Tschernigow, Metropolit Dmitri Tuptalo von Rostow, Metropolit Dorofej Korotkow von Smolensk. In Tobolsk eröffnete Metropolit Filofej Lestschinski eine slawisch-russische Schule. Sie alle waren Ukrainer und Absolventen des Kiewer Kollegiums. Als einziger Großrusse hatte Metropolit Iow in Nowgorod eine slawisch-griechische Schule sowie zehn weitere Schulen in seiner Eparchie geschaffen.

Schließlich verpflichtete das Geistliche Reglement alle Bischöfe, in ihren Eparchien Schulen zu errichten, eine Art Elementarschulen, denen die Ausbildungsmethoden der Kiewer Akademie als Richtschnur dienen sollten. Der Unterhalt dieser Schulen war aus den Einkünften der Klöster und Eparchien zu bestreiten. In den geistlichen Dienst durften nur noch Absolventen dieser Schulen übernommen werden.

Aus der Lehrtätigkeit ging eine Fülle philologischer (zum Beispiel das lateinisch-slawische Wörterbuch des Erzbischofs Ioann Maximowitsch von Tschernigow und die slawische Grammatik des Nowgoroder Diakons Fjodor Maximow) und theologischer Literatur hervor, obwohl die Vorlesungsmanuskripte der meisten Professoren ungedruckt blieben. Es zeichneten sich, aufs Ganze gesehen, zwei Richtungen ab, von denen sich jede als alleiniger Hüter der Orthodoxie betrachtete.

Die latinisierende Richtung der ukrainischen Theologie war geprägt von der Aristotelesrezeption der thomistischen Scholastik. Hier wäre zunächst die antiprotestantische Polemik des Stefan Jaworski zu nennen. Sie steht in Zusammenhang mit der als protestantisch geltenden «Häresie» des Arztes Dmitri Tweretinow, der bei deutschen Medizinern in der Moskauer Ausländervorstadt gelernt hatte. Er studierte eifrig die Bibel und war mit Luthers Katechismus vertraut. Da er die lutherische Rechtfertigungslehre ablehnte, scheint seine Kritik an der orthodoxen Kirche und Überlieferung wohl von ähnlichen rationalen Ansätzen ausgegangen zu sein wie bei den «Judaisierenden», Matwej Baschkin und Feodossi Kossoi. Bei seinem Vorgehen gegen den «Ketzer» und seine Anhänger sah sich Jaworski gedemütigt. Zar und Senat wußten eine Verurteilung Tweretinows zu verhindern.

Schon in der ersten seiner veröffentlichten Predigten über den «Weinberg Christi» (1698) hatte sich Jaworski mit dem Luthertum auseinandergesetzt. Nun verfaßte er 1718 ein umfangreiches antiprotestantisches Werk, den «Fels des Glaubens» (Kamen wery). Die Bezeichnung entlehnte er dem gleichnamigen Werk «Lapis» des polnischen Jesuiten Feofil Rutek. In Form und Inhalt stützte er sich, offensichtlich Unorthodoxes fortlassend, auf die antiprotestantische Polemik des Jesuiten Robert Bellarmin. Gegenüber der protestantischen Alleingültigkeit der Heiligen Schrift betont Jaworskis Werk, daß «ohne die Überlieferungen die Heilige Schrift zum Glauben nicht ausreichend» sei. Peter I. verhinderte den Druck dieses Buches. Es konnte erst im Jahre 1728, nach Peters Tod, erscheinen, spielte dann eine bedeutende Rolle in der theologischen Auseinandersetzung und diente bis zum Ende des 19. Jahrhunderts als eine Art Handbuch der antiprotestantischen Polemik. Jaworski gab ferner ein lateinisch geschriebenes Lehrbuch der Rhetorik heraus.

Es seien noch zwei Vertreter dieser katholisierenden Richtung genannt. Die unter dem Titel «Tractatus theologici in collegio Kievo-Mogiliano traditi et explicati» zusammengefaßten Vorlesungen des Kiewer Rektors und späteren Metropoliten Ioassaf Krokowski (gest. 1718) wurden zur Grundlage der Dogmatik für die Moskauer Professoren. Ähnlich verhielt es sich mit dem Philosophielehrgang «Trivium Aristotelis ...

logica, physica et metaphysica ...» des späteren Erzbischofs von Twer, Feofilakt Lopatinski (gest. 1741), der außerdem mit seinem apologetischen Traktat «Über das göttliche Heil» leidenschaftlich gegen Feofan Prokopowitsch eiferte.

Eine zweite Richtung verkörperte die Theologie des Feofan Prokopowitsch und seiner Schüler. Auch sie benutzten die lateinische Sprache. Aber in dem Bemühen, die orthodoxe Theologie von der Scholastik zu befreien, näherte sich Prokopowitsch manchen protestantischen Gedankengängen an. Seine Betonung der Heiligen Schrift als in sich klar und vollständig war für orthodoxe Theologen nichts Neues, doch stieß seine Betonung der Schrift als alleiniger Quelle dogmatischen Denkens und seine kritische Einstellung gegenüber anderen Autoritäten wie den Väterschriften und Synodalbeschlüssen auf Widerstand. Wie stark Prokopowitsch von Augustin geprägt war, zeigt sein Traktat «De statu hominis corrupti». Er ging von den Schriften des Jesuiten Robert Bellarmin und des Kalvinisten Amandus Poljanski aus, identifizierte sich jedoch nicht mit ihnen, sondern bemühte sich, im Bezug zu ihren gegensätzlichen Positionen einen orthodoxen Standpunkt zu erarbeiten. Dabei näherte er sich in der Frage von Sünde und Freiheit wie in der Rechtfertigung lutherischen Gedanken an. Im Gegensatz dazu polemisierte er im Traktat «Über die unverweslichen Reliquien der Kiewer Wundertäter» gegen lutherische Auffassungen. Über ältere apologetische Werke wie Iossif Wolozkis «Erleuchter» hinausgehend, begründete Prokopowitschs durch religiösen Indifferentismus und Skeptizismus der petrinischen Zeit veranlaßtes Werk «Über die Gottlosigkeit» mit ihrer Verteidigung des christlichen Glaubens die Apologetik als theologische Disziplin in Rußland.

Im Jahre 1717 verfaßte Prokopowitsch seinen in Gesprächsform gehaltenen «Katechismus» (Katechisis). 1720 erschien seine «Erste Belehrung für Knaben» (Perwoje utschenije otrokom), in der schon im Vorwort den Eltern gesagt wird, daß die Sittlichkeit des Menschen von seiner Bildung abhänge. Es ist ein damaliger Versuch, zum Nachholen des in der Ausbildung Versäumten auf gedrängtem Raum alles Wesentliche zu behandeln. Trotzdem muß anerkannt werden, daß Prokopowitsch zu selbständigem Denken erziehen wollte. Der zugleich als Lehrer verstandene Geistliche sollte ein gebildetes Glied der Gesellschaft sein. Der geistigen Bildung mußte ein gesunder Körper entsprechen. Sport, Spiel und gesundheitliche Betreuung sollten eine lebensbejahende Haltung fördern.

In der Predigtliteratur spiegeln sich diese Hauptrichtungen wider. Die Predigten des Stefan Jaworski tragen unterschiedliches Gepräge. Neben dem barocken Charakter seiner panegyrischen und den scholastisch-philosophischen Momenten seiner dogmatischen Predigten sind seine sittlichen Belehrungen, in denen es um die tätige Bewährung des Glaubens geht, schlicht und einprägsam gestaltet. In ihrem Sinn für die Wirklichkeit, ihrem Zeit- und Gesellschaftsbezug stellen sie einen Übergang von der südrussischen Predigttradition zu den Anforderungen der petrinischen Zeit dar. Viele seiner Predigten tragen polemischen Charakter, richten sich gegen Raskol und Protestantismus, kritisieren aber ebenso die Neuerungen petrinischer Lebenshaltung und sogar einige Maßnahmen des Zaren. Deshalb erhielt Jaworski von 1713–1715 Predigtverbot.

Während Jaworski zugleich die Form der Predigt betonte, stand bei Prokopowitsch der Inhalt im Vordergrund. Er löste sich von den scholastischen Einflüssen und wandte sich den konkreten Lebensfragen zu. Dabei erhielten seine von leidenschaftlicher Ablehnung des Aberglaubens und anderer Mißstände gekennzeichneten, mit Ironie oder Satire verbundenen Predigten stark säkularen Charakter.

In die petrinische Zeit fallen die Vorarbeiten für eine verbesserte Bibelausgabe. Noch immer legte man die Ostroger Ausgabe zugrunde. Durch Ukas vom Jahre 1712 begann ein Gremium unter Leitung von Sofroni Lichudes und Feofilakt Lopatinski durch Verwendung der Septuaginta, hebräischer Vorlagen und der Vulgata eine verbesserte Ausgabe zu erarbeiten. Trotz 1723 vom Synod erteilter Druckgenehmigung blieb die Arbeit nach Peters I. Tod liegen und wurde erst unter der Kaiserin Elisabeth als sogenannte Elisabeth-Bibel im Jahre 1751 zu Ende geführt.

4

Das Verhältnis zu Protestanten, Katholiken und Anglikanern

Grundsätzlich besaßen alle Nichtrussen in Rußland im 17. Jahrhundert die Möglichkeit, sich zu ihrer Religion zu bekennen. Vor dem Gesetz waren sie, mit Einschränkungen für Juden und zeitweilig auch für Katholiken, den Russen gleichgestellt. In den Gebieten mit überwiegend russischem Bevölkerungsanteil durften sie normalerweise nur in abgesonderten Vorstädten oder für Ausländer eingerichteten Handelshöfen ihre Gottesdienste abhalten. So sollte ein Einfluß auf die Russen vermieden werden. Und das «Uloshenije» von 1649 bedrohte jeden «Busurman» (im engeren Sinne: Mohammedaner, im weiteren Sinne: Nichtorthodoxe) mit dem Feuertod, der den Übertritt eines Russen zu seinem Glauben veranlaßte.

Wie schon die Zaren im 17. Jahrhundert hielt Peter I. trotz seines Interesses für Ausländer und seiner Bemühungen, ihre Kenntnisse für Rußland zu nutzen, grundsätzlich an den bisherigen Prinzipien fest. So erhärtete er 1691 den in die Tatarenzeit zurückreichenden Grundsatz, daß Russen keinem Fremden als Knechte dienen durften. Dafür sicherte Peter I. den in seine Dienste tretenden ausländischen Offizieren und Fachleuten im Jahre 1702 offiziell Glaubensfreiheit zu. Nach der Eroberung von Estland und Livland wurde das Augsburger Bekenntnis, die Konsistorialverfassung und das Patronatsrecht der dortigen lutherischen Kirchen anerkannt und im Frieden von Nystadt 1721 ausdrücklich bestätigt. In dem zu leistenden Eid gelobten die Pastoren Treue zum Augsburger Bekenntnis und zum kaiserlichen Haus. Um die Eingliederung der zugezogenen Protestanten zu erleichtern, ließ sich Peter I. vom Patriarchen Jeremias III. von Konstantinopel (1716–1726, 1732 bis 1733) versichern, daß beim Übertritt von Protestanten zur orthodoxen Kirche der Vollzug der Myronsalbung genüge. Damit war die evangelische Taufe als gültig anerkannt, und dies ermöglichte es, 1721 das Eingehen von Mischehen zu gestatten. Doch mußten sie nach orthodoxem Ritus geschlossen werden, und der evangelische Ehepartner hatte sich schriftlich zur orthodoxen Erziehung seiner Kinder zu verpflichten. Übertritte zur Orthodoxie wurden gefördert, aber nicht erzwungen.

Im Jahre 1689 war der nach Moskau gekommene Quirinus Kuhlmann, ein Anhänger Jakob Böhmes und von apokalyptischem Sendungsbewußtsein getragener Schwärmer, verbrannt worden. Doch hatten die Russen, für die es sich um ein innerprotestantisches Problem handelte, nicht von sich aus eingegriffen, sondern erst, nachdem Kuhlmann vom deutschen lutherischen Pastor der Ausländervorstadt, Meinecke, bei Zar und Patriarch als Aufrührer angezeigt worden war. Anders verhielt es sich in dem bereits erwähnten Fall des russischen Arztes Dmitri Tweretinow, da man hier Auswirkungen auf die russische orthodoxe Bevölkerung befürchtete.

Es zeigten sich sowohl eine antiprotestantische Polemik als auch interessierte Offenheit für evangelische Kirchenordnungen und pädagogische Methoden. Dem kam das bei Vertretern des Pietismus und der Aufklärung entstehende Interesse an Rußland und der russischen Kirche entgegen.

Heinrich Wilhelm Ludolf (1655–1712), der sich 1693–1694 in Nowgorod und Moskau aufgehalten hatte, gab den Anstoß, daß Halle zu einem Zentrum der Rußlandkunde wurde. Er erteilte dort Russischunterricht und gewann vor allem den führenden Hallenser Pietisten August Hermann Francke (1663 bis 1727) zur Beschäftigung mit Rußland. Es entstand eine slawische Bibliothek, man knüpfte Beziehungen nach Rußland an und begann, dortiges Schrifttum zu übersetzen und zu drucken. Ludolf verfaßte ein erstes russisch-lateinisches Gesprächsbuch, aber nicht zum Zweck der üblichen Konversation, sondern als Hilfsmittel für das Gespräch zwischen einem Orthodoxen und einem Lutheraner. Seit der Zeit Peters I. wurde eine Reihe namhafter Pietisten vor allem als Wissenschaftler nach Rußland geholt. Verbindungen bestanden aber auch zu so ganz anders gearteten Vertretern der deutschen Aufklärung in Halle wie Christian Thomasius (1655–1728) und dem Philosophen Christian Wolff (1679–1754). Die russische Kirche blieb jedoch davon fast unberührt.

Wenig Erfolg zeigten auch die Bemühungen von Gottfried Wilhelm Leibniz (1646–1716). Seine ursprüngliche Abwertung der Russen als «Türken des Nordens» wich, besonders nach seinem Torgauer Treffen mit Peter I. im Jahre 1710, hoher Anerkennung des petrinischen Rußland, das er nun als die verbindende Mitte zwischen Europa und China sah. Leibniz' Gedanken einer Einheit von Mission und der Vermittlung von Bildung, die von den Missionaren auch medizinische und chirurgische Fähigkeiten verlangte, kam den Intentionen des Zaren entgegen. Peter I. ließ sich von ihm Anregungen in Rechts- und Erziehungsfragen vermitteln und ernannte Leibniz, der allerdings nicht nach Rußland kam, zum «Czaarischen Geheimen Justiz-Rat». Aber Leibniz' aus der Erkenntnis, daß die Orthodoxie wesentlicher Teil der christlichen Ökumene sei, gefolgerter Gedanke, ein von Peter I. als neuem Kaiser Konstantin einzuberufendes Weltkonzil könne zur Wiedervereinigung der getrennten christlichen Konfessionen führen, erwies sich als Illusion.

Im Verhältnis zum Protestantismus spielten die Beziehungen zum Katholizismus nur eine untergeordnete Rolle. Zwar galt den russischen Theologen in strengem Sinne vor allem der Protestantismus als Häresie. Dafür hatten die Russen im Katholizismus als dem Glauben ihrer polnisch-litauischen Gegner zugleich eine politische Gefahr gesehen. So erreichten die Katholiken erst in petrinischer Zeit jenes Maß von Kultfreiheit, das den evangelischen Ausländern seit langem gewährt wurde. 1704 erklärte Peter I., die Ausübung des lateinischen Kultus sei in Moskau gestattet. Dagegen wurde die Tätigkeit des Jesuitenordens wiederholt verboten. Unionsversuche seitens Roms wie auch der dem Papsttum etwas unabhängiger gegenüberstehenden Jansenisten schlugen fehl.

Dagegen gab es Ansätze ökumenischer Beziehungen zur Anglikanischen Kirche. Als Peter I. im Jahre 1699 Westeuropa bereiste, unterhielt er sich in London mit mehreren anglikanischen Bischöfen über Glauben und Verfassung der Kirche von England. Jene Teile der anglikanischen Geistlichkeit, die dem neuen König Wilhelm III. von Oranien (1688 bis 1702) den Eid verweigert hatten (Non-Jurors), erstrebten, um ihre Position zu festigen, Gespräche über die Vereinigung von Anglikanischer Kirche und Orthodoxie. Zwischen 1712 und 1725 kam es zu einem schriftlichen Gedankenaustausch. Mit Billigung Peters I. beschloß man die Durchführung eines Dialogs im Frühjahr 1725. Das wurde jedoch durch den Tod Peters I. vereitelt. Zu weiteren Verhandlungen ist es nicht gekommen.

5

Die Weiterführung der petrinischen Kirchenpolitik im 18. Jahrhundert

Die petrinischen Reformen haben die russische Geschichte und damit die Geschichte der russischen Kirche trotz aller unterschiedlichen Entwicklungstendenzen für zwei Jahrhunderte spürbar geprägt. Kirchlicherseits ist die Haltung gegenüber diesen Reformen nicht einheitlich gewesen. Sie reichte von grundsätzlicher Ablehnung bis zu vorbehaltloser Zustimmung. Ein großer Teil der Geistlichkeit anerkannte das Sinnvolle vieler Reformmaßnahmen, konnte sich jedoch mit einer das Wirken der Kirche beeinträchtigenden Bevormundung durch die herrschende Staatsmacht nicht abfinden. Und diese Kritik ist in der Folgezeit lebendig geblieben.

Nach Peters I. Tod im Januar 1725 bestieg dessen zweite Frau als Katharina I. (1725–1727) den Thron. Als sie für alle Bischöfe und Archimandriten die Teilnahme an der Totenmesse für den verstorbenen Peter anordnete, widersetzte sich Erzbischof Feodossi Janowski von Nowgorod, ein ursprünglicher Befürworter der Reformen, mit den Worten: «Die weltliche Macht befiehlt der geistlichen zu beten. Das ist Gottes Wort zuwider. Zeigt mir aus den heiligen Vätern, wo so etwas geschrieben steht!» Peters Tod galt ihm als Strafe dafür, daß er das Mönchtum «austilgen wollte». Feodossi wurde seiner bischöflichen Würde entkleidet und in ein Kloster verbannt. An seine Stelle als Erzbischof von Nowgorod trat Feofan Prokopowitsch.

Aber mit dem Schwinden der absoluten Herrschermacht schwankte auch Prokopowitschs Position. Nach Peters Tod ging die tatsächliche Macht in die Hände des von Peter geförderten Adels über. Er beeinflußte die Thronfolge, Vertreter einzelner Adelsgeschlechter hatten die eigentliche Regierung in Händen. Nicht ohne Grund proklamierten die Gegner der petrinischen Reformen als Nachkommen von Peters I. zum Tode verurteilten Sohn Alexej den erst zwölfjährigen Peter II. (1727—1730) zum Kaiser. Hof und Würdenträger übersiedelten wieder nach Moskau. Petersburg verlor in dieser Zeit an Geltung, die russische Flotte verfiel. Das Ideal des absoluten Herrschers, wie es Feofan Prokopowitsch im «Recht des monarchischen Willens» gepriesen hatte, fand kaum noch Anklang.

Nun sah sich die von Prokopowitsch verkörperte Richtung scharfen Angriffen gegenüber. Im Synod widersetzte sich ihm der Erzbischof Feofilakt Lopatinski von Twer. Viele erhofften sich die Wiedereinführung des Patriarchats und sahen in Feofilakt und dem ebenfalls in die Leitung des Synods berufenen Erzbischof Georgi Daschkow von Rostow, einem Gegner der ukrainischen Theologen, dafür prädestinierte Kandidaten.

Unter Kaiserin Anna (1730—1740), einer Tochter von Iwan V., dem Halbbruder Peters I., lag die Macht in den Händen des Adligen Ernst Johann Biron, eines Deutschbalten, der durch einen verstärkten Zustrom deutscher Einwanderer den deutschen Einfluß in Rußland zu vergrößern trachtete. Die protestantenfeindlichen Gegner Prokopowitschs wurden entmachtet, doch starb dieser im Jahre 1736. Unter Anna zeichnete sich die Tendenz zur Weiterführung der petrinischen Kirchenreform ab. Der Synod wurde dem Ministerkabinett unterstellt. Erneut gab es Versuche, die Zahl der Geistlichen zu beschränken. In den Mönchsstand durften nur noch verwitwete Priester und Kriegsinvaliden eintreten. Birons Geheime Kanzlei erzwang die Rekrutierung junger Mönche.

Mit Birons Sturz verloren die deutschen Adligen ihre politische Macht, doch blieb der Einfluß der jeweiligen Günstlinge weiter wirksam. Größerer Freiheit erfreute sich die Kirche zur Zeit der Kaiserin Elisabeth (1741—1762), einer Tochter

Peters I. Unter Anna inhaftierte Geistliche erhielten die Freiheit. Einige der vom Verfall bedrohten Klöster wurden auf Staatskosten renoviert, das Troize-Sergi-Kloster im Jahre 1744 in den Rang einer Lawra erhoben. Den Bitten von Bischöfen, das Amt des Oberprokurors ganz aufzuheben, widersetzte sich allerdings die Kaiserin.

In der zweiten Hälfte des 18. Jahrhunderts zeichnete sich ein weiterer Säkularisierungsprozeß ab. Das galt besonders für den klösterlichen Grundbesitz. Unter Peter I. lag die Verwaltung des kirchlichen Besitzes in den Händen einer Institution, die erst Klosteramt, dann Kammerkontor und schließlich Ökonomiekollegium hieß, aber in gewisser Weise dem Synod zugeordnet blieb. Unter Kaiserin Anna gingen 1738 alle kirchlichen Güter in staatliche Verwaltung über. Die Einkünfte wurden in zunehmendem Maße für staatliche Zwecke genutzt. Das änderte sich auch nicht, als Elisabeth die Verwaltung noch einmal der Kirche übertrug. Die hohen Abgabeverpflichtungen veranlaßten erneute Unruhen unter den Klosterbauern. Doch noch unter Elisabeth zeichnete sich eine Tendenz zur endgültigen Säkularisierung ab. Im Ukas von 1757 wurden verabschiedete Offiziere mit der Verwaltung der kirchlichen Güter beauftragt, «damit die Geistlichkeit nicht durch weltliche Sorgen belastet werde».

Katharina II. (1762–1796) nahm sich der für die Staatsfinanzen so wichtigen Grundbesitzfrage sogleich nach ihrer Thronbesteigung an. Im Jahre 1764 erging der abschließende Ukas über die Verstaatlichung der Kirchen- und Klostergüter. Aus deren Einnahmen zahlte fortan das staatliche Ökonomiekollegium der Kirche bestimmte Beträge. Diese zunächst nur für den großrussischen Landesteil geltenden Bestimmungen erstreckten sich in den folgenden Jahrzehnten auch auf Nowgorod, Weißrußland und die Ukraine. Aber nicht alle Klöster waren in den staatlichen Etat aufgenommen worden. So mußten allmählich kleinere Klöster zusammengelegt oder geschlossen werden. Damit fand die auf eine Säkularisierung der Ländereien abzielende Kirchenpolitik ihren Abschluß. Im allgemeinen fügte sich die Kirche. Gegen Widersacher wurde hart vorgegangen. Der leidenschaftlichste Gegner der Säkularisierung,

Bischof Arseni Mazejewitsch von Rostow, wurde auf Geheiß der Kaiserin, um selbst seinen Namen auszulöschen, als «Andrej der Lügner» (Andrej Wral) in die Kasematten der Festung Reval gesperrt, wo er einige Jahre später verstarb.

Als Katharina II. war die Prinzessin Sophie von Anhalt-Zerbst Nachfolgerin ihres nach sechsmonatiger Herrschaft ermordeten Gemahls Peter III. Kaiserin geworden. Von diesem sei gleichsam als Kuriosum erwähnt, daß er den Wunsch geäußert hatte, die russischen Geistlichen sollten in einem lutherischen Talar zelebrieren und fast alle Ikonen aus den Kirchen entfernen. Die unter dem Einfluß wechselnder Günstlinge stehende Katharina regierte als Repräsentantin eines «aufgeklärten Absolutismus». Mit berechnendem Verstand ließ sie sich von dem leiten, was ihr als Staatsnotwendigkeit erschien. Zum orthodoxen Glauben ihrer russischen Untertanen besaß sie offenbar kein inneres Verhältnis, verstand es jedoch, durch korrektes Erfüllen der religiösen Pflichten beim Volk als rechtgläubige Kaiserin zu gelten.

Sie war bestrebt, das von Peter I. Begonnene fortzuführen. Aber im Unterschied zu diesem war die belesene Katharina II. in ihrem Weltbild stärker von den philosophischen Ideen der Aufklärung und den französischen Enzyklopädisten, von Pierre Bayle und Voltaire, in ihrem politischen Handeln von Montesquieus «Esprit des lois» geprägt, welch letzteres sie gelegentlich als ihr «Gebetsbuch» bezeichnete. Vom Deismus Voltaires beeinflußt, leugnete Katharina zwar Gott nicht, betrachtete aber die immanente Geschichte als unabhängig vom Einwirken des Weltschöpfers verlaufend. Somit bedurfte der Staat für sie letztlich keiner religiösen Weihe, sondern der vom Herrscher gegebenen gesetzlichen Ordnung. Dieser hatte sich auch die Kirche als Institution einzufügen, dem Staat und dem Willen des Herrschers unterzuordnen.

Die Ideen der Aufklärung wurden freilich nur für die adlige Oberschicht wirksam. In der Regierungspraxis blieb der Absolutismus vorherrschend. Die leibeigenen Bauern, denen 1767 sogar das Recht entzogen wurde, ihren Gutsherrn vor Gericht zu verklagen, kämpften vergeblich, so im Aufstand unter Jemeljan Pugatschow (1773–1775), um eine Veränderung ihrer

Lage. Doch endete auch die geistige Liberalisierung unter dem Eindruck der Französischen Revolution.

Unter Katharina II. zeigte sich eine konfessionelle Toleranz. Bereits nach 1740 hatten deutsche Herrnhuter in Sarepta an der Wolga Siedlungen gründen können. Nun folgte nach dem Erlaß von 1763, der nach Rußland kommenden Ausländern außer Religionsfreiheit und Steuerprivilegien auch Land zusagte, eine weitere Einwanderungswelle von etwa 25 000 Deutschen ins Wolgagebiet.

Gegenüber der russischen Kirche verhielt sich die Kaiserin weniger liberal. Nicht zuletzt der Widerstand einiger Kirchenmänner gegen die Säkularisierung von 1764 veranlaßte Katharina II., durch ihre vom Oberprokuror überbrachten Befehle das eigenständige Wirken des Synods stark einzugrenzen. Der Wille des Monarchen sollte für die Bischöfe eine ähnlich verpflichtende Bedeutung haben wie das Evangelium. Das Schulstatut von 1786 trennte die geistlichen von den weltlichen Lehranstalten. Der Einfluß der gebildeten Ukrainer wurde zurückgedrängt. Ein mehr konservativer Klerus mit nur mäßiger Bildung schien der Kaiserin die bessere Gewähr für die gewünschte Unterwürfigkeit zu bieten.

Unter dem Eindruck der Französischen Revolution ergab sich noch unter Katharina eine zunehmende Verhärtung der Regierungspolitik. Gerade unter diesem Gesichtspunkt sollte die Kirche unter Kaiser Paul I. (1796–1801) als geistiges Bollwerk gegen aufrührerische Gedanken dienen. Er erleichterte den Ausbau des kirchlichen Bildungswesens, so daß am Ende des 18. Jahrhunderts vier Geistliche Akademien und 46 Seminare bestanden. Andererseits band er die Geistlichkeit noch stärker an den Staat und zeichnete sie mit staatlichen Orden aus, die sie auf dem Ornat zu tragen hatten. Charakteristisch ist seine Tagebuchnotiz: «Was die Untertanen anbelangt, so ist ihr oberstes Gesetz, das durch die Religion wie durch die Natur und Vernunft festgelegt ist, das Gesetz des Gehorsams. Sie sollen deshalb ihren Herrscher fürchten und ehren, weil er ein Abbild des Allerhöchsten ist.» Im Thronfolgegesetz vom Jahre 1797 verankerte er die unabdingbare Zugehörigkeit der russischen Kaiser zum orthodoxen Christentum, «weil die russischen Herrscher das Haupt der Kirche sind». Mit diesem neuen Anspruch war die Entwicklung zum Staatskirchentum besiegelt.

6

Die geistlich-theologische Entwicklung

Nach dem Tode Peters I. sah sich die durch Feofan Prokopowitsch verkörperte Richtung heftigen Angriffen gegenüber. Im Jahre 1728 erfolgte die Veröffentlichung von Stefan Jaworskis «Fels des Glaubens». Die zweite Auflage von 1729 schickte man allen Bischöfen zu. Die Polemik richtete sich gegen Prokopowitschs vermeintliche Förderung protestantischen Denkens. Dieser wagte es unter den veränderten Verhältnissen wohl nicht, selbst Stellung zu nehmen. Er fand aber Rückhalt in dem Jenenser Theologieprofessor Johann Franz Buddeus (1667–1729). Für Buddeus' Interesse für die Beziehungen der russischen Orthodoxie zum Westen zeugte bereits seine Stellungnahme zu den katholischen Unionsversuchen des Jahres 1717 unter dem Titel «Romana Ecclesia cum ruthenica irreconciliabilis» (Über die Unmöglichkeit einer Wiederversöhnung der russischen Kirche mit der römischen), Jena 1719. Kurz vor seinem Tode schrieb Buddeus als Antwort auf den «Fels des Glaubens» eine «Epistula apologetica» mit harten Worten gegen Jaworski. Eine weitere lutherische Stellungnahme kam von dem Helmstedter Kirchenhistoriker Johann Lorenz Mosheim (1694–1755).

Der Streit nahm beträchtliche Ausmaße an. Von katholischer Seite verteidigte Jaworskis Position der beim spanischen Gesandten in Moskau weilende Dominikaner Ribeira. Feofilakt Lopatinski verfaßte eine «Entgegnung auf das Schreiben des Buddeus». Als ein unbekannter Autor in seinem «Hammer auf den Fels des Glaubens» Jaworski als Jesuiten hinstellte, antwortete Bischof Arseni Mazejewitsch von Rostow mit einer Gegenschrift. Zwar wurde unter der Kaiserin

Anna Prokopowitschs Gegnern der Einfluß genommen. Aber die Problematik blieb auch nach dessen Tod im Jahre 1736 bestehen.

In der zweiten Hälfte des 18. Jahrhunderts entfaltete sich das weltliche Bildungswesen weiter. In mehreren Städten eröffnete man Akademische Gymnasien, die auch nichtadlige Schüler aufnahmen. Nach der Petersburger entstand 1755 die Moskauer Universität. An die Seite der Ausländer traten russische Gelehrte wie der Gründer der Moskauer Universität, der Universalgelehrte Michail Lomonossow (1711–1765). In Anlehnung an Leibniz und Wolff finden sich vor allem in seinen Oden Gedanken einer von der Aufklärung geprägten Religiosität. Daß die russischen Universitäten, im Gegensatz zu Mittel- und Westeuropa, keine Theologischen Fakultäten erhielten, zeigt einerseits die fortschreitende Entwicklung eines säkularen Bildungswesens und die zunehmende Kluft zwischen geistlicher und weltlicher Bildung, erklärt sich aber auch aus der Tatsache, daß für die theologische Ausbildung bereits Akademien existierten.

Im geistlichen Schulwesen, an den Akademien, aber auch in Seminaren, blieb das Lateinische weiter beherrschend. Werke wie Feofilakt Lopatinskis «Die heilige Wissenschaft in theologischer Sicht» oder Kirill Florinskis «Positive und polemische Theologie» vermittelten den Geist der thomistischen Scholastik. Erst in der zweiten Hälfte des Jahrhunderts wurde das Griechische wieder stärker gepflegt. Dies drückte sich in der Umbenennung der Moskauer Slawisch-Lateinischen Akademie im Jahre 1775 in Slawisch-Griechisch-Lateinische Akademie aus. Das scholastische Moment trat zurück. Allmählich setzten sich die Konzeptionen von Feofan Prokopowitsch und Platon Lewschin durch, nämlich eine stärkere Betonung biblischer Theologie.

Weitere Beziehungen zum deutschen Pietismus vermittelte insbesondere der ukrainische Theologe Simon Todorski (1701 bis 1754, seit 1745 Bischof von Pskow). Der bei den Ukrainern verbreiteten Praxis folgend, studierte er im Ausland, aber nicht an katholischen Schulen, sondern für etwa zehn Jahre in Jena und Halle, wo er sich besonders den orientalischen Sprachen zuwandte. Wie bereits erwähnt, widmeten sich die Hallenser Pietisten der russischen Sprache und Literatur und unterhielten lebendige Beziehungen zu ihren Glaubensbrüdern in Rußland. Ihr Gedanke einer russischen Mission hatte wohl weniger die Protestantisierung als einer Erweckung der orthodoxen Christen zum Ziel.

In Halle übersetzte Todorski neben anderem Johann Arndts (1555–1621) Bücher «Vom wahren Christentum» in einer dem russischen Sprachbewußtsein angeglichenen kirchenslawischen Wiedergabe. Die Übersetzung wurde 1735 in Halle mit kirchenslawischen Lettern gedruckt und fand in Rußland weite Verbreitung. Ob noch Feofan Prokopowitsch den Druck unterstützt hat, bleibt ungeklärt. Doch sehr bald wurde die Verbreitung dieses Werkes wie auch anderer Hallenser Drucke in Rußland verboten, nach offiziellen Angaben nicht wegen des Inhalts, sondern weil keine vorherige Genehmigung der Zensurbehörde eingeholt worden war.

Todorskis hervorragende Kenntnis der biblischen Sprachen wirkte in seinen Schülern Iakow Blonnizki und Warlaam Ljastschewski weiter. Unter stärkerer Verwendung der griechischen Texte brachten sie die Anfang des Jahrhunderts begonnenen Arbeiten für eine neue Bibelausgabe zum Abschluß. Im Jahre 1751 erschien die sogenannte Elisabeth-Bibel, benannt nach der damaligen Kaiserin, als erste offizielle, vom Synod herausgegebene kirchenslawische Bibelausgabe. Mit leichten Verbesserungen von 1756 und vom Ende des 19. Jahrhunderts wird diese in zahlreichen Auflagen gedruckte Bibelausgabe bis heute benutzt.

Schließlich hat Simon Todorski als von Kaiserin Elisabeth bestellter Erzieher das Orthodoxieverständnis der späteren Kaiserin Katharina II. mitgeprägt. Vielleicht ist es mit auf Todorskis Nähe zum Hallenser Pietismus zurückzuführen, wenn Katharina ihrem Vater in Anhalt-Zerbst gegenüber erklärte, sie könne keinen Wesensunterschied zwischen dem lutherischen und dem orthodoxen Glauben feststellen. Von ihrem «aufgeklärten Absolutismus» und dem Deismus der Aufklärung her hatte sie offenbar zu keiner der beiden Konfessionen ein inneres Verhältnis.

In dieser Zeit fanden die Gedanken des Naturrechts in Rußland Verbreitung. 1764 erschien der Sammelband «Kurze Darstellung des Naturrechts von verschiedenen Autoren zum Nutzen der russischen Gesellschaft». Schon vordem hatte der Historiker Wassili Tatistschew (1686–1750) eine Loslösung der säkularen Welt vom Einfluß der Kirche gefordert.

Trotz manchen Bezugs zur orthodoxen Mystik förderte auch das Freimaurertum in gewisser Hinsicht den Säkularisierungsprozeß, zumindest eine Entfremdung vieler geistig Interessierter von der russischen Kirche. Seit Mitte des 18. Jahrhunderts fanden sich vornehmlich unter der Bürgerschaft die ersten Freimaurerverbände. Es zeigte sich ein Einfluß der Mystik von Valentin Weigel, Mme. de Guyon, Angelus Silesius und Jakob Böhme. 1782 entstand in Moskau der «Orden der Rosenkreuzer». Doch waren die Interessen unterschiedlich akzentuiert. Die «Gesellschaft der Freunde» um den Herausgeber Nikolai Iwanowitsch Nowikow (1744–1818) spiegelt ihre Vielfalt wider. Unter Nowikows Ausgaben fanden sich Werke der Kirchenväter wie Makarios der Ägypter und die pseudodionysischen Schriften, ferner Werke von Thomas a Kempis, Jakob Böhme und seiner Anhänger, eine Auswahl aus Angelus Silesius sowie Schriften von Pietisten wie Oetinger und Francke. Ein jüngeres Mitglied des Kreises, der aus Sibirien stammende Adlige I. P. Turgenew, fertigte eine Neuübersetzung von Arndts «Wahrem Christentum» in modernem Russisch an, die 1784 in Moskau erschien.

Nowikow selbst ging es mehr um geistige Aufklärung und praktische Wohltätigkeit. Die sich auch gesellschaftskritisch äußernde freie Haltung veranlaßte die Kaiserin unter dem Eindruck der Französischen Revolution, die Freimaurer zu verbieten und alle suspekt erscheinenden Druckereien zu schließen. Nowikow wurde als Staatsverbrecher inhaftiert. Gegenüber dem Vorwurf, Nowikow sei vom orthodoxen Glauben abgefallen, erklärte sogar der Moskauer Metropolit Platon Lewschin (1775–1811), er flehe zu Gott, daß es in aller Welt nur solche Christen geben möge.

Platon Lewschin gehörte zu den einflußreichsten Theologen und bedeutendsten Predigern seiner Zeit. Er studierte an der

Moskauer Akademie und war Rektor des Geistlichen Seminars in der Troize-Sergi-Lawra. Seit 1763 wirkte er als Hofprediger und Religionslehrer des Sohns Katharinas II., des späteren Kaisers Paul I., schließlich auch für dessen Braut, die Prinzessin Wilhelmine von Hessen-Darmstadt. Seine «Orthodoxe Lehre oder Abriß der christlichen Theologie», zunächst für die Unterrichtung des jungen Paul verfaßt, wurde bald zum wichtigsten Lehrbuch der Moskauer Akademie und der Priesterseminare. Andere katechismusartige Schriften veröffentlichte er für den Unterricht in den Elementarschulen. In den Jahren des bischöflichen Wirkens in Twer (seit 1770) und Moskau (1775–1811) galt seine Sorge der Einsetzung fähiger und untadeliger Geistlicher.

Platon Lewschin bemühte sich um das Schaffen neuer geistlicher Lehranstalten, bessere Lebensverhältnisse der Lehrenden und Lernenden sowie eine den Aufgaben der kirchlichen Praxis entsprechende Ausbildung. So ist unter seinem Einfluß in der Lehre die Scholastik zurückgedrängt worden. Er stand theologisch Feofan Prokopowitsch nahe. Es zeigten sich bei Platon auch gewisse Einflüsse des 1685 in Wittenberg erschienenen theologischen Kompendiums von Johann Andreas Quenstedt. Seine «Kurze russische Kirchengeschichte» (1805) beruhte bereits auf kritischen Quellenstudien und veranlaßte ihn, die Kirchengeschichte als Lehrfach in die Priesterausbildung aufzunehmen. Außerdem bereitete er den Zusammenschluß mit den priesterlichen Altgläubigen in Gestalt des sogenannten «Einglauben« vor.

Mehr noch als der mit dem Hof verbundene Platon versuchte Tichon von Sadonsk (1724–1783) sich der Lebens- und Glaubensprobleme der Gebildeten wie auch des einfachen Volkes anzunehmen. Zunächst Lehrer im Priesterseminar von Nowgorod, danach Rektor des Seminars von Twer, veranlaßte ihn die als Bischof von Woronesh (1763–1767) erlebte Kluft zwischen der zur Oberschicht gerechneten Hierarchie und dem Volk, sein Amt niederzulegen und sich in das Sadonsk-Kloster dieser Eparchie zurückzuziehen. In seinen eindringlichen und schlichten Predigten wandte er sich mit Strafworten und Bußruf an alle Schichten ohne Ausnahme. Sein Hauptwerk

«Über das wahre Christentum» (1770/71) zeigt nicht nur dem
Titel nach seine Nähe zu Arndt. Das Lesen der Bibel auch durch
Laien und ein von der Liebe getragenes «Christus nachahmen-
des Leben» war sein Ziel für Asketen wie Weltmenschen. In
der Seelsorge war der Starez Tichon für alle Ratsuchenden
offen. Wie sehr er das Starzentum der Folgezeit mitprägte,
spiegelt sich in der Gestalt des Starez Sossima in Dostojewskis
«Brüder Karamasow» wider.

Das sich in dieser Zeit entfaltende russische Starzentum
stellte mit seinem Bemühen um eine geistliche Vertiefung eine
gewisse Gegenreaktion gegen ein veräußerlichtes Kirchentum
dar. Das russische Starzentum knüpfte an die schon im alten
ägyptischen Mönchtum geübte Praxis an, daß ein in Entsagung
und Kontemplation erprobter und gereifter Mönch als «geistlicher Vater» (starez) junge Mönche anleitet und auch bei weltlichen Besuchern Seelsorge übt. Entsprechende Ansätze fanden
sich im russischen Mönchtum bereits bei Nil Sorski, in den
Mönchskolonien der Transwolga-Starzen.

Mehr noch als Tichon von Sadonsk stand in dieser Tradition
der aus der Ukraine stammende Paissi Welitschkowski (1722
bis 1794). Nach langen Wanderungen durch die Klöster der
Moldau und zum Athos ließ er sich im Njametz-Kloster in der
Moldau nieder. Als dessen Vorsteher verband er die Lebensweise des koinobitischen Klosters mit Momenten der hesycha-
stischen Mystik, wie er sie vom Athos und in der davon unterschiedlichen Ausprägung Nil Sorskis kannte, sowie der Seelen-
führung. Erst durch sein Wirken fand das «Jesusgebet» als
«geistiges Gebet» weitere Verbreitung.

Ins Moldauische und Kirchenslawische übersetzte er eine
Reihe von Werken ostkirchlicher Asketen und Mystiker. Weg-
weisend wurde seine kirchenslawische Übersetzung jener
Sammlung von asketisch-mystischen Werken des älteren
Mönchtums bis zum Hesychasmus des Athos, also aus dem
4.–14. Jahrhundert, die der Athosmönch Nikodemos im Jahre
1782 in Venedig unter dem Titel «Philokalia» (Tugendliebe)
herausgegeben hatte. Als «Dobrotoljubije» erstmals 1793 in
Petersburg nach Paissis kirchenslawischer Übersetzung gedruckt und später ins Russische übertragen, hat das Werk das

Starzentum und die russische Frömmigkeit im 19. Jahrhundert nachhaltig beeinflußt.

Mystische Momente verbanden sich mit biblizistischen und rationalistischen beim ukrainischen Wanderphilosophen Grigori Skoworada (1722–1794). Er verfügte über vorzügliche Sprach- und Literaturkenntnisse. Charakteristisch blieb sein Hang zum Moralismus und zur Einfachheit, zum Leben des Volkes. Die Lehrtätigkeit am Seminar von Charkow konnte ihn nur für kurze Zeit von seinem Wandertrieb abhalten. Als ein «christlicher Sokrates» wollte er jeden, den er traf, zur Selbsterkenntnis führen, zur Erkenntnis des Christus-Logos als innerem Gesetz der Welt. Von daher kannte er keine Trennung von Glauben und Wissen. Das Erblicken der «Spuren Gottes» schafft Erleuchtung. Doch erst wer sein Leben nach Gottes Willen einrichtet, findet Erfüllung, spürt die Teilhabe am Reich Gottes. Das mystische Erlebnis der Eucharistie verband sich bei Skoworoda mit Gleichgültigkeit gegenüber allem Äußerlich-Rituellen. Bei ihm finden sich Momente östlicher Mystik und Anlehnungen an Angelus Silesius, dazu eine Sicht von Kirche und Gesellschaft, wie sie ähnlich später bei Lew Tolstoi wiederkehrt, doch verstand er den Glauben nicht so rational wie dieser. Nicht zu Unrecht ist Skoworoda als «Vater der russischen Religionsphilosophie» bezeichnet worden.

7

Die Stellung zum Raskol

Die blutigen Verfolgungen gegen Ende des 17. Jahrhunderts hatten zur Flucht zahlreicher Altgläubiger in die Peripherie des Landes geführt. Zu Zentren der «Priesterlichen» wurden ihre Siedlungen im Westen Rußlands, im Gebiet von Starodub, in Wjatka und am Don. Die «Priesterlosen» konzentrierten sich auf die nördlichen und nordwestlichen Gebiete. Unterstützt von Mönchen, die aus dem Solowezki-Kloster geflohen waren, erneuerten sie im hohen Norden das russische Mönchtum, führten es zu einer geistlichen und kulturellen Blüte, während das Mönchtum der offiziellen Kirche an Bedeutung verlor. Als Zentren seien das Mönchs- und das Nonnenkloster am Fluß Wyg genannt, Klöster mit einem hohen Anteil von Laien, die auf der Grundlage alter russischer Frömmigkeit große Bedeutung, besonders für die Ikonenmalerei, erhielten.

In den Altgläubigensiedlungen besonders des Nordens entfaltete sich zunächst in der Abgeschiedenheit eine eigene Lebensform, die bald auf die zentralen Gebiete Rußlands zurückwirkte. Es entstand eine Art von Kooperativen, die sich mehreren Produktionszweigen widmeten: Jagd, Fischerei, Getreideanbau. Sie entwickelten ein Handelssystem mit eigenen Kontoren in mehreren Städten, so in Petrosawodsk und Nishni Nowgorod, dann auch in Petersburg und Moskau. Bald bezog die neue Hauptstadt Petersburg von ihnen ihr Getreide.

Unter der Regierung Peters I. wurden die Verfolgungen eingestellt. Die den Protestanten und Katholiken gewährte freie Religionsausübung wurde zwar den Altgläubigen nicht zugestanden, doch versuchte man, ihr Arbeitspotential für den Staat zu nutzen. So ließ Peter I. den Mönchen des Wyg-Klosters mitteilen, sie würden unbeeinträchtigt bleiben. Zugleich verpflichtete man im Jahre 1705 die dortigen Altgläubigen, für die neuen Eisenfabriken am Onegasee Arbeitskräfte zu stellen.

Freilich verband sich die faktische Duldung des Altgläubigentums mit dem Ziel, die Kirchenspaltung zu beseitigen. Altgläubige wurden doppelt besteuert. Die Sondersteuer für diejenigen, die nach altrussischem Brauch weiter ihren langen Bart tragen wollten, betraf ebenfalls in erster Linie die Altgläubigen. Dagegen scheiterte der Versuch, die Altgläubigen von Starodub ins Landesinnere umzusiedeln. Nur die von der offiziellen Kirche vollzogene Eheschließung wurde anerkannt. Altgläubige durften nicht in den Staatsdienst treten. Die Maßnahmen verschärften sich nach Einführung der Synodalordnung. Es gab sogar Erwägungen, die Altgläubigen durch das Tragen einer besonderen Steuermarke zu kennzeichnen. Vor Gericht wurde kein Altgläubiger zur Eidesleistung gegen einen Angehörigen der offiziellen Kirche zugelassen. Ein Ukas des Synod von 1722 verbot unter Strafandrohung die Altgläubigentaufe und verfügte, die Kinder der Altgläubigen in den offiziellen Kirchen taufen zu lassen. Dadurch hoffte man, allerdings vergebens, das Altgläubigentum aussterben zu lassen. In den zwanziger Jahren häuften sich auch wieder Todesurteile gegen Altgläubige.

Zugleich widmete man sich der theologischen Auseinandersetzung. Schon 1703 polemisierte Stefan Jaworski in seinem Werk «Die Anzeichen für das Kommen des Antichrist und des Weltendes» gegen die Vorstellung, in der Person Peters I. sei der Antichrist erschienen. Diese Arbeit zeugt von ebensolcher Unkenntnis der von den Altgläubigen vertretenen Ansichten wie die 1745 postum gedruckte «Entlarvung von Unwahrheiten der Raskolniki» des 1741 verstorbenen Erzbischofs Feofilakt Lopatinski. Größeren Wert besaßen die Arbeiten derjenigen, die selbst einmal zum Raskol gehörten, des auch gegen den Protestantismus polemisierenden Iwan Possoschkow und des Bischofs Pitirim von Nishni Nowgorod.

Im Jahre 1722 entschloß sich der Synod, die Mönchspriester Neofit und Iossif ins nördliche Pomorje-Gebiet beziehungsweise nach Starodub zu entsenden und anhand eines Fragespiegels die Ansichten der Altgläubigen zu ergründen. Im Wyg-Kloster disputierte Neofit mit den Wortführern der Pomorje-Richtung der priesterlosen Altgläubigen, den gebildeten adligen Brüdern Andrej und Semjon Denissow. Sie verfaßten in Gestalt der «Pomorskije otwety» (Antworten aus dem Weißmeergebiet) eines der markantesten Werke der damaligen russischen Literatur. Das Werk zeugt von einer Wandlung der eschatologischen Konzeption. Unter den dortigen Altgläubigen hatten sich neue Besitzverhältnisse und wirtschaftliche Beziehungen zum Staat ergeben. So ging man hier von der radikalen Ablehnung des Staates als Macht des Antichristen zu einer Versöhnung mit der Umwelt als von Gott zugelassener Realität über. Hier fand man sich auch bereit, die jungen Altgläubigen durch Geldzahlungen an den Staat von der Rekrutierungspflicht zu befreien.

Diese Haltung hatte schon 1706 zu einer Abspaltung von der Pomorje-Richtung des Wyg-Klosters geführt. Als man dort wieder das Gebet für den Zaren einführte, sagten sich von ihnen die sogenannten Fedossejewzy los. Ihr Name kommt von Feodossi Wassiljew aus dem Bojarengeschlecht der Urusows, der nahe der polnischen Grenze priesterlose Gemeinden gegründet hatte. Sie verbreiteten sich in den Gebieten von Riga, Pskow, Nowgorod, Staraja Russa, Jaroslawl und Petersburg.

Die «Pomorskije otwety» stießen unter den eigenen Anhängern, besonders jenen, die in der Abgeschiedenheit von Einsiedlergemeinschaften lebten, auf Widerspruch. Mit dem Vorwurf, die Wohlhabenden richteten sich durch den Bau von Häusern und Fabriken in der Welt ein, versuchten sie im Jahre 1737, Semjon Denissow von der Leitung auszuschalten. Als dies mißlang, sagte sich eine größere Gruppe unter Filipp von der Pomorje-Richtung los und bildete mit dem Zentrum beim Skit am Fluß Umbe auf der Kola-Halbinsel die Richtung der Filippowzy. Sie sahen weiterhin im Zaren den Antichristen und verweigerten alle Steuerzahlungen an den Staat. Im Jahre 1743 verbrannte sich Filipp mit mehreren Anhängern, als sie von Soldaten umzingelt waren. Doch hatte diese Richtung bereits Gehör gefunden und verbreitete sich im oberen Wolgagebiet.

Parallel zu den staatlichen Restriktionen bemühte sich Feofan Prokopowitsch um die Rückgewinnung der Altgläubigen. Im Auftrag des Synods gab er 1722 seine «Ermahnung des Hirten zur Rückkehr der Raskolniki in den Schoß der Orthodoxen Kirche» heraus. Doch war seine Behauptung, der Glaube der Altgläubigen beruhe nicht auf Gottes Wort, sondern «auf leichtfertigen Erzählungen und Großmütterfabeln», wenig dazu angetan, die Altgläubigen zu gewinnen. So erwiesen sich alle Maßnahmen als erfolglos und konnten ein weiteres Ausbreiten der Altgläubigen nicht verhindern.

Eine erneute Verfolgung begann, als viele Altgläubige die Thronbesteigung Katharinas I. als einer Frau ablehnten. Peter III. setzte 1762 ein Toleranzedikt in Kraft, das insbesondere im Interesse der Besiedlung Sibiriens allen über die Grenzen geflohenen Altgläubigen bei ihrer Rückkehr Glaubensfreiheit und Landzuteilung versprach. Die Behörden wurden angehalten, Härten zu vermeiden. Katharina II. bekräftigte dies nach ihrer Thronbesteigung in der Hoffnung, eine kirchliche Wiedervereinigung durchführen zu können. Als das mißlang, ließ sie 1764 zwanzigtausend priesterliche Altgläubige aus der Gegend von Starodub nach Sibirien umsiedeln.

Unter dem Druck der Verfolgungen und Benachteiligungen hatten die Altgläubigen erstaunliche Widerstandskraft, engen Zusammenhalt und gegenseitige Unterstützung entwickelt. Da ihnen viele andere Berufe verschlossen blieben, konzentrierten sie sich auf das Handwerk, den Handel und die sich entwickelnde Industrie. Viele kamen zu beträchtlichem Wohlstand. Sie unterstützten in Not Geratene, damit sie sich wieder emporarbeiten könnten. So erhielten die Altgläubigen eine nicht geringe Bedeutung für die wirtschaftliche Entwicklung.

Ihre Einsatzbereitschaft fand seitens der Regierung während der verheerenden Seuche, die im Jahre 1771 Moskau heimsuchte, Anerkennung. Vor der Stadt gründeten die priesterlosen Altgläubigen ein Seuchenspital mit Kirche und dem Preobrashenski-Friedhof. Wenige Monate später taten die priesterlichen Altgläubigen ein Gleiches mit dem Rogoshski-Friedhof. Beide blieben bis heute Zentren der Altgläubigen.

Dieser neuen Stellung der Altgläubigen sah sich Platon Lewschin konfrontiert, als er 1775 Metropolit von Moskau wurde. Schon 1766 hatte er sich mit einem Mahnschreiben an die Altgläubigen gewandt, das im Unterschied zur bisherigen Polemik versöhnlich gehalten war. Als sich die Moskauer Priesterlichen mit dem Gedanken trugen, sich selbst einen Bischof zu weihen, entwickelte Platon die Grundsätze für einen als «Einglaube» (jedinowerije) bezeichneten Zusammenschluß: gegründet auf den gemeinsamen Glauben, sollten die Altgläubigen an ihrem Ritus festhalten dürfen, aber dem orthodoxen Episkopat unterstellt werden. Nach kaiserlicher Billigung im Jahre 1800 entstand auf dem Moskauer Friedhof zur Einführung der Gottesmutter in den Tempel die erste «Eingläubigen»-Kirche. Doch nur wenige Altgläubige fanden sich hierzu bereit, zumal ihre alten Riten nur faktisch geduldet, deren Verdammung durch das Konzil von 1667 aber nicht aufgehoben wurde.

8

Die Missionsarbeit

Bereits Ende des 17. Jahrhunderts wirkte die russische Mission über die Grenzen des Staates hinaus. Der chinesische Kaiser ließ dreihundert Kosaken aus der Stadt Albasin am Amur nach Peking übersiedeln, wo sie seiner Leibtruppe angegliedert wurden. Sie hatten ihren Priester Maxim Leontjew mitgebracht und errichteten eine Kapelle, die 1698 zu einer Sophienkirche umgebaut wurde. Auf Geheiß Peters I. gründete der Metropolit Filofej Lestschinski von Tobolsk im Jahre 1715 in Peking eine erste russische Geistliche Mission unter Leitung des Archimandriten Ilarion Leshaiski. Viele Angehörige der Mission erlernten die chinesische und mandschurische Sprache, übersetzten die dortige Literatur ins Russische und verfaßten Wörterbücher. 150 Jahre lang, bis zur Errichtung einer russischen Gesandtschaft, nahm diese Geistliche Mission auch diplomatische Aufgaben wahr. Zur Zeit Peters I. entstand eine russische orthodoxe Kirche in Amsterdam. Die am Hofe des ersten preußischen Königs Friedrich I. (1701–1713) in Berlin eingerichtete ständige diplomatische Vertretung erhielt im Jahre 1718 eine Hauskirche. Eine weitere Hauskirche entstand in Potsdam für die russischen Soldaten, die Peter I. dem König Friedrich-Wilhelm I. (1713–1740) geschenkt hatte.

Die Missionsarbeit wurde in die petrinischen Reformen einbezogen. Ein Ukas vom Jahre 1700 ordnete eine Missionstätigkeit unter den heidnischen Völkerschaften Rußlands und die Ausweitung der Mission nach China an. Mit der Vorbereitung von Missionaren für die Arbeit unter Anhängern des Schamanentums, Buddhismus, Lamaismus und Islam wurde die Kiewer Akademie beauftragt.

Unter den Missionaren der ostsibirischen Völkerschaften ist der erste Bischof der 1727 errichteten Eparchie von Irkutsk und Nertschinsk, Innokenti Kultschizki, hervorzuheben. Er verstarb 1731 und wurde 1804 als ein Apostel Sibiriens heiliggesprochen. 1918 kanonisierte man auch den Bischof Sofroni Kristalewski von Irkutsk.

Die Missionstätigkeit verlief nicht ohne Widerstand. Auf Kamtschatka wurde der Erzpriester Martinian im Jahre 1717 von Neugetauften getötet. Danach wirkte dort der Kosak Iwan Kosyrewski. Er war wegen Meuterei und Totschlag zum Tode verurteilt und dann unter der Bedingung, Gutes zu tun, begnadigt worden. 1716 trat er unter dem Namen Ignati in den Mönchsstand ein, widmete sich der Missionsarbeit und der Erforschung Kamtschatkas. Als einer der erfolgreichsten Missionare wirkte dort 1743–1748 Ioassaf Zkotunzewski (gest. 1758), der anschließend das Rektorat der Moskauer Geistlichen Akademie übernahm.

Für die Missionsarbeit in den Wolgaeparchien Kasan, Nishni Nowgorod, Woronesh und Astrachan errichtete die Kaiserin Anna 1740 ein «Neugetauften-Kontor» unter Leitung von Dmitri Setschenow. Im Verlauf von zwanzig Jahren wurden in diesen Gegenden mehr als 400 000 Mordwinen, Tschuwaschen, Tscheremissen und Ostjaken bekehrt. Weniger Erfolge erzielte man unter den moslemischen Tataren. Allerdings ist die zum Teil mit staatlichem Druck durchgeführte Missionsarbeit des 18. Jahrhunderts oft oberflächlich geblieben. Viele der Neugetauften wandten sich schon bald wieder ihrem alten Glauben zu.

9

Sektiererische Gemeinschaften

Die Vielschichtigkeit des religiösen Lebens im 18. Jahrhundert äußerte sich schließlich in ekstatischen und spiritualistischen Sekten, die unter dem Einfluß mystischer Strömungen sowie im Gegensatz zu Kirche und Gesellschaft entstanden.

Die Chlysten (Geißler), die sich selbst als «Christusleute» oder «Gottesleute» bezeichneten, führten ihren Ursprung auf den Bauern Danila Filippow zurück, der Mitte des 17. Jahrhunderts verkündete, Gott selbst habe in ihm Wohnung genommen. Seinen Sohn erklärte er zum «Christus» und seine Frau zur «Gottesmutter». Es ist möglich, daß Danila Filippow aus den Kreisen der priesterlosen Altgläubigen hervorgegangen ist und von deren eschatologisch begründetem Verzicht auf das geistliche Amt seine Lehre entwickelte, derzufolge Gott, Christus, Maria und die Apostel immer aufs neue in einfachen russischen Menschen Gestalt annehmen. Die Chlysten bezogen dies zunächst nur auf einzelne, seit dem 18. Jahrhundert auf Menschen aller ihrer Gemeinden und vertraten die Ansicht, daß jeder durch Einwohnung des Geistes Christus gleichartig werden könne. Die leibliche Auferstehung wird von ihnen verworfen. Zunächst traten Danilas Offenbarungen an die Stelle der Heiligen Schrift. Später ging man zu allegorischer Deutung der Heiligen Schrift über.

Als Geheimsekte blieben die Chlysten äußerlich Glieder der Kirche, maßen aber Sakramenten und Dogma keine Bedeutung bei. In langen weißen Gewändern steigerten sie sich in ihren Zusammenkünften zu ekstatischem Tanz (radenije), wohl auch zur Geißelung. Die Behauptung, sie hätten sich dabei der «Sünde des fleischlichen Vermischens» (swalny grech) hingegeben, kann angesichts ihres asketischen Ideals wohl nur von Splittergruppen gelten. Trotz schwerer Verfolgungen griff die Sekte vom Wolgagebiet auf Moskau und andere Landesteile über, wo es im 19. Jahrhundert zu unterschiedlich geprägten Abspaltungen kam.

Im Kult den Chlysten gleichend, übersteigerten die Skopzen (Verschnittenen) das Ideal völliger sittlicher Reinheit durch Kastration, bei den Frauen einer symbolischen Verschneidung. Sie vollzogen diese in den beiden Stufen des Kleinen und Großen Siegels beziehungsweise des Ersten und Zweiten Weißwerdens, weshalb sie auch Weiße Tauben genannt wurden. Ihr Begründer, Kondrati Seliwanow, verkündete einen politisch gefärbten Messianismus, indem er, ähnlich wie Pugatschow, behauptete, der 1762 ermordete Peter III. zu sein, in dem Christus zum zweitenmal Menschengestalt angenommen habe. Als er über hundertjährig 1832 in der Klosterhaft verstarb, erwarteten die Skopzen Christi drittes Kommen in Gestalt eines russischen Zaren zur Begründung eines tausendjährigen Reiches. Die noch bestehenden Reste der Sekte ersetzten zumeist die Verschneidung durch Enthaltsamkeit.

Spiritualistische und rationalistische Momente verbanden sich bei den Geistlichen Christen (Duchownyje christiane), die bereits vor der Mitte des 18. Jahrhunderts in Erscheinung traten. Gott im Geist und in der Wahrheit zu dienen bedeutete für sie die Ablehnung der Kirche als institutioneller Heilsanstalt, ihrer Sakramente und Traditionen, außerdem ein Sichlösen von den weltlichen Ordnungen. Die Erkenntnis des Geistes läßt sie als die Kinder Gottes das ewige Gesetz im Herzen tragen. Ihre Absage an Kirche und Gesellschaft verbanden sie mit dem Zusammenschluß in landwirtschaftlichen Kooperativen, die anfangs auf der Basis gemeinschaftlichen Eigentums beruhten.

Schon bald zeichneten sich zwei unterschiedliche Richtungen ab. Die «Duchoborzy» (Geistkämpfer) betonten strenges Fasten als Erweis des Erfülltseins vom Geist. Sie hielten wenig von schriftlich fixierten Lehren und interpretierten die Bibel allegorisch. Nikolaus I. siedelte sie Mitte des 19. Jahrhunderts ins Kaukasusgebiet um. Immer wieder wegen ihrer Kriegsdienstverweigerung verfolgt, wanderten um 1898 viele von ihnen nach Kanada aus. Die «Molokany» (Milchtrinker) erlauben auch an Fastentagen Nichtfastenspeisen wie Milch. Mit ihrer «Glaubenslehre» (Genf 1905) und einem Katechismus (1908) schufen sie sich ein eigenes Schrifttum.

Dagegen sahen die den Sabbat heiligenden «Subbotniki», eine Sekte, die in den siebziger/achtziger Jahren des 18. Jahrhunderts im mittleren Wolgagebiet entstand, im Befolgen der Reinheits- und Speisevorschriften des Alten Testaments die Voraussetzung für das Kommen eines messianischen Reiches.

VI.
Krisen und Neuansätze
während der Synodalperiode
im 19. Jahrhundert

1

Die Begegnung
mit schwärmerischer Religiosität

Der sich im 18. Jahrhundert in Rußland zeigende Einfluß der französischen Aufklärung war unter dem Eindruck der Französischen Revolution wieder zurückgedrängt worden. Nach der Ermordung Pauls I. hofften viele auf ein Ende der Verhärtung und erneut liberalere Verhältnisse unter dessen Sohn und Nachfolger, dem schwärmerisch veranlagten Alexander I. (1801–1825). Katharina II. hatte ihren Enkel im Sinne der französischen Aufklärung von einem Schweizer Lehrer auf der Grundlage von Rousseaus Emile erziehen lassen. Doch gleichzeitig stand Alexander dem General Araktschejew nahe, einem Günstling des sich mit Leidenschaft dem preußischen Militärdrill widmenden Paul I. Beides hat Alexander I. geprägt. Als Kaiser blieben seine Reformvorhaben widersprüchlich und inkonsequent, ebenso seine Haltung gegenüber der Kirche.

Die im 18. Jahrhundert deutlich gewordene Tendenz, im christlichen Glauben ein Mittel zur Erziehung treuer Untertanen zu sehen, hatte in der gebildeten, unabhängiger denkenden Oberschicht zu einer spürbaren Entkirchlichung geführt, zu verächtlichem Herabblicken auf Volksfrömmigkeit und Ritualismus der russischen Kirche. Der religiös engagierte M. M. Speranski (1772–1834), Sohn eines Dorfgeistlichen, Freund, Mitarbeiter und zeitweilig eine Art Premierminister Alexanders I., meinte, die christlichen Glaubenslehren vermittelten lediglich einen oberflächlichen Moralismus, der «sich nur in Worten von heidnischen Morallehren unterscheidet». Der Antichrist, schrieb Speranski, «stellte dem inneren Fasten ein äußeres gegenüber, dem geistigen Gebet eins mit Wortschwall, der Demut des Geistes die Abtötung des Fleisches. Mit einem Wort, er schuf ein ganzes System verlogener Christlichkeit.»

Bei Speranski und vielen seiner Zeitgenossen verband sich die Abkehr von der Kirche mit dem Suchen nach einem «reinen», einem «innerlichen» Christentum als einer «höheren» Art des Glaubens. In der Beschäftigung mit russischen Mystikern, mit Jakob Böhme, St. Martin, Mme. de Guyon und anderen, mit utopischen Gedanken von St. Simon und de Maistre, verstärkte sich, zum Teil als Reaktion auf das Gedankengut von Aufklärung und Französischer Revolution, der Hang zum Mystizismus, zu einer recht verschwommenen allgemeinen Religiosität, die sich bei vielen von der überkommenen Kirchlichkeit ebenso entfernte wie von den Realitäten des Lebens.

Neben mystische Vorstellungen, wie sie auch von den wieder zugelassenen Freimaurern vertreten wurden, und Momente der Romantik trat in stärkerem Maße der Erweckungsgedanke des deutschen Pietismus. Besonderen Anklang fand die Weiterführung chiliastischer Vorstellungen, wie sie schon bei Bengel und Oetinger zu finden waren, in eschatologisch-apokalyptischer Ausprägung in den Werken «Heimweh» (1794) und «Siegesgeschichte der christlichen Revolution» (1799) von Johann Heinrich Jung-Stilling (1740–1817). Der christliche Glaube, heißt es dort, habe sich vom Osten her, von Jerusalem aus, nach dem Westen entfaltet. Nun drohe der Antichrist, vom Westen her kommend, politisch durch die Französische Revolution und geistig durch die zum Materialismus führende rationalistische Theologie Christi Werk zu zerstören und die Kirchen von innen heraus zu zersetzen. Deshalb müßten sich die wahren Christen aller Kirchen und Konfessionen vom Geist erwecken und zum Widerstand zusammenführen lassen. Wenn mit der Herrschaft des Antichristen die Schrecken der Endzeit einsetzen, sollen sich die wahren Christen aus Europa, Asien und Afrika in der Gegend von Samarkand versammeln. Dort werde der Herr bei seiner Wiederkunft das Gottesreich aufrichten. Zahlreiche schwäbische Christen begannen, nach dem Osten zu ziehen.

In den Kreisen um den Petersburger Hof fanden diese Vorstellungen dankbaren Nährboden, zumal Napoleons Vordringen nach Moskau die geschichtliche Bestätigung zu sein schien. So erhielt der Befreiungskrieg gegen die Grande Armée eine religiöse Note. Unter dem Einfluß der livländischen Baronin von Krüdener und möglicherweise dem Memorandum des Franz von Baader (1765–1841) über die Notwendigkeit einer neuen Verbindung von Religion und Politik, hielt sich Alexander I., der 1815 mit Jung-Stilling in Deutschland zusammentraf, dazu berufen, nicht nur Rußland, sondern ganz Europa vor den ihm als zersetzend erscheinenden Kräften zu retten. Das Ergebnis war die von ihm angeregte «Heilige Allianz» von 1815, bei der die Verbundenheit der Herrscher von Österreich, Preußen und Rußland auf der Grundlage des die Konfessionen überspannenden christlichen Glaubens proklamiert wurde. Doch entsprach sie nur scheinbar der allgemeinen Friedenssehnsucht und ökumenischem Denken, galt doch dieser Monarchenbund der Vereitelung revolutionärer Bestrebungen, einer Festigung der restaurativen Machtverhältnisse und zaristischem Hegemoniestreben.

In der Haltung des Staates gegenüber der russischen Kirche verbanden sich schwärmerische Vorstellungen überkonfessioneller Christlichkeit mit einer durch die Verflechtung von Glauben und politischer Zweckmäßigkeit charakterisierten Sorge um die Erhaltung der Orthodoxie. Dies zeigte sich in der Person des 1803 zum Oberprokuror ernannten Fürsten Alexander N. Golizyn, einem Freund und Vertrauten Alexanders I. Zunächst ohne ein engeres Verhältnis zum Glauben und zur Orthodoxie, widmete er sich bald mit Eifer und im Sinne der zeitgenössischen Strömungen seinen Aufgaben. Während sich bis dahin die Zaren häufig selbst um die Regelung kirchlicher Fragen gekümmert hatten, gerieten nun Synod und Episkopat in unmittelbare Abhängigkeit vom Oberprokuror.

Die neu geschaffene «Kommission für die geistlichen Schulen» unterstand direkt Golizyn. Der Oberprokuror wurde im

Jahre 1810 zugleich Minister für Volksaufklärung und erhielt im folgenden Jahr noch die Leitung des Departements für die fremden Glaubensbekenntnisse. All diese Bereiche wurden in dem 1817 gegründeten und von Golizyn geleiteten «Ministerium für geistliche Angelegenheiten und Volksaufklärung» zusammengefaßt, weil, wie es im Gründungsmanifest hieß, «die christliche Gottesfurcht (blagotschestije) stets die Grundlage wahrer Aufklärung (proswestschenije) gewesen ist». Für die Russische Orthodoxe Kirche fungierte in diesem «Doppelministerium» das «Ressort für die orthodoxe Konfession» unter Fürst P. S. Mestscherski als neuem Oberprokuror (1817 bis 1833). Es war verwaltungsmäßig gleichgeordnet mit den Ressorts für die nichtchristlichen Religionen, für die evangelisch-lutherische sowie für die römisch-katholische Konfession.

Als recht umstrittenes überkonfessionelles Gremium entstand im Jahre 1812 nach dem Vorbild der 1804 gegründeten British and Foreign Bible Society eine russische Bibelgesellschaft, der wiederum Golizyn präsidierte. Hier arbeiteten Angehörige der russischen Kirche, Katholiken, Lutheraner, Kalvinisten, Böhmische Brüder und Anglikaner gleichberechtigt zusammen. Sie fanden auch Unterstützung durch Freimaurer. Der spätere Moskauer Metropolit Filaret Drosdow (1782 bis 1867) leitete das Komitee für eine russische Bibelübersetzung. Der vom Kaiser aus München geholte, damals noch katholische Priester Johannes Evangelista Goßner (1773–1858) gehörte seit 1820 zum Direktorium. Neben neuen Auflagen der kirchenslawischen Bibel erschien 1819 eine russische Übersetzung der Evangelien, zwei Jahre später des ganzen Neuen Testaments: Bibeln, Bibelteile und Traktate wurden in Hunderttausenden von Exemplaren im Lande verbreitet, darunter in dreizehn Sprachen für die nichtrussische Bevölkerung. Außerdem gründete man Sonntagsschulen.

Die zweifellos verdienstvolle Arbeit der russischen Bibelgesellschaft stieß in manchen Kreisen der russischen Kirche auf harten Widerstand. Die Furcht, das sich außer in mystisch-freidenkerischen Kreisen auch bei einigen Mitarbeitern der Bibelgesellschaft widerspiegelnde spiritualistische Kirchenverständnis gefährde die traditionelle orthodoxe Kirchlichkeit, rief eine leidenschaftliche Reaktion zum Teil recht eng denkend konservativer Kreise hervor. Es formierte sich eine «Rechtgläubige Mannschaft» (Prawoslawnaja drushina) zur Verteidigung des Glaubens. Einen Angriffspunkt bildete die Übersetzung der bisher nur kirchenslawischen Bibel und Gebete in die russische «Sprache des einfachen Volkes», der sich neben anderen Hierarchen sogar Metropolit Serafim Glagolewski von Petersburg und Nowgorod als Angehöriger der Bibelgesellschaft widersetzte. Der fanatische Archimandrit Foti Spasski, dessen Engstirnigkeit der Dichter Alexander Puschkin (1799 bis 1837) in einem bissigen Epigramm gegeißelt hat, exkommunizierte kurzerhand Golizyn als vermeintlichen Hauptschuldigen. Foti, Metropolit Serafim und der reaktionäre Kriegsminister Araktschejew erreichten es, daß Alexander I. im Jahre 1824 seinen bisherigen Freund Golizyn seiner Ämter enthob. Das Doppelministerium wurde wieder aufgelöst. In einer Zeit, als der Kaiser mit harter Intoleranz die von den Rückkehrern aus den napoleonischen Kriegen geforderte politische Liberalisierung und Errichtung einer konstitutionellen Monarchie bekämpfte, fiel es nicht schwer, ihn davon zu überzeugen, alles mit dem Mystizismus irgendwie Verbundene sei eine Wurzel der Revolution. Nach Alexanders I. Tod ereignete sich im Dezember 1825 der nach diesem Monat benannte Petersburger Dekabristen-Aufstand. So erreichten die Eiferer zusammen mit dem neuen Minister für Volksaufklärung Admiral Schischkow von Kaiser Nikolaus I. (1825–1855) im Jahre 1826 die Aufhebung der Bibelgesellschaft. Schon zwei Jahre zuvor war Goßner des Landes verwiesen worden und legte später in Berlin den Grund für die evangelische Goßner-Mission. Die russische Bibelübersetzung wurde verboten. Das betraf selbst den 1823 mit Genehmigung des Synod herausgegebenen Katechismus des damaligen Erzbischofs (seit 1821) und späteren Metropoliten (1826–1867) von Moskau, Filaret Drosdow, weil darin das Glaubensbekenntnis und liturgische Gebete in russischer Sprache widergegeben waren. In den weiteren Auflagen mußten sie wieder in Kirchenslawisch gedruckt werden.

Erst in der Mitte des Jahrhunderts erreichte Metropolit Filaret die Herausgabe einer russischen Bibelübersetzung durch den Synod. Daran beteiligten sich die namhaftesten Theologen der vier Geistlichen Akademien. Man benutzte die 1810 in Moskau gedruckte und von allen orthodoxen Kirchen anerkannte Redaktion des griechischen Neuen Testaments. Sie entspricht dem Textus receptus, der Elzevir-Ausgabe von 1633. Die Übersetzung des Alten Testaments orientierte sich am hebräischen Text. Als Synodalausgabe erschienen die Evangelien beziehungsweise das Neue Testament in den Jahren 1860 und 1862, die Gesamtausgabe seit 1876. Noch im Anfang des 20. Jahrhunderts unternahm es der Oberprokuror K. P. Pobedonoszew, eine russische Übersetzung des Neuen Testaments mit wieder stärkerer Anlehnung an das Kirchenslawische herauszubringen. Doch hat sich die Synodalausgabe durchgesetzt und wird auch heute verwendet.

In ihrer Polemik, die sich teilweise zugleich gegen den Protestantismus richtete, stützte sich die «Rechtgläubige Mannschaft» nicht nur auf Erzkonservative. Zu ihren Reihen zählte der begabte Diplomat Alexander Sturdsa (1791–1854), der in Deutschland studiert hatte, selbst zunächst der Erweckungsbewegung nahestand und sich um eine sachlich fundierte Verteidigung der russischen Orthodoxie bemühte. Man habe, klagte er, unter dem Einfluß von Mystikern, Jesuiten und deutschen Theologen fast vergessen, daß es eine russische Kirche gibt. Sturdsa sah in den Mängeln der russischen Geistlichkeit die Schuld dafür, daß sich die Gebildeten den ausländischen Strömungen und viele einfache Gläubige dem Raskol und den Sekten anschlössen. Zwar galt ihm die Bibelgesellschaft als ein Instrument zur Infiltration des Protestantismus, doch dürfe man nach ihrem Verbot nicht aufhören, billige Bibeln herzustellen und zu verbreiten.

Sturdsa rechtfertigte die Überwindung römisch-katholischer Mißbräuche durch die abendländische Reformation. Nachdem aber, wie er meinte, schon Luther es versäumte, sich an der allein wahren orthodoxen Kirche zu orientieren, hätten sich seine Nachfolger ebenso wie die Kalvinisten von den Grundlagen des Kirche-Seins entfernt. Schriftverständnis und Theologie ihrer Universitätsprofessoren führten zur Religionslosigkeit, weil sie der Anleitung durch eine die geistlichen Traditionen bewahrende Hierarchie entbehrten. Obwohl ihm Rom als abgefallen und die protestantischen Kirchen als Sekten galten, sah er in jedem ihrer Glieder, das sich zur Fleischwerdung in Christus bekennt, Gottes Geist wirken. Diese Grundhaltung sowie seine Behandlung der Fragen von Glauben und guten Werken, Sakraments- und Amtsverständnis, Mönchtum, Bilder- und Heiligenverehrung blieb für die Sicht der abendländischen Kirchen bis ins 20. Jahrhundert hinein für viele Russen charakteristisch.

2

Selbstherrschaft – Rechtgläubigkeit – Volkstum und die Bauernbefreiung

Die russische Kirche hatte einen wesentlichen Beitrag zur Festigung des russischen Staates und der ihn repräsentierenden Herrschermacht geleistet. Trotz aller geistlichen und durchaus auch materiellen Fürsorge hat die Kirche zu den seit langem anstehenden sozialökonomischen Fragen im großen und ganzen geschwiegen. Es waren vorwiegend Laien, die im Zusammenhang mit den immer wiederkehrenden Bauernaufständen sich vom Evangelium her für eine Verbesserung der Lebensbedingungen der leibeigenen Bevölkerung einsetzten. Und es waren zunehmend Männer, die Kirche und Christentum gegenüber eine kritische Haltung einnahmen.

Vom Humanismus der Aufklärung her geißelte, um nur ein Beispiel zu nennen, der den Freimaurern nahestehende Adlige Alexander Radistschew (1749–1802), der in Leipzig studiert hatte, in seiner «Reise von Petersburg nach Moskau» (1790) die menschenunwürdige Lage der Leibeigenen. Katharina II. erklärte, er sei gefährlicher als Pugatschow. Sie ließ ihn zum Tode verurteilen, dann zur Verbannung begnadigen. Nach seiner Rückkehr erarbeitete er den Entwurf einer Verfassungsreform, der auf der Freiheit und Gleichheit aller vor dem Gesetz beruhte, aber verworfen wurde.

Das Problem erwies sich als immer brennender. Ohne nennenswertes Ergebnis blieb der Ukas von 1803 über das Recht der Gutsbesitzer, Leibeigene durch Verträge zu «freien Ackerbauern» zu machen. Lediglich in den baltischen Gouvernements ergaben sich seit 1816 Ansätze zu einer Bauernbefreiung auf der Grundlage von Dienstpachtverträgen. Darüber enttäuscht, daß Alexander I. als der «Befreier Europas» zwar den angegliederten Finnen und Polen eine Verfassung zugestand, sie für das eigentliche Rußland jedoch ablehnte, schlossen sich junge Adlige und Offiziere zum Kampf gegen das herrschende System zusammen. Über die Ziele, Sturz der Selbstherrschaft und soziale Gerechtigkeit, besaß man unterschiedliche und verschwommene Vorstellungen. Alexander I. starb gegen Ende 1825 in Taganrog am Asowschen Meer. Das hartnäckig verbreitete Gerücht, er lebe als Einsiedler unter fremdem Namen weiter, hat sich nie beweisen lassen. Die vorübergehende Unklarheit der Thronfolge nutzten jene oppositionellen Adligen und Offiziere zum bereits erwähnten Petersburger Dekabristen-Aufstand. Ohne echte Konzeption und Rückhalt im Volk scheiterte er kläglich. Doch blieb er ein Fanal, das den neuen Kaiser Nikolaus I. (1825–1855) von vornherein veranlaßte, mit strengster Polizeistaatlichkeit jedes freiheitliche Denken zu bekämpfen.

Tiefergreifende gesellschaftliche Reformen unterblieben aus Sorge vor möglicherweise die Selbstherrschaft erschütternden Umwälzungen. Mit der berüchtigten Dritten Abteilung entstand eine intensiv nachforschende Geheimpolizei zur Bekämpfung der organisierten und literarischen Opposition. An den Grundgedanken der Selbstherrschaft haben sowohl Alexander I. als auch sein Bruder Nikolaus I. festgehalten. Während aber ersterer zumindest im Anfang für liberalere Ansätze offenblieb, stand die Zeit Nikolaus' I. im Zeichen politischer Reaktion.

Trotzdem blieb man bemüht, nicht nur zu unterdrücken, sondern durch ein eigenes Ideal die herrschenden Verhältnisse zu untermauern. Der Minister für Volksaufklärung Graf S. S. Uwarow (1833–1849) definierte die das russische Kaiserreich tragenden Prinzipien als die Einheit von «Selbstherrschaft

– Rechtgläubigkeit (Orthodoxie) – Volkstum» (Samodersha-
wije – Prawoslawije – Narodnost). Für diese «unheilige Dreifaltigkeit» haben sich nur wenige der Gebildeten gewinnen
lassen. Die Sorge, Gedanken der revolutionären Ereignisse
von 1848 könnten auf Rußland übergreifen, führte sogar zum
Verbot des Lehrfaches Philosophie an den Universitäten. Die
schließlich vom neuen Minister für Volksaufklärung Fürst
Schirinski-Schichmatow erhobene Forderung, alle Wissenschaften sollten nur noch auf der Grundlage der religiösen
Wahrheiten betrieben werden, stieß auf einhelligen Widerstand.

Im Verhältnis zur Kirche dachte man an eine Wiedergeburt
des russischen Volkes von den alten Glaubenstraditionen her.
Das bedeutete eine Ablehnung der theologischen Richtung
Prokopowitschs unter gleichzeitiger Beibehaltung seiner Konzeption einer Unterwerfung der Kirche unter den Staat. Aber
es war ein Irrtum zu glauben, man könne durch staatliches
Administrieren eine kirchliche Wiederbelebung einleiten.

Seit dem Bestehen des Doppelministeriums unter Golizyn
verstanden sich die Oberprokurore nicht mehr als «Auge des
Zaren», sondern immer mehr als Kirchenminister, die mit den
Vertretern der Kirche wie mit ihnen unterstellten Beamten
umgingen. Zur Zeit des bürokratischen Oberprokurors S. D.
Netschajew (1833–1836) erging ein kaiserlicher Ukas, demzufolge der Oberprokuror an den Sitzungen des Minister-
komitees teilnahm. Sein Nachfolger, der Generalmajor N. A.
Protassow (1836–1855) machte sich zum unumschränkten Leiter der Kirchenverwaltung, indem er eine eigene Kanzlei des
Oberprokurors errichtete (1836), der die Wirtschaftsverwal-
tung unterstand und in der alle wichtigen Fragen vorberaten
wurden, bevor sie dem Synod zugingen. Zu seinen Grundsätzen gehörten militärische Disziplin und widerspruchsloser Gehorsam. Die Bischöfe soll er «wie eine Kavallerieabteilung
beim Exerzieren» kommandiert haben. Bischöfe, die ihm zu
widersprechen wagten, entfernte er aus dem Synod. Allerdings hat Protassow in manchen Fragen, wie der Versorgung
der Geistlichkeit, Verdienstvolles geleistet.

Die auf möglichst enge Bindung und Russifizierung bedachte kaiserliche Nationalitätenpolitik wirkte sich auch im kirchlichen Bereich aus. Sicher nicht ohne mehr oder weniger massiven Druck baten die unierten Bischöfe der westlichen Gebiete im Jahre 1839 um Vereinigung mit dem Synod der russischen Kirche. Schon 1807 war durch ein Dekret der Übertritt vom unierten zum lateinischen Ritus verboten worden. Im Jahre 1783 hatte sich Georgien (Grusinien) unter den Schutz der russischen Kaiserin Katharina II. gestellt und der Katholikos, das Oberhaupt der georgischen Kirche, einen Sitz im Synod der russischen Kirche erhalten. Seit 1801 gehörte Georgien unter Zusicherung innerer Selbständigkeit zum russischen Reich. Doch nachdem man den Amtsverzicht des Katholikos Antonios II. erreicht hatte, wurde die georgische Kirche im Jahre 1811 der russischen Kirche als Exarchat angegliedert. Die russischen Exarchen unternahmen allmählich eine Angleichung der georgischen liturgischen Texte und Riten an die russischen. Gegen den Widerstand der Georgier wurde in den größeren Städten der Gottesdienst in kirchenslawischer Sprache zelebriert.

Immer deutlicher trat das Unbefriedigende der gesellschaftlichen Verhältnisse zutage. Die Unrentabilität der zwangspflichtigen Arbeit in Landwirtschaft und Industrie erwies sich als Hemmschuh beim Übergang zu einer bürgerlich-kapitalistischen Entwicklung der Wirtschaft. Die gärende Situation im Lande, Bauernunruhen, die sich nicht nur gegen einzelne Gutsbesitzer, sondern gegen das System der Leibeigenschaft richteten, drängten auf eine Veränderung. So erklärte Kaiser Alexander II. (1855–1881) vor Vertretern des Adels: «Es ist besser, die Befreiung von oben durchzuführen, als zu warten, bis ein Umsturz von unten erfolgt.» Im Jahre 1861 verkündete ein kaiserliches Manifest, an dessen Textfassung auch Metropolit Filaret Drosdow beteiligt war, die offizielle Aufhebung der Leibeigenschaft. Dieses Ereignis stellt einen wichtigen Einschnitt in der Entwicklung Rußlands dar. Doch erwiesen sich die den Bauern auferlegten Bedingungen als derart bedrückkend, daß es zu keiner wirklichen Befriedigung kam. Ihr Unmut mündete ein in die revolutionären Ereignisse am Anfang des 20. Jahrhunderts.

Diese Zeit ist durch bürgerliche Reformen auf dem Gebiet der Verwaltung, der Gerichtsbarkeit, des Schulwesens und durch Einführung der allgemeinen Wehrpflicht sowie das Entstehen der ersten Arbeiterorganisationen und Streikbewegungen gekennzeichnet. Die weiterbestehenden Gegensätze verschärften sich zusehends, als nach der Ermordung Alexanders II. unter dessen Sohn Alexander III. (1881–1894) sowie dem letzten russischen Kaiser Nikolaus II. (1894–1917) streng konservative Kreise ihren Einfluß durchsetzen konnten.

Die politische Rückwendung seit dem Beginn der achtziger Jahre prägte die kirchliche Entwicklung durch das Oberprokurat von Konstantin Petrowitsch Pobedonoszew (1880–1905). Der einstige Professor für Zivilrecht, ein sieben Sprachen beherrschender, hochgebildeter, aber zutiefst reaktionärer Mann, beeinflußte als Erzieher und Berater zweier Kaiser, als Mitglied des Reichsrates und Oberprokuror in erheblichem Maße die russische Innen- und Außenpolitik. Mehr noch als die «klare und glänzende Zeit» Nikolaus' I. galt ihm im Sinne des Slawophilentums die patriarchalische Ordnung der alten Moskauer Herrscher als das Ideal, durch das den demokratischen Bestrebungen gewehrt werden könne.

Pobedonoszew verstand sich als gläubiger Orthodoxer und sah im christlichen Glauben die Stütze von Staat und Gesellschaft. Aber Glauben beschränkte sich für ihn auf eine naive Volksfrömmigkeit, auf eine rituelle Christlichkeit, der das Verstehen fehlte. Schöpferischem theologischem Denken mißtraute er ebenso wie einer lebendigen, wirksamen Christlichkeit. Deshalb beargwöhnte er nicht nur die Repräsentanten von Theologie und Religionsphilosophie, sondern auch die lebendige Spiritualität des russischen Starzentums. Die Meinung der Bischöfe und der Geistlichkeit kümmerte ihn wenig. Dafür widmete er sich mit Sorgfalt der Auswahl ihm genehmer Kandidaten für die höheren geistlichen Ämter.

Der Oberprokuror beherrschte die russische Kirche, tat aber wenig für ihre innere Festigkeit. Er förderte den Bau gut ausgestatteter Dorfkirchen, den Druck von Gebetsbüchern und erbaulichem Schrifttum für das Volk und sorgte für einen würdigen Kirchengesang. Doch ging ihm ein eigentlich geistliches

Verständnis ab. Er gründete Kirchgemeindeschulen und besonders Dorfschulen, die der kirchlichen Aufsicht unterstellt wurden. Aber die religiöse Unterweisung hatte im Sinne der Staatsideologie zu erfolgen. Und sein Bildungsideal der Dorfschulen beschränkte sich auf Elementarkenntnisse, die keinen Anreiz zur Weiterbildung boten. Harte Ablehnung, die sich zum Teil in Verfolgungsmaßnahmen äußerte, bezeigte er gegenüber protestantisch orientierten Gruppen wie den Stundisten, Katholiken, Altgläubigen und Sekten. Er bekämpfte alles, was ihm Ausdruck eines zersetzenden Einflusses zu sein schien. So wurde dieser Oberprokuror zu einem Symbol des seinem Ende entgegengehenden russischen Zarismus.

3

Das Starzentum im 19. Jahrhundert

Die Spiritualität der russischen Orthodoxie war durch recht unterschiedliche Tendenzen gekennzeichnet. Die Teilnahme an den gottesdienstlichen Riten verband sich beim einfachen Volk mit einer schlichten Frömmigkeit, bei der der Glaube an das Mirakulöse noch immer einige Züge des einstigen «Zweiglaubens» zeigte. Klöster und Kirchen mit als wundertätig verehrten Ikonen und Heiligenreliquien waren Anziehungspunkte für zahllose Pilger, die hier in Gebet und Fürbitte Beistand in ihren Nöten oder körperliche Gesundung erflehten. Dem stand ein Aufblühen der theologischen Wissenschaft an den Geistlichen Akademien und in Kreisen der Hierarchie gegenüber, von dem jedoch die einfachen Gläubigen nur wenig berührt wurden. Auch die sich daneben entfaltenden theologischen und religionsphilosophischen Reflexionen namhafter Laien blieben im wesentlichen auf die Kreise der Gebildeten beschränkt.

Wirkungsvolle geistliche Impulse gingen im 19. Jahrhundert besonders vom russischen Starzentum aus. Es war vorwiegend von den Schülern des Paissi Welitschkowski geprägt. Die von ihm ins Kirchenslawische übersetzte «Philokalia», das «Dobrotoljubije» (Tugendliebe), fand starke Verbreitung.

Im Starzentum als höchst lebendiger Form mönchischen Daseins realisierten sich in markanter Weise Grundelemente orthodoxer Christlichkeit. Hier steht nicht die Rechtfertigung des Sünders im Vordergrund, sondern, wie es von vielen orthodoxen Theologen gesehen wird, das sich in der «Vergottung» (obóshenije) erweisende neue Sein. Schon bei Athanasios von Alexandrien (295–373) hieß es: «Gott ward Mensch, damit wir göttlich (vergottet) werden.» Das bedeutet Einswerden mit Gott durch die Teilhabe an Christus im Sakrament der Eucharistie, durch das Erfülltsein vom Geist. Der somit zum «Christus-Träger» beziehungsweise zum «Gott-Träger» Gewordene erweist dieses neue Sein in der Nachfolge Christi. Das zeigt sich im Streben nach eigener Vervollkommnung. Diese gilt zunächst dem eigenen Seelenheil. Höchster Ausdruck der Vollkommenheit ist jedoch das Erlangen der Liebe, einer Liebe zu Gott, die sich in der Liebe zum Nächsten beweist. Unter diesem Gesichtspunkt bedeutet Askese als Absage an irdische Dinge eine Absage an die durch das Irdische hervorgerufenen Leidenschaften, nicht aber eine Verneinung der Welt. Auch der Asket, der diese Leidenschaften gebändigt hat, soll sich wieder der Welt als Gottes Schöpfung zuwenden, um dem Nächsten, seinem Mitmenschen zu dienen. So zielt diese Askese nicht auf Abgeschiedenheit, sondern auf Gemeinschaft hin, sei es im klösterlichen Gemeinschaftsleben, sei es in der Offenheit für die Nöte und Sorgen eines jeden Menschen.

Viele der aus den verschiedensten Schichten kommenden Starzen zeichneten sich durch eine hohe Bildung aus, lebten in einer Synthese von asketischer Frömmigkeit und wissenschaftlich-theologischer oder auf das Erbauliche ausgerichteter Tätigkeit. Unter ihnen befanden sich einfache Mönche, Theologieprofessoren und Bischöfe. Zu den Starzen kam nicht nur das einfache Volk, um Trost und Rat in geistlichen und weltlichen Problemen zu erhalten. Auch Vertreter des damaligen Geisteslebens, ob gläubig oder nichtgläubig, suchten das Gespräch mit ihnen.

Aus der Ende des 17. Jahrhunderts gegründeten Sarow-Einsiedelei an der Grenze zwischen den Eparchien Tambow und

Nishni Nowgorod ist der Starez Serafim von Sarow (1759 bis 1833) hervorzuheben, ein Kaufmannssohn, der eine hesychastisch geprägte Askese mit dem Wirken des Seelsorgers verband. Für ihn stand das Leben in Christus im Vordergrund, während er frommen Übungen nur zweitrangige Bedeutung beimaß. Er wurde 1903 heiliggesprochen.

Bedeutendsten Einfluß übten für etwa ein Jahrhundert die Starzen des Optina-Einödklosters (Optina pustyn) im Gebiet der Wälder von Brjansk aus, das koinobitisch ausgerichtet war. Starez Leonid (1768–1841) verstand es, in tiefsinniger, oft einfältig wirkender und an einen «Narren in Christus» erinnernder Art gerade die einfachen Menschen anzusprechen. Starez Makari (gest. 1860) vermochte auf den philosophisch gebildeten Besucher ebenso einzugehen wie auf den einfachen Bauern. Durch seinen ausgedehnten Briefwechsel stand er mit Ratsuchenden in vielen Gegenden in Verbindung. Er widmete sich gemeinsam mit dem Professor der Moskauer Geistlichen Akademie, F. A. Golubinski, dem Begründer des Slawophilentums, Iwan Kirejewski, sowie mehreren Mönchen der Herausgabe von patristischen und asketischen Schriften in russischer Sprache, darunter Lebensbeschreibung und Schriften von Paissi Welitschkowski und Nil Sorski. Zum Starez Amwrossi (gest. 1891) kamen Dichter und Denker wie Fjodor Dostojewski, Wladimir Solowjow, Lew Tolstoi und Konstantin Leontjew. Große Aufmerksamkeit widmete er dem religiösen Leben der Frau.

Es gab unter den Starzen auch Bischöfe, die ihr Amt aufgegeben und sich ins Kloster zurückgezogen hatten. Ignati Brjantschaninow (1807–1867) blieb nur vier Jahre (bis 1861) im Amt eines Bischofs von Stawropol. Im Nikolo-Babajewski-Kloster führte er einen ausgedehnten seelsorgerlichen Briefwechsel und verfaßte asketische Schriften und Unterweisungen wie: «Über das Jesusgebet. Gespräch zwischen einem Starzen und seinem Schüler». Besonders hervorzuheben ist schließlich Feofan der Klausner (Satwornik, 1815–1894). Eine Professur für christliche Ethik an der Petersburger Geistlichen Akademie, mehrjähriges Wirken an der russischen Geistlichen Mission in Jerusalem und als Vorsteher der Gesandtschafts-

kirche in Konstantinopel, Bischof von Tambow und danach
von Wladimir, dies sind Hauptetappen seines Werdegangs.
1866 zog er sich in die Wyschen-Einsiedelei bei Tambow zurück, in der er in immer strengerer Abgeschiedenheit lebte. Er
warf dem Synod, vielen Hierarchen und Geistlichen vor, sie
kümmerten sich nicht genug um die Belange des Volkes, und
sah eine Ursache der bestehenden Mängel in der Leitung der
Kirche durch weltliche Staatsbeamte. Neben asketischen Schriften verfaßte er Kommentare zu den Psalmen und den Paulus-
briefen. Durch seine russische Übersetzung des bisher nur
kirchenslawisch benutzten «Dobrotoljubije» verschaffte er diesem Werk noch weitere Verbreitung.

Das «Dobrotoljubije» (Tugendliebe) sollte zu eifrigem Lesen der Heiligen Schrift hinführen, deren besserem Verständnis dienen und zugleich Handreichung zu praktizierter Frömmigkeit sein. Unter anderen Gebets- und Frömmigkeitsidea-
len verbreitete das «Dobrotoljubije» die physio-psychische,
eine gewisse Atemtechnik mit dem sogenannten «Jesusgebet»
verbindende Meditationsmethode, die vom athonitischen Hesychasmus übernommen wurde: «Setz dich still und für dich
hin, neige den Kopf, schließe die Augen, atme möglichst leicht,
blicke mit deinen Sinnen in dein Herz, leite den Geist, nämlich
das Denken, aus dem Kopf ins Herz. Beim Atmen sprich, leise
die Lippen bewegend oder nur im Geiste: ‹Herr Jesus Christus, erbarme dich meiner.›» Durch dessen unablässige Wiederholung und das Vertreiben aller fremden Gedanken sollte
das Einwohnen Christi im Herzen spürbar werden.

Über das mönchische Starzentum hinaus verbreitete sich
diese Art der Frömmigkeit unter den vielen «Wanderern»
(stranniki), Menschen, die nach dem altkirchlich-asketischen
Ideal der irdischen Heimatlosigkeit, unbeschwert von allen
weltlichen Bindungen, im Streben um ihr Seelenheil die Weiten Rußlands durchwanderten. Eine lebendige Darstellung
vermitteln uns die «Aufrichtigen Erzählungen eines russischen
Wanderers», in denen ein Unbekannter etwa 1880 die Erfahrungen seines Wanderlebens beschrieben hat. Da diese «Wanderer» in ihrer freiheitlichen Unbekümmertheit alle bestehenden Ordnungen in Frage stellten und entsprechenden Einfluß

ausübten, sahen sie sich ständigen Verdächtigungen durch kirchliche und staatliche Behörden ausgesetzt.

4

Die Schultheologie

Das russische theologische Schrifttum im 19. Jahrhundert steht in engem Zusammenhang mit der kirchlichen Ausbildungsarbeit, in der wiederum die Tendenzen der jeweiligen Zeit ihre Spuren hinterließen.

Die Ende des 18. Jahrhunderts erlassenen Richtlinien für das Schulwesen, darunter die Elementarschulordnung von 1786, hatten zunächst nur wenige Ergebnisse gezeitigt. Erst 1802 begann mit der Gründung eines Ministeriums für Volksaufklärung unter Kaiser Alexander I. eine durchgreifende Umstrukturierung des Schulsystems. Neben den in Petersburg und Moskau bestehenden Universitäten gründete man weitere in Wilna, Dorpat, Kasan und Charkow. Jedes Gouvernement erhielt ein Gymnasium, jede Kreisstadt eine weltliche Kreisschule.

Gleichzeitig begann eine Umbildung des geistlichen Schulwesens. Der Vikarbischof und spätere Erzbischof von Moskau, Awgustin Winogradski (1762–1819) schlug vor, durch eindeutige Abgrenzung von Lehrstufen die Akademien zu Pflanzstätten der höheren Wissenschaft werden zu lassen. Für die inhaltliche Ausrichtung regte der Bischof von Staraja Russa und spätere Metropolit von Kiew, Jewgeni Bolchowitinow (1767–1837), an, von der lateinischen Sprache und der scholastischen Denkweise abzugehen.

Das 1807 gegründete «Komitee für die Vervollkommnung der geistlichen Schulen», dem Metropolit Amwrossi Podobedow, Bischof Feofilakt von Kaluga, Golizyn, Speranski, der Beichtvater des Zaren und der Militär-Obergeistliche angehörten, erarbeitete die Grundlagen für die Schulreform von 1808–1814, mit deren Ausführung eine dem Synod unterstellte, doch im wesentlichen selbständige «Kommission für die geistlichen Lehranstalten» betraut wurde. Der Ukas von 1814 erklärte es als Ziel, Schulen zu schaffen, in denen die Wahrheit vermittelt und zu einem tätigen Christentum erzogen würde. Sie dienten vorwiegend den Kindern von Geistlichen und Kirchendienern, vermittelten Allgemeinbildung und bereiteten nicht nur auf das geistliche Amt vor.

Es entstanden vier aufeinander aufbauende Schultypen: die Pfarrschule, die vor allem im Dorf eine geistliche und weltliche Elementarbildung vermitteln sollte, die Kreisschule, das zugleich als Vorbereitung für medizinische Akademien dienende Seminar und schließlich die Akademie mit der Möglichkeit einer Promotion zum Kandidaten, Magister und Doktor der Theologie. Der sechsjährige Seminarkurs vermittelte in der unteren Stufe eine philologische, in der mittleren eine philosophische und in der höheren eine theologische Ausbildung. Die Ausbildung an der Geistlichen Akademie dauerte vier Jahre. Das zunächst in Petersburg unter dem Rektorat von Filaret Drosdow erprobte Akademiestatut konnte erst schrittweise in der 1814 in die Troize-Sergi-Lawra verlegte Moskauer Akademie und danach in der Kiewer und Kasaner Akademie eingeführt werden, da es für diesen der Universität vergleichbaren Typ der Akademie zunächst an Lehrkräften mangelte.

Die an den geistlichen Lehranstalten vertretene Theologie stand im Zeichen eines Umbruchs. Während viele an der lateinischen Sprache und der bisherigen, vorwiegend scholastisch geprägten Literatur festhielten, begannen allmählich einige damit, ihre Vorlesungen in russischer Sprache zu halten und ein eigenständigeres russisches theologisches Schrifttum zu schaffen. Freilich sollte es Jahrzehnte dauern, bis sich in den Seminaren und Akademien die russische Unterrichtssprache durchsetzte.

Dabei zeigten sich auch in der theologischen Arbeit jener Zeit die Einflüsse der damals vorherrschenden mystischen und universalchristlichen Vorstellungen, wie sie von Golizyn und Speranski gefördert wurden. Charakteristisch hierfür war die Berufung eines österreichischen katholischen Freimaurers, des Kapuzinerpaters Ignatius Feßler (1756–1839) an die Petersburger Akademie, wo er von 1809–1810 den Lehrstuhl für Hebräisch innehatte und alttestamentliche Vorlesungen hielt. Nachdem er wegen unorthodoxer rationalistischer Lehren die Akademie verlassen mußte, erlebte er bei den Herrnhutern an der Wolga seine «Bekehrung» und wurde schließlich lutherischer Generalsuperintendent in Petersburg.

In besonderer Weise verkörperte der damalige Rektor der Petersburger Akademie und spätere Metropolit von Moskau, Filaret Drosdow (1782–1867) die neue Ausbildungsordnung. Er kannte, wie viele in dieser Zeit, die Werke von Jung-Stilling, Eckartshausen, Fénelon und de Guyon, hatte auch Berührung zum Freimaurer Labsin und zu den Quäkern, doch beeinträchtigte ihn das nicht in seiner orthodoxen Kirchlichkeit. Bei seinen ersten, als Lehrmaterial verfaßten Büchern, «Abriß der kirchlich-biblischen Geschichte» und «Aufzeichnungen zur Genesis» (beide 1816), griff er im wissenschaftlichen Apparat auf Buddeus zurück.

Als Mitarbeiter der Bibelgesellschaft und Verfechter der russischen Bibelgesellschaft betonte Filaret, und das gilt auch für andere Theologen dieser Richtung, die erneuernde Macht des Wortes Gottes und bezog sich dabei auf die Bedeutung der Heiligen Schrift bei den Vätern. In seinem Konspekt eines Theologiekursus stand die biblische Theologie im Vordergrund. Demgegenüber besaß die Tradition eine abgeleitete, sekundäre Bedeutung.

Im Interesse einer einheitlichen Lehrgrundlage beauftragte der Synod Filaret mit der Abfassung eines amtlichen Katechismus. Er erschien in einer ausführlichen und einer kurzen Fassung. Als nach dem Sturz Golizyns der Gebrauch der russischen Bibel verpönt war, mußte Filaret die im Katechismus enthaltenen russischen durch kirchenslawische Zitate ersetzen. Schließlich verlangte Oberprokuror Protassow das Einarbeiten eines zunächst fehlenden Lehrstücks über die heilige Überlieferung. In dieser Fassung wird der erweiterte Katechismus des Filaret noch in den heutigen Geistlichen Seminaren benutzt.

Wie Filaret bedienten sich auch weitere von ihm geprägte Theologen der russischen Unterrichtssprache. So der spätere

Metropolit von Nowgorod, Grigori Postnikow (1784–1860), der 1819 Filaret im Rektorat ablöste. Um dem Volk verständlicher zu sein, benutzte er die russische Bibel. Für die alttestamentlichen Studien zog er der Septuaginta den hebräischen Text vor. Zu seinen Verdiensten gehört die Gründung der seit 1821 an der Petersburger Akademie erscheinenden Zeitschrift «Christlicher Lesestoff» (Christianskoje tschtenije). Als Petersburger Absolventen unter Filarets Rektorat wirkten in gleichem Sinne an der Moskauer Akademie der dem Starzentum nahestehende Kirill Bogoslowski-Platonow (1788–1841, seit 1832 Erzbischof von Podolsk), an der Kiewer Akademie Moissej Antipow-Platonow (1778–1834, zuletzt Erzbischof und Exarch von Georgien) und der spätere Erzbischof von Charkow, Meleti Leontowitsch (1784–1840). Dagegen hielten andere Theologen wie der spätere Metropolit von Kiew, Filaret Amfiteatrow (1779–1857), an der bisherigen, auf dem Lateinischen beruhenden Lehrtradition fest.

Die Reaktion zur Zeit Nikolaus' I. wandte sich mit der Studienreform von 1840 unter Oberprokuror Protassow (1836 bis 1855) gegen die bisherigen Neuansätze. Es wurde durchaus manches Verdienstvolle geschaffen, so eine gewisse Verbesserung der äußerst mangelhaften Lebens- und Arbeitsbedingungen an den Lehranstalten. Auch bezog man die Ausbildung stärker auf die Praxis des Priesteramts, besonders auf dem Lande. 1839 war anstelle des bisherigen «Steuermannsbuches» (Kormtschaja kniga) ein «Kanonbuch» (Kniga pravil) erschienen, das, unter Fortlassung der staatlichen, eine Auswahl der kirchenrechtlichen Bestimmungen enthielt. Die geforderte Einfachheit, das Wissen um die Lebensprobleme, die Fähigkeit, mit dem einfachen Volk sprechen zu können, bedeutete aber zugleich ein Absagen an jede wissenschaftliche Kritik, die die bisherigen Autoritäten in Frage stellen konnte.

Als Protassow dem Kaiser erklärte, in den Seminaren lehre man Philosophie, soll dieser geantwortet haben: «Was, Geistliche beschäftigen sich mit Philosophie, dieser perfiden, gottlosen, revolutionären Wissenschaft? Fort mit ihr!» Sie wurde in den Seminaren eingeschränkt, dafür Heil- und Landwirtschaftskunde eingeführt. Obwohl sich das Russische durchgesetzt hatte, sollte das Lateinische für die Philosophie beibehalten werden, da ihre Behandlung in der einem jeden verständlichen russischen Sprache als gefährlich galt. Da sich die bisher relativ unabhängige «Kommission für die geistlichen Schulen» Protassow widersetzte, löste er sie auf und ersetzte sie durch ein ihm direkt unterstelltes «Direktorium der geistlichen Schulen».

Im Gegensatz zu den liberaleren und manchen protestantisierend erscheinenden Ansätzen der Zeit unter Alexander I. wurde jetzt die patristische Tradition wieder stärker fruchtbar gemacht, zugleich aber wieder mehr zur scholastischen Theologie zurückgelenkt. In russischer Sprache erschienen erneut antiprotestantische Werke wie der «Fels des Glaubens» von Stefan Jaworski, das «Glaubensbekenntnis» des Peter Mogila sowie das «Bekenntnis» des Patriarchen Dositheos von Jerusalem vom Jahre 1672. Neben letzteren diente als Lehrmaterial zum Beispiel auch der 1618 unter Verwendung der Annalen des Baronius und der Magdeburger Zenturien geschriebene, scholastisch-trockene «Abriß der kirchlich-biblischen Geschichte» von Innokenti Smirnow (1784–1819). Besonderes Gewicht legte man auf eine stärkere Betonung der Tradition im Verhältnis zur Heiligen Schrift.

Zu einem der maßgebenden Theologen in der Zeit Nikolaus' I. wurde Makari Bulgakow (1816–1882), Professor in Kiew und Petersburg, seit 1851 Bischof und später Metropolit von Moskau. Außer seiner «Geschichte der Kiewer Akademie» (1843) und der «Geschichte des Raskol» (1855) verfaßte er eine zwölfbändige «Geschichte der russischen Kirche». Als Zusammenfassung seiner Dogmatikvorlesungen erschien 1847 eine «Einführung in die orthodoxe Theologie» (7. unveränderte Auflage 1903), ihr folgte eine fünfbändige «Orthodoxe dogmatische Theologie» (1849–1853, in fünfter Auflage 1895), davon eine Zusammenfassung als Handbuch für den Schulunterricht (1875). Seine Werke bieten zum erstenmal in russischer Sprache eine reichhaltige Materialfülle, die jedoch recht unkritisch kompiliert worden ist. Als bedeutsam erwies sich, daß Makari die «Stimme der ökumenischen Kirche» als Hüterin und Richtschnur für die Auslegung von Schrift und

Tradition betonte. Es ist charakteristisch, daß seine Dogmatik in den achtziger Jahren unter dem Oberprokuror Pobedonoszew normative Bedeutung erhielt. Lew Tolstoi polemisierte gerade gegen sie in seiner «Kritik der dogmatischen Theologie».

Doch ging bereits Filaret Gumilewski (1805–1866, zuletzt Erzbischof von Tschernigow), der an der Moskauer Akademie Kirchengeschichte, Exegese, Moral- und Pastoraltheologie las, zu einer gewissen Quellenkritik und philologischer Analyse über. Wie Makari verfaßte er eine «Orthodoxe dogmatische Theologie» und eine «Geschichte der russischen Kirche» (1847 bis 1848), ferner eine «Historische Lehre der Kirchenväter». Unter seinem Rektorat begann an der Moskauer Akademie die Herausgabe einer russischen Übersetzung der Werke der Kirchenväter, dazu 1843–1891 in Zeitschriftenform die stark beachteten «Beigaben zu den Werken der heiligen Väter».

Etwa gleichzeitig, im Jahre 1849, begann der Kirchenhistoriker A. W. Gorski (1812–1875) die gewichtige, von seinen Schülern vollendete fünfbändige «Beschreibung der Handschriften der Moskauer Synodalbibliothek». In seinen Arbeiten über die frühe Kirchengeschichte ging er von der ekklesiologischen Voraussetzung aus: «Die Kirche ist gleichzeitig eine Schule der Wahrheit für die von ihr Geführten, ein Tempel für ihre Heiligung und ein geistiges Reich, in dem jedem Glied sein Platz bestimmt ist und alle unter der unsichtbaren höchsten Macht Stehenden nach deren Gesetzen vom hierarchischen Amt geleitet werden.»

Seit den dreißiger/vierziger Jahren machte sich in den verschiedenen theologischen Disziplinen ein mehr historisches Denken bemerkbar. Ein stärkeres Anknüpfen an das Zeugnis der Kirchenväter verband sich mit der Frage ihrer Autorität, ihrer dogmatischen Bedeutung. Filaret Gumilewski maß den Werken der Väter weniger dogmatische Bedeutung bei, sondern verstand sie als lebendiges Bekenntnis ihrer Glaubenserfahrung. Gorski wies darauf hin, daß sich im dogmatischen Denken eine der jeweiligen Zeit und Erfahrung entsprechende Entwicklung feststellen läßt.

Historisches Denken findet sich auch in der systematischen

Theologie und im Kirchenrecht seit dem «Versuch eines Kursus des Kirchenrechts», zwei Bände 1851, des Petersburger Professors Ioann Sokolow (1818–1869). Schließlich sei noch die zur patristischen Predigt zurücklenkende Homiletik des Kiewer Professors J. K. Amfiteatrow (1802–1848) genannt.

Im neuen Akademiestatut von 1869 wurde sogar ausdrücklich verlangt, die Theologie müsse «mit historischer Darlegung der Dogmen» gelehrt werden. Die neuen Seminar- und Akademiestatuten von 1869 waren zur Zeit des Kaisers Alexander II. (1855–1881) unter dem Oberprokuror Graf D. A. Tolstoi (1865–1880) und unter Mitarbeit von Makari Bulgakow verfaßt worden. Sie gestatteten die Aufnahme von Schülern aller Stände. Nachdem die Zensurvorschriften gelockert worden waren, ermöglichte diese Reform der geistlichen Schulen den Übergang zu mehr wissenschaftlich-kritischen Methoden. Die stärkere Wissenschaftsorientierung an den Geistlichen Akademien ging jedoch teilweise zu Lasten der Ausbildung für das praktische Amt. Nachdem seit Mitte der sechziger Jahre in Gestalt von A. W. Gorski und dem Moraltheologen I. L. Janyschew (1826–1910) an der Moskauer und Petersburger Akademie Angehörige des Weißen Klerus das Rektorat innehatten, ermöglichten solchen die Statuten von 1869 generell den Zutritt zu diesem Amt. Das Mönchtum verlor seine bisherige Vorrangstellung im akademischen Lehramt.

Von den zahlreichen namhaften russischen Theologen aus der zweiten Hälfte des 19. Jahrhunderts seien hier einige erwähnt. Der seit 1860 an der Moskauer Geistlichen Akademie lehrende Kirchenhistoriker E. E. Golubinski (1834–1912) schuf mit seiner bis ins 16. Jahrhundert führenden «Geschichte der russischen Kirche» (2. Aufl. 1900–1906) ein noch heute grundlegendes Werk. Mit kritischer Quellenanalyse begann er, das Historische vom Legendären zu scheiden. Die Beziehungen zu den orientalischen Kirchen und die Zeit Nikons untersuchte quellenkritisch N. F. Kapterew (1847–1917). Die Bearbeitung griechischer Handschriften und der byzantinischen Kirchengeschichte begann Bischof Porfiri Uspenski (1804–1885).

Der Professor der Kasaner Geistlichen Akademie P. W. Snamenski (1836–1910) widmete sich in seinem erstmals 1870 erschienenen «Handbuch der russischen Kirchengeschichte» neben der institutionellen Kirche auch der Religiosität des Volkes und der Mission. 1896 zum «Lehrbuch der Geschichte der russischen Kirche» umgearbeitet, findet es noch heute als Lehrmaterial Verwendung. Unter dem Titel «Feofan Prokopowitsch und seine Zeit» (1868) schuf der Petersburger Professor I. A. Tschistowitsch (1828–1893) eine bedeutsame wissenschaftlich-kritische Monographie über die petrinische Periode und den Anfang der Synodalperiode.

Am Beispiel von Byzanz befaßte sich I. E. Troizki (1832 bis 1902) von der Petersburger Akademie mit Problemen des Gegensatzes von Weißem und Schwarzem Klerus. Die von ihm behandelte Frage der exakten (akríbeia) oder unter dem Gesichtspunkt der kirchlichen Haushalterschaft (oikonomía) nachsichtigen Anwendung kanonischer Grundsätze beschäftigt die gesamte heutige Orthodoxie in ihrem Verhältnis zu anderen Kirchen und Konfessionen.

Der ebenfalls in Petersburg wirkende W. W. Bolotow (1853 bis 1900) wies in seinen Aufsätzen darauf hin, daß die kanonische Struktur, das theologische Denken und auch die Gottesdienstordnungen wachsende und lebendige Größen darstellen, die sich auch in der Gegenwart verändern können. Bedeutung erhielten im Zusammenhang des theologischen Gesprächs zwischen Orthodoxie und Altkatholischer Kirche seit den siebziger Jahren seine «Thesen» über das «filioque», jenen Zusatz im abendländischen Glaubensbekenntnis, demzufolge der Geist vom Vater «und vom Sohn» ausgeht. Von der Theologie Augustins her, sagt Bolotow, könne der Zusatz als persönliche Meinung geduldet werden. Außerdem sei nicht diese Frage der Hauptanlaß für den Bruch zwischen Byzanz und Rom gewesen.

In der Dogmatik zeigte sich der historische Ansatz bei dem Petersburger Professor A. L. Katanski (1836–1919). Trotz hoher Schätzung der Kirchenväter unterschied er deutlich zwischen biblischer und Vätertheologie. Auch beschäftigte er sich mit Fragen einer Wiedervereinigung der Kirchen. Von einer ähnlichen Sicht des Kiewer Dogmatikers Silvester Malewanski (1828–1908) zeugt schon der Buchtitel seiner gesammelten Vorlesungen: «Versuch einer orthodoxen dogmatischen Theologie mit historischer Darlegung der Dogmen» (5 Bände, 1878 bis 1891).

Schließlich sei noch der spätere Patriarch Sergi Stragorodski (1867–1944) erwähnt, der 1899 als Inspektor der Petersburger Geistlichen Akademie den Lehrstuhl für Geschichte und Darstellung westlicher Konfessionen erhielt und zwei Jahre später fast gleichzeitig mit seiner Bischofsweihe das Rektorat übernahm. In seiner 1896 verteidigten Magisterdissertation über «Die orthodoxe Lehre von der Erlösung» setzte er sich mit katholischem und protestantischem Heilsverständnis, das ihm beides als zu stark juridisch galt, auseinander und entfaltete besonders die sittlich-subjektive Seite der orthodoxen Heilsauffassung.

Die Früchte der theologischen Arbeit fanden in zunehmendem Maße in den zahlreichen theologischen Zeitschriften ihren Niederschlag. Erwähnt wurde bereits der seit 1821 an der Petersburger Akademie herausgegebene «Christliche Lesestoff» (Christianskoje tschtenije). Seit 1855 erschien an der Kasaner Akademie der «Orthodoxe Ratgeber» (Prawoslawny sobessednik). Seit Anfang der sechziger Jahre folgten in Moskau die «Orthodoxe Rundschau» (Prawoslawnoje obosrenije) und der «Lesestoff zum Nutzen der Seele» (Duschepolesnoje tschtenije), in Petersburg der «Wanderer» (Strannik), in Kiew die «Handreichung für Landpastoren» (Rukowodstwo dlja selskich pastyrej) sowie die «Arbeiten der Kiewer Geistlichen Akademie» (Trudy Kiewskoi duchownoi akademii), dazu seit 1871 in Moskau der «Lesestoff der Gesellschaft der Freunde geistlicher Aufklärung» (Tschtenija obstschestwa ljubitelej duchownago proswestschenija). Erst die Lektüre dieser und vieler anderer, in den Eparchien erschienener Zeitschriften vermittelt ein plastisches Bild von der Breite der russischen theologischen Arbeit seit der Mitte des 19. Jahrhunderts.

Zu einer Rückwendung kam es jedoch wieder unter dem Oberprokuror Pobedonoszew (1880–1905), dem jeder kritische Ansatz zuwider war. So hatten besonders seit der Bauernbefreiung unter den Zöglingen der geistlichen Lehranstalten politische, zum Teil auch sozialistische Gedanken Eingang gefunden. Von der Kasaner Geistlichen Akademie wurden der

Professor für Kirchengeschichte, A. P. Stschapow, und mehrere Studenten ausgeschlossen, weil sie demonstrativ eine Totenmesse für die bei einem Aufstand im April 1861 getöteten Bauern abhielten. In den folgenden Jahren kam es in mehreren Geistlichen Seminaren zu wiederholten polizeilichen Durchsuchungen, der Beschlagnahme verbotenen Schrifttums, zur Maßregelung von Studierenden und auch zur Verhaftung oder Amtsenthebung einiger Lehrer.

Pobedonoszew stand ebenso wie Kaiser Alexander III. (1881 bis 1894) den Reformen der sechziger Jahre mißtrauisch gegenüber. 1884 wurden neue Statuten für die Seminare und Akademien erlassen. An die Stelle der bisherigen Wahl trat nun eine Ernennung der Rektoren und Inspektoren durch den Synod. Zu Akademierektoren wurden wieder Angehörige des Mönchsstands bestimmt. Die «Zuverlässigkeit» von Lehrenden und Lernenden bedeutete mehr als ihre wissenschaftliche Leistung. Man zog es vor, die wissenschaftlichen Disputationen abzuschaffen. Die theologischen Promotionen erfolgten seitdem nach drei Fachkategorien: zum Magister beziehungsweise Doktor der Theologie, der Kirchengeschichte oder des kanonischen Rechts. Die eigentliche theologische Arbeit ist aber trotz all dieser Schul- und Statutenreformen nur teilweise beeinträchtigt worden.

5

Die religiösen Denker

Das theologische Reflektieren beschränkte sich nicht auf Geistliche oder die Arbeit an den kirchlichen Lehranstalten. Im 19. Jahrhundert standen die Fragen von Philosophie, Glauben und Gesellschaftslehre im Mittelpunkt lebhafter Auseinandersetzungen unterschiedlicher Kreise und Richtungen. Für die russische Kirchengeschichte ist es dabei charakteristisch, daß von den häufig als Religionsphilosophen bezeichneten religiösen Laien viele Anregungen ausgingen, manche orthodoxen Wesenszüge besonders prägnant erfaßt und durchdacht wurden.

Ansatz und Intention dieser religiösen Denker war sehr unterschiedlich. Sie sind in Zusammenhang zu sehen mit dem Bruch mit der religiösen Weltanschauung, wie er sich seit der zweiten Hälfte des 17. Jahrhunderts allmählich vollzog. Es war ein Suchen nach neuen Wegen in einer Staat und Gesellschaft erfassenden Umbruchssituation. Während das bei weiten Kreisen in Verbindung mit einem mehr oder weniger starken Sichlösen vom Glauben oder doch zumindest von der orthodoxen Kirche geschah, versuchten andere, der Kirchen- und Religionskritik zu begegnen, das Verhältnis von Wissen und Glauben, von Vernunft und Offenbarung neu zu durchdenken oder eine eigene religiöse Weltsicht zu entwickeln. Zur russischen Orthodoxie nahmen diese Denker eine unterschiedliche Stellung ein. Bei ihnen spiegelten sich die Rezeption und Auseinandersetzung mit zeitgenössischen philosophischen Strömungen, schriftstellerisch-ästhetischen Richtungen und theologischen Konzeptionen des In- und Auslands wider.

Anfang der dreißiger Jahre war mit der Formel des Ministers für Volksaufklärung Uwarow: «Selbstherrschaft — Rechtgläubigkeit (Orthodoxie) — Volkstum» der Grundsatz einer vom orthodoxen Glauben getragenen illusionären Interesseneinheit von zaristischer Ordnung und russischem Volk vertreten worden. An dessen Stelle zeichneten sich seit etwa 1840 zwei bürgerlich-liberale Hauptrichtungen in der Literatur, Philosophie und Gesellschaftspolitik ab, die sich zwar beide für die Aufhebung der Leibeigenschaft einsetzten, aber von ihrer unterschiedlichen Zielsetzung her in der Einstellung zu Rußlands Vergangenheit und Zukunft sowie in der Beurteilung zum westlichen Europa gegensätzliche Positionen vertraten: die Westler (Sapadniki) und Slawophilen (Slawjanofily).

Das Denken der Westler wurde bereits durch Peter Tschaadajew (etwa 1794–1856) vorbereitet. In seinen 1828–1831 geschriebenen Philosophischen Briefen sah er Rußlands Heil in der Hinwendung zur europäischen geistigen Tradition. Die Russen sollten nach dem Vorbild Peters I. den Westen nicht blind nachahmen, wohl aber das Wertvolle auswählen und nutzbar machen. Aber im Unterschied zu den späteren Westlern verstand er das Christentum, wenn es von den sozialen

Prinzipien des römischen Katholizismus lerne, als die den gesellschaftlichen Fortschritt tragende Kraft. Es sei Aufgabe der Kirche, der Welt eine christliche Zivilisation zu geben und in der Geschichte die Anfänge des Reiches Gottes zu verwirklichen. «Dann wird der Tag kommen, an dem wir zum geistlichen Mittelpunkt Europas werden ... unsere ökumenische (wselenskaja) Mission hat schon begonnen.»

Die eigentlichen Westler, die die westeuropäische Entwicklung zum Kapitalismus für Rußland fruchtbar machen wollten, standen im allgemeinen Kirche und Glaube ablehnend gegenüber. Nicht alle folgten den revolutionären Demokraten W. G. Belinski (1811–1848) und A. I. Herzen (1812–1870), deren utopisch-sozialistische Ideen den Höhepunkt vormarxistischen Denkens in Rußland bedeuteten.

Demgegenüber trugen die Slawophilen konservativere Züge. Sie wandten sich gegen die unter Peter I. begonnene Entwicklung, sahen das Heil Rußlands in einer an vorpetrinisch-patriarchalische Momente anknüpfenden Entwicklung und in der Wiederbelebung religiöser Werte. Manche von ihnen erstrebten zugleich eine Vereinigung aller Slawen um Rußland. Dabei fand sich bei ihren Vertretern eine unterschiedliche Akzentuierung, wie auch nicht alle religiösen Denker mit den Slawophilen identifiziert werden können.

Während Tschaadajew in manchem zur Vorstellung der späteren Westler hinneigte, nahm der Dichter der «Toten Seelen», Nikolai Gogol (1809–1852), in seinen letzten Lebensjahren einen Gedanken der Slawophilen voraus, das Ideal einer «orthodoxen Kultur». Verbunden mit einer Absage an die revolutionären Bestrebungen seiner bisherigen Freunde wollte Gogol den natürlichen Menschen durch den Glauben wandeln, die weltliche Kultur heiligen und verklären. Mit seinen «Betrachtungen über die göttliche Liturgie» gab Gogol eine Beschreibung des orthodoxen Hauptgottesdienstes als «ewiger Wiederholung des unermeßlichen Werkes der Liebe».

Gogols Annäherung von Kultur und Kirche fand im Denken der älteren Slawophilen konkreteren Ausdruck. Als einer ihrer Hauptvertreter stand Iwan Kirejewski (1806–1856) der Romantik nahe. In seiner Jugend hatte er sich mit Schelling vertraut gemacht und in Berlin Vorlesungen bei Schleiermacher gehört. Mit den östlichen Kirchenvätern beschäftigte er sich unter Anleitung durch den Starez Makari in der nahe seinem Familiengut gelegenen Optina-Pustyn. Hatte er zunächst gemeint, die westliche und die russisch-orthodoxe Kultur «müssen zur lebendigen, vollen, allmenschlichen und christlichen Kultur verschmelzen», so kritisierte er bald, daß im Abendland, beginnend mit den rationalistischen Elementen der Scholastik, eine Philosophie ohne Glauben entstanden sei, deren höchsten Ausdruck er im Hegelianismus sah. Aber, sagte er, in der absoluten Einheit und Unteilbarkeit des Schöpfers gründet die Einheitlichkeit des Seins. Der Mensch muß in der Gemeinschaft der Kirche stehen, in deren Lehren und Riten sich das «all-eine» kirchliche Bewußtsein ausdrückt. Erst eine «gläubige» Philosophie, die sich auf das Denken der östlichen Väter stützt, kann die Verstandeskräfte zu lebendiger Einheit zusammenschließen, den Zwiespalt zwischen Wissen und Glauben überwinden und in Rußland ein neues geistiges Leben hervorrufen, das auf Europa zurückwirkt.

Dem Philosophen Kirejewski stand der slawophile Laientheologe Alexej Chomjakow (1804–1860) nicht nur geistig nahe. Kirejewskis Tante war seine Mutter. Chomjakow war vielseitig interessiert: Mathematikstudium in Petersburg, Kavallerieoffizier, Studium der Malerei in Paris, Teilnahme am Russisch-Türkischen Krieg als Angehöriger eines Husarenregiments, in Deutschland Begegnung mit Schelling und Neander, in Prag mit Šafařík. Er verfaßte Gedichte und Tragödien, die dreibändigen «Aufzeichnungen zur Weltgeschichte» und religionsphilosophische Arbeiten, widmete sich neuen landwirtschaftlichen Methoden ebenso wie seiner Erfindung einer neuen Dampfmaschine.

Chomjakow nahm als gläubiger Orthodoxer eifrig an den Gottesdiensten teil. Er besaß keine theologische Ausbildung. So verarbeitete er seine autodidaktisch erworbenen Kenntnisse der Kirchenväter und der Kirchengeschichte ohne den Einfluß von Lehrbüchern oder der theologischen Scholastik seiner Zeit.

Alexej Chomjakow knüpfte an Kirejewskis Vorstellungen

einer Einheit von Glaube und Wissen an. Dabei erfaßte für ihn der Glaube als unmittelbares Wissen nicht nur die Erscheinungen, sondern auch die der Wahrnehmung unzugängliche Wirklichkeit. Doch Primat und gleichsam Quelle der Erkenntnis war für ihn die Liebe, die allein das Erkennen der Wahrheit ermöglicht.

Von großer Bedeutung wurde Chomjakows Ekklesiologie, die er besonders in seinem etwa 1839 entstandenen Hauptwerk «Die eine Kirche» (Zerkow odna) entfaltete. Für das Denken der Slawophilen war der Gemeinschaftsbegriff charakteristisch: erst in der Gemeinschaft findet und läutert sich das Individuum. So schrieb Konstantin Aksakow (1817–1860), der ein vom orthodoxen Glauben getragenes, von Klassengegensätzen freies Gemeinschaftsleben erstrebte: «Die Gemeinschaft ist eine Vereinigung von Menschen, die durch Verzicht auf ihren Egoismus und ihre Individualität zu gemeinsamer Übereinstimmung gelangen: es ist eine Tat der Liebe, eine große christliche Tat ...» Ausgehend von der Familie als Grundeinheit der Gemeinschaft, sahen die Slawophilen dieses Ideal auf höherer Ebene widergespiegelt in der alten russischen Dorfgemeinschaft (mir) und dem etwas mystisch idealisierten, von den Bauern verkörperten Volk.

In bezug hierzu steht auch Chomjakows Verständnis der Kirche als von der Liebe gekennzeichneter Gemeinschaft. Während die damalige Schultheologie die Kirche stärker unter dem Gesichtspunkt der Glaubenslehre, der Institution, der hierarchischen Autorität, als äußeren Organismus betrachtete, war für Chomjakow die Kirche als Leib Christi ein «geistiger Organismus», der zwar «im Fleisch» historische Gestalt besitzt, seinem Wesen nach aber «eine Einheit der Gnade (Gottes), wie sie in der Mehrzahl der vernünftigen Geschöpfe lebt, die sich dieser Gnade willig unterwerfen», darstellt. Kirche realisiert sich in der «gegenseitigen Liebe in Christus Jesus, dem alleinigen Spender der Kraft und der Weisheit und des Wortes des Lebens», im gemeinsamen Gebet und Sakrament, in der Teilhabe an der himmlisch-irdischen Göttlichen Liturgie.

Als diese Liebesgemeinschaft ist die Kirche als Ganzes unfehlbar und scheidet sich nicht in Lehrende und Lernende. Chomjakow erläuterte dies am Beispiel der Ökumenischen Konzile. Von ihren Beschlüssen ist nur das gültig geworden, was das «gesamte Kirchenvolk» als Ausdruck des lebendigen Glaubens anerkannt hat.

Dabei blieb Chomjakow dem traditionellen Denken seiner Kirche verhaftet, indem er diese Gemeinschaft nur noch in der orthodoxen Kirche verwirklicht sah. Päpstlicher Autoritätsanspruch und protestantischer Rationalismus hätten zur Aufhebung der Liebesgemeinschaft geführt, hätten in Gestalt des filioque «moralischen Brudermord» begangen. So sah Chomjakow nur in der Rückkehr der abgefallenen westlichen Kirchen zur orthodoxen eine Möglichkeit der Wiedervereinigung.

Chomjakow stieß zunächst in der eigenen Kirche auf starke Ablehnung. An der Kiewer Akademie setzten sich die Professoren für Kirchenrecht W. P. Pewnizki und Philosophie P. A. Linizki, an der Moskauer Akademie A. W. Gorski mit ihm auseinander. Auch der Herausgeber von Chomjakows Schreiben an William Palmer, der Kirchenhistoriker Alexander Iwanzow-Platonow, versah diese mit kritischen Anmerkungen. Und doch wurden Chomjakows Gedanken von der orthodoxen Theologie aufgegriffen. Denn obwohl Chomjakow noch nicht selbst den Begriff verwandte, artikulierte er doch die wichtigsten Wesenszüge dessen, was die weitere orthodoxe Theologie in dem nur mangelhaft mit «Katholizität» oder «Ökumenizität» zu übersetzenden Begriff «sobornost» ausdrückt: jene pneumatische, Zeit und Raum umfassende Einheit in der Vielfalt, die sich in der geistlich-organischen Gemeinschaft und im Synodalprinzip der orthodoxen Kirchen äußert. Ob Chomjakow vom Kirchenverständnis des katholischen Kirchenhistorikers Johann Adam Möhler (1796–1838) beeinflußt war, bleibt zumindest fraglich.

Nicht alle dieser religiösen Denker waren Laien. Zu ihnen zählt auch der einstige Archimandrit und Professor für Neues Testament an der Moskauer und Kasaner Akademie Alexander Bucharew (1822–1871), der in seinem 1860 erschienenen Buch «Über das Verhältnis des orthodoxen Glaubens zur Gegenwart» auch auf sozialpolitische Fragen einging.

Von den verschiedenen religiösen Denkern des 19. Jahrhunderts sei noch Wladimir Solowjow (1853–1900) hervorgehoben. Dessen Vater, der Moskauer Universitätsprofessor Sergej Solowjow, ist durch seine 29bändige, bis 1780 führende «Geschichte Rußlands von den ältesten Zeiten» bekannt geworden. Als ausgezeichneter Kenner der alten und zeitgenössischen Philosophen habilitierte sich Wladimir Solowjow in Moskau 1784 mit der Schrift «Die Krise der westlichen Philosophie». Doch endete seine Universitätslaufbahn, als er sich 1881 für eine Begnadigung der Attentäter, die Alexander II. getötet hatten, einsetzte. Wegen eines von der Zensurbehörde verhängten Verbotes konnten einige seiner religiösen Arbeiten zunächst nur im Ausland erscheinen. Gemeinsam mit seinem Bruder plante er eine Übersetzung der Werke Platos, übersetzte Kants Prolegomena und verfaßte eine Biographie Mohammeds.

In Anlehnung an gnostische Vorstellungen sah Solowjow die Geschichte im Zeichen göttlicher Herablassung in die mit dem Göttlichen entzweite Welt durch die Menschwerdung und die sich dadurch allmählich vollziehende Rückkehr in die Fülle des göttlichen Seins auf dem Wege der Gottwerdung des Menschen. Von der Menschwerdung Christi her vollzieht sich in der Geschichte die zur Alleinheit führende Verwirklichung des Gottmenschentums. In diesem Zusammenhang steht seine Lehre von der Sofia (Premudrost), der «göttlichen Weisheit» als «himmlischer Wesenheit», als das «wahre Prinzip, in dem Gott Himmel und Erde schuf», die «Kraft, die das zerspaltene und zerteilte weltliche Sein umfaßt». Sie verkörpert «die verborgene Potenz eines jeden Seins». Die Realisierung der allheitlichen Gottmenschheit war Gegenstand von Solowjows Geschichtsphilosophie. Er glaubte an einen universalen Verklärungsprozeß zur Verwirklichung des Reiches Gottes auf Erden in einer idealen, die politische, kulturelle und kirchliche Einheit schaffenden «freien Theokratie».

Während er anfangs den Slawophilen nahestand, zweifelte Solowjow seit Anfang der achtziger Jahre daran, daß die vom Staat bevormundete russische Kirche seinen Hoffnungen gerecht werden könne. Im Gegensatz zur antirömischen Polemik der orthodoxen Theologie und der Slawophilen, die sich durch das Dogma des I. Vatikanischen Konzils von 1870 über die Unfehlbarkeit und den Jurisdiktionsprimat des Papstes noch verschärfte, näherte er sich in seinem 1889 in Paris veröffentlichten Werk «La Russie et l'Église Universelle» dem Katholizismus an und sah im Papst als dem Nachfolger Petri das legitime Oberhaupt der universalen Kirche.

Darüber verzweifelt, daß die Orthodoxen in ihm einen Abtrünnigen sahen und die Katholiken ihn mißverstanden, wandte er sich in seinen letzten Lebensjahren apokalyptischen Vorstellungen zu. Er gab den Gedanken einer «freien Theokratie» auf, hielt aber am Ziel der kirchlichen Wiedervereinigung mit dem «ewigen Rom» als Mittelpunkt fest, wobei er durchaus der orthodoxen Kirche treu blieb. In der in seinen «Drei Gesprächen» enthaltenen «Erzählung vom Antichrist» entfaltete er ein prophetisch-apokalyptisches Bild von der Herrschaft des Antichristen. Zu ihm werde auch die Mehrheit der Geistlichen aller Konfessionen abfallen. Erst letztendlich werde es zur Vereinigung der wenigen wahrhaft gläubig gebliebenen Orthodoxen unter dem Starez Johannes und der Protestanten unter dem Theologieprofessor Pauli aus Tübingen mit den Katholiken unter Papst Petrus II. kommen. Solowjow hat auf die weiteren religiösen Denker einen beträchtlichen Einfluß ausgeübt.

Seine «Drei Gespräche» standen zugleich im Zeichen einer scharfen Auseinandersetzung mit dem Schriftsteller Lew Tolstoi (1828–1910), den Solowjow zu dem erwarteten Antichrist in Beziehung setzte. Tolstoi hatte aufgrund eigener Erlebnisse der Lebensbedingungen des Großstadtproletariats und unter Verwendung verschiedenartiger Anregungen durch Rousseau und lutherische Neutestamentler bis hin zu Vorstellungen östlicher Religionen recht eigenwillige und in manchem inkonsequente Vorstellungen einer ihm christlich scheinenden, utopischen Lebensphilosophie entwickelt, die er in bäuerlicher Einfachheit vorzuleben versuchte. Seine Ablehnung der Kirche als Institution, der kirchlichen Lehren und der staatlichen und gesellschaftlichen Verhältnisse und Strukturen führten 1901 zu seinem Ausschluß aus der russischen Kirche. Doch blieben manche Momente seiner Kritik und seines Evangeliumsverständnisses nachdenkenswert.

6

Die Mission

Nicht zuletzt durch die verwaltungsmäßige Gleichordnung des Ressorts für die orthodoxe Konfession und des Ressorts für die nichtchristlichen Religionen im 1817 gegründeten «Doppelministerium» sah sich die russische Kirche vor der Aufgabe, das Evangelium zu verkünden und gleichzeitig die in Rußland existierenden Religionen zu tolerieren. Das erforderte eine neue Qualität der Missionsarbeit. In der zweiten Hälfte des Jahrhunderts wurde die Kasaner Geistliche Akademie zu einem Missionszentrum. Hier erforschte man Fragen der Missionsarbeit. Zur Ausbildung von Missionaren unter den Mohammedanern und Buddhisten wurden entsprechende Vorlesungen und Kurse für die Sprachen der nichtrussischen Völker eingeführt. Erzbischof Antoni Amfiteatrow von Kasan (1866 bis 1897) verfaßte als Handbuch für Missionare seine «Regeln für die Belehrung und Befestigung der Neugetauften im Glauben».

Die in Westsibirien tätigen Missionare, unter ihnen Archimandrit Makari Glucharjow (1792–1847), Wladimir Petrow (1766–1833) und Makari Newski (1835–1922), errichteten neben Kirchen auch zahlreiche Schulen, einige Krankenhäuser, Apotheken und andere Einrichtungen.

Von Ostsibirien aus wurde die Mission nach Alaska hinübergetragen. Schon als Ende des 18. Jahrhunderts Russen Alaska und die Aleuten zu erforschen begannen, verbreiteten sich hier die Anfänge der russischen Orthodoxie. Solange noch kein Priester vorhanden war, bemühte sich zunächst der Gründer der ersten ständigen russischen Siedlungen, der aus dem Gouvernement Kursk stammende Kaufmann Grigori Schelichow (1747–1795), den christlichen Glauben zu verbreiten. Er erlernte die Sprache der Einheimischen und taufte selbst. 1793 entsandte der Synod Mönche aus dem Warlaam-Kloster unter Leitung des Archimandriten Ioassaf Bolotow zur Gründung einer orthodoxen Mission nach Alaska. Sie unterwiesen die einheimische Bevölkerung nicht nur im Glauben, sondern auch in Fragen des Garten- und Ackerbaus. 1796 wurde Ioassaf in Irkutsk zum Bischof von Kadiak geweiht, kam aber auf der Rückreise beim Untergang des Schiffes ums Leben. Auseinandersetzungen mit der Russisch-amerikanischen Handelsgesellschaft brachten die Missionsarbeit zeitweilig zum Erliegen.

Neue Impulse erhielt sie unter Innokenti Weniaminow (1797–1879, mit bürgerlichem Namen Ioann Petrow), dem Sohn eines armen Kirchendieners aus einem Dorf bei Irkutsk. 1824 traf er als Priester mit seiner Familie auf der Aleuteninsel Unalaschka ein. Er erforschte dort Sprache und Sitten, veröffentlichte seine «Aufzeichnungen über die Inseln des Bezirks Unalaschka», eine «Grammatik des Aleutischen nach der Mundart der Fuchsinseln» und zur Glaubensunterweisung seinen «Wegweiser zum Himmelreich», der 1848 für die evangelischen Gemeinden im Schwarzmeergebiet auch ins Deutsche übersetzt wurde.

Als man Innokenti 1834 ins damalige Verwaltungszentrum, das dreißig Jahre zuvor vom Leiter der Russisch-amerikanischen Handelsgesellschaft, A. Baranow, gegründete Nowo-Archangelsk auf der Insel Sitka versetzte, studierte er auch die Sprache der dort lebenden Koloschen. Nach dem Tod seiner Frau Mönch geworden, weihte man ihn 1840 zum Bischof der neuen Eparchie von Kamtschatka, den Kurilen und den Aleuten. Seit 1845 bestand in Nowo-Archangelsk ein Geistliches Seminar. Den betagten und fast erblindeten Innokenti berief man 1868 als Nachfolger von Filaret Drosdow zum Metropoliten von Moskau, wo er 1870 die Orthodoxe Missionsgesellschaft gründete.

Auch nachdem Alaska im Jahre 1867 an die Vereinigten Staaten verkauft worden war, existierte die russische Kirche in Nordamerika weiter. Sitz der Eparchie der Aleuten und Alaskas, wie sie seit 1870 hieß, wurde 1872 San Francisco. Zu den dortigen Bischöfen gehörte von 1898–1907 der spätere Patriarch Tichon Belawin.

Ende des 19. Jahrhunderts begann die Auswanderung land-
loser ukrainischer Bauern nach Kanada. Sie siedelten sich besonders in der Provinz Albert mit dem Zentrum Edmonton
an. Der wachsenden Bedeutung entsprechend erfolgte im Jahre
1900 die Umbenennung in: Eparchie der Aleuten und von
Nordamerika. Man eröffnete ein Geistliches Seminar und das
Heilige-Tichon-Mönchskloster, übersetzte die gottesdienstlichen Bücher ins Englische. 1905 wurde der Bischofssitz von
San Francisco nach New York verlegt. Zwei Jahre danach beschloß die erste Synode der Eparchie unter Leitung von Erzbischof Tichon Belawin die Umbenennung in: Russische
Orthodoxe Griechisch-Katholische Kirche von Nordamerika
unter der Jurisdiktion der Russischen Kirche. Sie verfügte 1918
über die vier Vikarbischöfe von Alaska, Brooklyn, Pittsburg
und Kanada mit 271 Kirchen und 51 Kapellen.

Aus den Reihen der Geistlichen Mission in China gingen
die ersten russischen Sinologen hervor, unter ihnen die Archimandriten Ioakinf Bitschurin (1777–1853) und Palladi Kafi-
row. Nach Übersetzung der gottesdienstlichen Bücher ins Chinesische konnten seit dem letzten Jahrzehnt des 19. Jahrhunderts die Gottesdienste für die orthodoxen Chinesen in deren
Muttersprache gehalten werden. Allmählich verbreitete sich
der orthodoxe Glaube über Peking hinaus. 1902 wurde der
Leiter der Geistlichen Mission, Archimandrit Innokenti Figu-
rowski, zum Bischof geweiht. 1914 gehörten zur Russischen
Geistlichen Mission in China etwa 10 000 orthodoxe Chinesen
mit 19 Kirchen und 20 Schulen.

Die erste russische Kirche in Japan entstand beim Konsulat
in Hakodate auf Hokkaido. 1870 gründete man eine Russische
Geistliche Mission unter Archimandrit Nikolai Kassatkin, die
zwei Jahre später nach Tokio verlegt wurde. 1880 erfolgte
Nikolais Weihe zum Bischof. Nach seinem Tode übernahm
1912 Sergi Tichomirow dieses Amt. Damals gab es mehr als
hundert Gottesdienststätten und ein Geistliches Seminar in
Japan. Eine weitere Russische Geistliche Mission entstand
1897 in Korea.

Nach der Entsendung des Archimandriten Porfiri Uspenski
im Jahre 1843 konnte vier Jahre später die Russische Geist-

liche Mission in Palästina gegründet werden. Neben Hilfeleistungen für russische Pilger unterstützte sie das unter den Türken bedrängte Patriarchat Jerusalem, förderte die Ausbildung dortiger Geistlicher. Schließlich entstand zur Unterstützung der vordem nestorianischen syrischen Christen im Iran, die sich 1898 der Orthodoxie angeschlossen hatten, eine Russische Geistliche Mission in der Stadt Urmia.

Im 19. Jahrhundert nahm die Zahl der russischen Kirchen in den europäischen Ländern zu. Im Jahre 1813 hatte Alexander I. dem preußischen König Friedrich Wilhelm III. (1797 bis 1840) einen russischen Soldatenchor geschenkt, für den vor den Toren Potsdams die Kolonie Alexandrowka und in den Jahren 1826–1829 die Kirche des Heiligen Großfürsten Alexander Newski gebaut wurde. Dort ist seit 1838 die Liturgie auch in deutscher Sprache gefeiert worden.

Von den anderen in deutschen Städten entstandenen russischen Kirchen seien nur einige erwähnt: Seit 1862 gibt es in Weimar die Grabeskirche der Heiligen Apostelgleichen Maria Magdalena, seit 1874 in Dresden die Kirche des Heiligen Simeon vom Wunderbaren Berge. Zur Erinnerung an die 23 000 in der Völkerschlacht bei Leipzig im Jahre 1813 gefallenen russischen Soldaten entstand dort zum hundertsten Jahrestag eine russische Kirche. Sie besteht aus einer oberen Hauptkirche, die dem Heiligen Alexi von Moskau geweiht ist, und der unteren Winterkirche des als Wundertäter verehrten Nikolaus.

In Berlin wurde in dem Gebäude Unter den Linden 7, das seit 1837 die russische diplomatische Vertretung beherbergte, eine Hauskirche des Heiligen Großfürsten Wladimir des Apostelgleichen eingerichtet, die bis zum Ausbruch des ersten Weltkriegs bestand. Hier wirkte seit 1886 der 1915 verstorbene Propst Alexej Malzew. Die 1890 von ihm gegründete «Bruderschaft des heiligen Fürsten Wladimir» widmete sich karitativen Aufgaben sowie dem Bau und Unterhalt russischer Kirchen. Malzew gab in den Jahren 1890–1911, mit Anmerkungen versehen, fast alle orthodoxen liturgischen Texte in deutscher Sprache heraus.

Die Kirchen im westlichen Europa unterstanden dem Metropoliten von Petersburg. Seit 1907 fungierte als dessen Vikarbischof für Westeuropa der Vorsteher der Botschaftskirche in Rom.

7

Die Berührung mit Altkatholiken und Anglikanern

Eine Altkatholische Kirche hatten jene Katholiken gebildet, die sich dem Dogma des I. Vatikanischen Konzils im Jahre 1870 über die Unfehlbarkeit und den Jurisdiktionsprimat des Papstes widersetzten. Sie lehnten, gestützt auf die sieben Ökumenischen Konzile, spätere Neuerungen des römischen Katholizismus ab und erstrebten die Wiederherstellung der Einheit von östlicher und westlicher Kirche. Es ergab sich natürlicherweise eine Kontaktaufnahme zu den orthodoxen Kirchen. Die Kongresse der Altkatholiken 1874 und 1875 in Bonn, 1890 in Köln und 1892 in Luzern standen im Zeichen des gegenseitigen Gedankenaustausches. Um diesen zu fördern, gründete der Synod der russischen Kirche Ende 1892 eine spezielle Kommission unter Vorsitz des damaligen Erzbischofs Antoni Wadkowski von Finnland und Wyborg.

Die Petersburger Kommission erarbeitete Bedingungen für eine Vereinigung mit den Altkatholiken. Sie hätten die orthodoxe Lehre anzuerkennen, einschließlich des trinitarischen Bekenntnisses zum Vater als dem alleinigen Prinzip des Sohnes und des Geistes sowie das Verständnis von der Eucharistie. Erst nach einem Antrag zur Aufnahme der kirchlichen Gemeinschaft könne über eine eventuelle Anerkennung der bisher als nicht kanonisch geltenden altkatholischen Hierarchie von Utrecht entschieden werden.

Diese an den 4. Altkatholikenkongreß in Wien 1894 übermittelte Stellungnahme stieß dort auf Kritik und führte zu einer Abkühlung des Verhältnisses. Sich mit der Antwort der Altkatholiken zu befassen, übertrug der Synod dem späteren Patriarchen Sergi Stragorodski, der 1901 Rektor der Petersburger Geistlichen Akademie und Bischof geworden war. In mehreren Abhandlungen, die im «Kirchenboten» (Zerkowny Westnik) in den Jahren 1902—1903 erschienen, setzte sich Sergi mit altkatholischen Veröffentlichungen sowie den Materialien des 5. Altkatholikenkongresses in Bonn 1902 auseinander. Etwa gleichzeitig widmeten sich namhafte russische Theologen Einzelproblemen: die Professoren W. W. Bolotow (vgl. oben S. 169) und A. I. Brilliantow dem Problem des filioque, Erzpriester P. I. Leporski der Eucharistie und Professor I. P. Sokolow dem Problem der Hierarchie.

Während sich hinsichtlich des filioque und des Eucharistieverständnisses eine Annäherung abzeichnete, zeigte sich hinsichtlich der Kanonizität der altkatholischen Hierarchie das eigentliche Problem, das unterschiedliche Kirchenverständnis. Für die Altkatholiken existiert die «eine heilige, katholische und apostolische Kirche» des Glaubensbekenntnisses nicht als einheitliche Institution, sondern in den Teilkirchen, die in der Tradition der alten Gesamtkirche mit kanonischer Hierarchie und Sakramentsverwaltung stehen. Als solche versteht die Altkatholische Kirche die orthodoxen Landeskirchen, aber als diesen gleichwertig auch sich selbst, nachdem sie sich von den Neuerungen und Entstellungen des römischen Katholizismus frei gemacht hat. Auch erstrebt sie, der Eigenständigkeit der orthodoxen Landeskirchen vergleichbar, keine institutionelle Vereinigung, sondern die trotz unterschiedlicher Riten, Ordnungen und Lehrmeinungen gleichberechtigte gegenseitige Anerkennung kirchlicher Gemeinschaft, wie es zwischen der östlichen und der westlichen Christenheit zur Zeit der Ökumenischen Konzile der Fall war.

Dem stellte Sergi die orthodoxe Position gegenüber: «Unsere orthodoxe östliche Kirche versteht sich zu aller Zeit als einzige Erbin und Fortsetzerin der ungeteilten Kirche der ersten acht Jahrhunderte und der sieben Ökumenischen Konzile, das heißt, sie erkennt sich als Gesamtkirche. In diesem Selbstverständnis weiß sie sich als Kirche Christi dem übrigen Christentum gegenübergestellt, und der andersgläubigen Welt bezeugt sie, daß sich diese außerhalb der Kirche befindet.» Die Altkatholiken seien aus der einst von der Gesamt-

kirche abgefallenen abendländischen Christenheit hervorgegangen. Ihre Loslösung von Rom bedeute aber noch nicht, daß
sie wieder Teil der Gesamtkirche geworden seien, die sich in
den orthodoxen Kirchen verwirklicht finde. Deshalb sei eine
Rückkehr zu diesen erforderlich. Eine Übereinstimmung beider Seiten ließ sich zunächst noch nicht erzielen.

Berührungspunkte zu den Anglikanern ergaben sich besonders durch die Zunahme russischer Gemeinden und das Vorhandensein eines russischen Bischofs in Nordamerika. Zur Behandlung der sich daraus ergebenden Fragen wirkte dort von
1862–1874 ein «Russisch-griechisches Komitee» (Russo-Greek
Committee). Der Name erklärt sich aus der vom 17. bis zum
19. Jahrhundert gebräuchlichen Bezeichnung der russischen
als «Griechisch-Russische Kirche». Bei der Kirche von England,
der Konvokation von Canterbury, gründete man im Jahre
1863 ein Komitee für die Annäherung an die orthodoxen Kirchen. Es ergab sich ein Besuchs- und Meinungsaustausch. Während jedoch die Anglikanische Kirche mit der Abendmahls-
gemeinschaft beginnen wollte, erklärte der Synod der russischen Kirche im Jahre 1870, daß die Übereinstimmung in den
Glaubensgrundlagen vorausgehen müsse.

Der Übertritt einzelner anglikanischer Geistlicher, in Amerika auch ganzer Gemeinden, stellte das Problem einer Anerkennung der anglikanischen Weihen. Diesbezüglich wandte
sich der damalige Erzbischof der Aleuten und von Nordamerika, Tichon Belawin, im Jahre 1904 an den Synod. Mit der
Frage befaßte sich die von Bischof Sergi Stragorodski geleitete
Petersburger Kommission. Das anglikanische Book of Common
Prayer, wurde festgestellt, widerspreche zwar nicht direkt der
orthodoxen Lehre, widerspiegele diese aber nur unzureichend,
und deshalb sei seine Beibehaltung in zur Orthodoxie überge-
tretenen Gemeinden unzweckmäßig. Hinsichtlich der Anglikaner befaßte sich die Kommission ferner mit Fragen der Eucharistie (Wandlungslehre), der Verehrung der Heiligen und der
Gottesmutter, der Zahl der Sakramente, dem filioque und der
Bilderverehrung. Im Vordergrund stand die Frage der Anerkennung der anglikanischen Weihen. Die russische Kirche anerkannte zwar die Historizität der Sukzession in der Angli-

kanischen Kirche, sah aber einen Gegensatz im Sakraments-
charakter der Weihe. Sergi stellte dazu in seinem Aufsatz
«Die Bedeutung der apostolischen Sukzession bei den Andersgläubigen» allgemein fest, daß nicht nur die Tatsache der
Handauflegung, sondern die Unversehrtheit des sakramentalen Verständnisses Voraussetzung der Anerkennung sei. Das
bis heute bestehende Problem sollte später dadurch eine besondere Note erfahren, daß sich in den Jahren 1922–1936
mehrere orthodoxe Kirchen, im Gegensatz zur russischen, für
eine Anerkennung der anglikanischen Weihen aussprachen.

VII.

Die Endphase von Kaisertum und Synodalperiode

1

Die Anzeichen des Umbruchs

Vom letzten russischen Kaiser, Nikolaus II. (1894–1917) hatten sich viele eine Erneuerung der Verhältnisse im russischen Reich erhofft. Doch trotz gewisser Reformansätze, denen zuzustimmen sich der Zar genötigt sah, wehrte er weitergehenden Veränderungen. Dafür ist seine Herrschaftszeit von jenen Krisen gekennzeichnet, in denen sich bereits der kommende Umbruch andeutete. Nicht zuletzt unter dem Einfluß der Witwe Alexanders III. knüpfte Nikolaus an das bisherige Verständnis des Selbstherrschers an und übernahm den Berater seines Vaters, Pobedonoszew. Nikolaus II. verstand sich als orthodoxer Christ, folgte jedoch den Neigungen seiner Frau, Alice von Hessen, die nach ihrem Übertritt zur orthodoxen Kirche Alexandra Feodorowna hieß, und anderer Angehöriger des Hofes zu manchmal obskurem Mystizismus. Nur mäßig begabt, wankelmütig und mit geringer Menschenkenntnis, schenkte er sein Vertrauen oft unfähigen, fragwürdigen oder auf persönlichen Vorteil bedachten Gestalten, unter denen sich seit etwa 1905 der Einfluß des Scharlatans Rasputin als besonders negativ erweisen sollte.

Die Situation im Lande spitzte sich weiter zu. Nachdem im Jahre 1896 in Rußland die Goldwährung eingeführt worden war, ergab sich mit Hilfe ausländischen Kapitals ein industrieller Aufschwung, der zugleich die sozialen Gegensätze verschärfte. Trotz gewisser Arbeiterschutzgesetze, wie der Begrenzung der täglichen Arbeitszeit auf maximal 11½ Stunden im Jahre 1897, nahm die Streikbewegung zu. Als um 1900 eine wirtschaftliche Depression einsetzte, etwa dreitausend Betriebe stillgelegt wurden und die Zahl der Arbeitslosen auf über 100 000 anstieg, erfaßte das Land eine Welle von Streiks und Arbeiterdemonstrationen. Mißernten gaben den Anlaß zu Bauernunruhen. Der geistige Druck veranlaßte eine Streikbewegung an den Hochschulen, an der sich 1901–1902 etwa 30 000 Studenten beteiligten.

Seit den neunziger Jahren kam es zum Entstehen der ersten Parteien in Rußland. Als entscheidend für ein zielgerichtetes Vorgehen der nun als gesellschaftliche Kraft wirksam werdenden Arbeiterbewegung erwies sich die Zusammenfassung der etwa zwanzig marxistischen Zirkel im 1895 von Lenin gegründeten «Kampfbund zur Befreiung der Arbeiterklasse», das Erscheinen der Zeitung «Iskra» seit 1900 sowie die Gründung der «Sozialdemokratischen Arbeiterpartei Rußlands» (SDAPR), in der Lenin seit dem II. Parteitag von 1903 den «Bolschewiki» das Übergewicht zu sichern vermochte, das heißt der «Mehrheit» (bolschinstwo), die den sich entfaltenden richtungweisenden Marxismus-Leninismus verkörperte.

Die Bauern bildeten einen »Allrussischen Bauernverband». Den Liberalen, die sich aus dem Adel, Großgrundbesitzern und wohlhabendem Bürgertum rekrutierten, ging es vornehmlich um die eigene Teilhabe an der bestehenden Macht, eine konstitutionelle Monarchie, ein Parlament und die Freiheiten einer bürgerlichen Demokratie.

Aus ihrem 1903 in Schaffhausen in der Schweiz gegründeten «Befreiungsbund» ist im Jahre 1905 die «Konstitutionelldemokratische Partei» hervorgegangen, deren Mitglieder üblicherweise nach den Anfangsbuchstaben des Parteinamens als «Kadetten» bezeichnet wurden. 1902 entstand die stark von der Studentenbewegung geprägte Partei der «Sozialrevolutionäre».

Die gegen nationale Minderheiten, Armenier, Aserbaidshaner und Juden, inszenierten Ausschreitungen konnten von den bestehenden Mißständen nicht ablenken. Daneben gab es Bemühungen, von Regierungsseite her das Anliegen der Arbeiter aufzufangen. Die sogenannte «Subatowstschina» war der 1901 vom Chef der Moskauer Geheimpolizei, S. W. Subatow, unternommene Versuch, durch Begründung einer Pseudo-Arbeiterorganisation die revolutionären Bestrebungen zu unterlaufen. Doch fand dieser «Polizeisozialismus» keinen Widerhall und wurde 1903 wieder aufgegeben.

Der Versuch, dem Zarismus durch militärische Erfolge zu neuem Ansehen zu verhelfen, erlitt im Russisch-Japanischen Krieg von 1904/05 ein Fiasko. So sah sich der Zar, unterstützt durch Innenminister P. D. Swjatopolk-Mirski, zu einigen Reformen genötigt. Das Dezembermanifest von 1904 «Über die Vervollkommnung der Staatsordnung» stellte Gewissens- und Pressefreiheit, verbesserte soziale Bedingungen sowie erweiterte Rechte der nationalen und religiösen Minderheiten in Aussicht.

In verschiedener Weise hatten sich bereits Geistliche der Linderung sozialer Not angenommen. Der Erzpriester Ioann Sergijew von Kronstadt (1829–1909) hatte zum Beispiel außer einer der damals zahlreich entstehenden Bruderschaften ein «Haus der Arbeitsliebe» zur Gewährung von Berufsausbildung, Arbeitsplätzen und karitativem Dienst gegründet. Nun übernahm der Priester Juri Gapon den Vorsitz der im Jahre 1904 gegründeten «Vereinigung der russischen Fabrikarbeiter Petersburgs», zu deren Zielen es gehörte, die Bildung der Arbeiter zu erhöhen, die aber zugleich unter Aufsicht der Ochrana, der Geheimpolizei, stand. Als ein von den Arbeitern der Putilow-Werke, von denen viele Gapons Vereinigung angehörten, ausgehender Streik binnen weniger Tage 150 000 Petersburger Arbeiter erfaßte, verstand es der Priester, eine Massendemonstration zu organisieren, um dem Zaren eine Petition zu überbringen. Der im Januar 1905 von Gapon angeführte Zug, der unter Gesang von Kirchenliedern, mit Kirchenfahnen, Zaren- und Heiligenbildern friedlich zum Winterpalais zog, wurde von Truppen zusammengeschossen. Dieser «Blutige Sonntag» löste eine Welle der Empörung aus und leitete damit über zu den Ereignissen der Revolution von 1905 bis 1907, der ersten bürgerlich-demokratischen Revolution in Rußland. Unter der Losung «Nieder mit der Zarenherrschaft» wurden Zarenbilder zerstört. Viele Soldaten verweigerten den Gehorsam.

Weitere Ereignisse wie der Aufstand eines Teils der Schwarzmeerflotte mit dem Panzerkreuzer «Potjomkin» sowie die Niederlagen im Russisch-Japanischen Krieg nötigten zum vom Innenminister A. G. Bulygin verfaßten Gesetz vom August 1905 über die Gründung eines Reichsrates (Gosudarstwennaja duma), einer Art Parlament, durch dessen nur beratende Funktion jedoch die Selbstherrschaft nicht angetastet werden sollte. Schließlich zwang der sich im September anbahnende Generalstreik zum Erlaß des von Graf Witte ausgearbeiteten Oktobermanifests von 1905. Es proklamierte erstmals die «Unantastbarkeit der Person, Freiheit des Gewissens, des Wortes, der Versammlungen und der Vereinigungen». Es legte die unverzügliche Abhaltung der Wahlen zur Duma fest, und zwar unter Hinzuziehung auch jener Bevölkerungsschichten, «welche jetzt des Wahlrechts noch gar nicht teilhaftig sind». Künftig dürfe kein Gesetz, heißt es weiter, ohne Zustimmung der vom Volke Gewählten Geltung erhalten. In der Praxis wurde allerdings der Einfluß der Duma, die drei Wahlperioden erlebte, in engen Grenzen gehalten. Doch schon das im Manifest zumindest Zugesagte ließ Pobedonoszew aus seinen Ämtern ausscheiden.

Trotzdem breitete sich der Generalstreik aus und ging im Dezember in einen bewaffneten Aufstand über. Aber noch stand der größte Teil der Armee auf seiten des Zarismus. Der Aufstand war mangelhaft organisiert und fand nicht überall die nötige Unterstützung. So endete er mit einer Niederlage, die den konservativen Kräften im Lande zu einem neuen Aufschwung verhalf.

2

Die kirchliche Reformbewegung

Das Streben nach einer Veränderung der Verhältnisse und die Forderung nach Gewissensfreiheit fand auch auf kirchlich-religiösem Gebiet Ausdruck. Im Gegensatz zur privilegierten

Staatskirche waren die übrigen Kirchen und Religionsgemeinschaften mannigfachen Benachteiligungen und Diskriminierungen ausgesetzt. Aber auch innerhalb der orthodoxen Kirche wurde die Bevormundung durch die Staatsgewalt, die in der 25jährigen Oberprokuratur Pobedonoszews einen Höhepunkt erfahren hatte, als dem Auftrag der Kirche widersprechend empfunden.

Ein kaiserliches Manifest vom Februar 1903 kündigte die Gewährung religiöser Toleranz an. Ohne die Stellung der orthodoxen Kirche als der «führenden und herrschenden» in Frage zu stellen, sollte «auch allen unseren Untertanen anderen Bekenntnisses und anderen Glaubens die freie Ausübung ihres Glaubens und Gottesdienstes nach ihrer Ordnung» gestattet und außerdem die materielle Lage der orthodoxen Dorfgeistlichen verbessert werden, «um die fruchtbare Teilhabe der Priester am geistigen und gesellschaftlichen Leben ihrer Herde zu stärken». Der erwähnte Dezemberukas von 1904 verstand die Gewissensfreiheit nur im Sinne der Duldung anderer Gemeinschaften wie der Altgläubigen. Erst das Manifest vom April 1905 beendete in gewissem Umfang die Diskriminierung anderer Glaubensgemeinschaften sowie die Strafbarkeit eines Übertritts Orthodoxer zu ihnen. Allerdings schwächte dies der höchst unzufriedene Pobedonoszew dadurch ab, daß er zwei Monate später jeden nichtorthodoxen religiösen Einfluß auf die Angehörigen der Staatskirche verbot.

Obwohl orthodoxer Klerus und kirchliche Presse diese Neuerungen grundsätzlich begrüßten, sah man die Gefahren eines größeren Abfalls. Denn die Bindung der orthodoxen Kirche an den Staat und seinen Polizeiapparat ließ immer mehr der gegen die Staats- und Gesellschaftsordnung Opponierenden sich von der diese Ordnung mittragenden Kirche abwenden, während die anderen, in ihren inneren Angelegenheiten autonomen kirchlichen Gemeinschaften von diesem Makel nicht behaftet waren. «Wenn jetzt die Gewissensfreiheit für alle verkündet wird», erklärte Bischof Sergi Stragorodski, «würde dies freie Hand für alle bedeuten. Die Männer der Kirche aber blieben gebunden!» Mit anderen Worten: Die russische Kirche kann sich nur dann wirklicher Gewissensfreiheit erfreuen, wenn sie aus der institutionellen Verflechtung mit dem Staatsapparat gelöst wird. Und dieses wurde zu einem zentralen Moment des orthodoxen Reformstrebens.

Dem trug der Vorsitzende des Ministerrats, S. J. Witte, dadurch Rechnung, daß er im Zusammenhang mit dem Dezemberukas von 1904 den Vorsitzenden des Synod, Metropolit Antoni Wadkowski von Petersburg (1898–1912), um eine kirchliche Stellungnahme bat. Die Stimme der «herrschenden Kirche», antwortete Antoni in einer Denkschrift, sei infolge der staatlichen Bevormundung im persönlichen wie im gesellschaftlichen Leben nicht mehr hörbar. Müßte nicht, schrieb er, «der orthodoxen Kirche eine größere Freiheit in der Regelung ihrer inneren Angelegenheiten gewährt werden, so daß sie sich hauptsächlich von den kirchlichen Kanones und den sittlich-religiösen Bedürfnissen ihrer Glieder leiten lassen und, befreit von direkter staatlicher oder politischer Mission, als wiedergeborene moralische Autorität eine unabhängige Stütze des rechtgläubigen Staates sein könnte?» Die zurückhaltend abgefaßte und das Verhältnis zur Zarenmacht nicht grundsätzlich in Frage stellende Schrift enthält schließlich den Vorschlag, zur Behandlung der anstehenden Fragen eine Versammlung von Bischöfen, Geistlichen und sachkundigen Laien, also ein Lokalkonzil, einzuberufen, «falls Seine Majestät solche Wünsche berücksichtigen wollte».

Weitaus offener äußerte sich eine auf Wittes Anregung im März 1905 erarbeitete Denkschrift «Über die gegenwärtige Lage der orthodoxen Kirche», deren Verfasser nicht bekannt sind. Seit der Reform unter Peter I., heißt es, habe die Kirche eine unkanonische Leitungsstruktur; die Bevormundung durch einen Oberprokuror — dies zielte besonders auf Pobedonoszew — habe zu unfruchtbarer Bürokratisierung der Synodalverwaltung geführt. Es bedürfe einer Wiederbelebung orthodoxer Sobornost, der Wiedereinsetzung eines Patriarchen, der die Kirche nach dem Synodalprinzip leite.

Pobedonoszew sah sich angegriffen und verteidigte das Amt des Oberprokurors. Erst in der Synodalperiode sei es zu wirklich kollegialer Leitung der Kirche gekommen. Die Leitung durch alleinherrschende Patriarchen habe sich als eine Zeit des «toten rituellen Formalismus» erwiesen, deshalb sei eine Wiedererrichtung des Patriarchats abzulehnen.

Es gab auch weiter gehende Vorstellungen. Im 1902 erschienenen «Lehrgang des Kirchenrechts» von A. S. Pawlow war betont worden, daß die Kirche in jedem Staat leben könne. Und Bischof Antonin von Narwa sprach sogar von einer Unvereinbarkeit von Orthodoxie und Autokratie. All diese Probleme wurden in der kirchlichen Öffentlichkeit leidenschaftlich diskutiert.

Unter Umgehung Pobedonoszews und unterstützt von dessen Gehilfen W. Sabler leitete Metropolit Antoni im Namen des Synod dem Kaiser eine Eingabe zu, die die Einberufung eines Landeskonzils vorschlug, um auf der Grundlage der kirchlichen Kanones das Verhältnis von Staat und Kirche neu zu ordnen, einen Patriarchen zu wählen und andere wichtige Fragen zu behandeln. In der kaiserlichen Antwort vom März 1905 wurde die Notwendigkeit eines Landeskonzils anerkannt. Doch hieß es, wohl unter Pobedonoszews Einfluß, dessen Einberufung sei in der «gegenwärtigen unruhigen Zeit» nicht möglich: «Ich behalte es mir vor, dieses große Werk, wenn dafür eine günstige Zeit kommt, nach dem einstigen Beispiel rechtgläubiger Kaiser in Gang zu bringen und ein Konzil der Allrussischen Kirche zur kanonischen Behandlung von Gegenständen des Glaubens und der Kirchenverfassung einzuberufen.» Trotzdem bot die Äußerung, das Vorhaben erfordere «Ruhe und Nachdenken», dem Synod die Handhabe zu gründlicher Vorbereitung. An ihr beteiligten sich lebhaft Geistliche, Laien und die kirchliche Presse, nachdem im Dezember 1904 die Zensurbestimmungen gelockert worden waren. Dabei zeichneten sich zwei unterschiedliche, in vielem durchaus übereinstimmende Reformtendenzen ab, die sich auch in der Entwicklung der folgenden Jahrzehnte widerspiegelten.

Im Juli 1905 wandte sich der Synod mit einer Umfrage an alle Eparchialbischöfe. Die Fragen bezogen sich auf die Einberufung eines Landeskonzils, Wiedererrichtung des Patriarchats, größere Mitverantwortung der Eparchien durch Bildung von Metropolitangebieten, Reorganisation der kirchlichen Gerichtsbarkeit, Verbesserung der Gemeindestruktur und Reformen des Schulwesens. Dabei standen in der Sicht des Synod strukturelle Probleme im Vordergrund, wie sie sich aus der hier unmittelbar wirksamen staatlichen Bevormundung ergaben.

Daneben trat ein zweiter Reformansatz hervor. Er ging von der Gemeindepraxis aus und wurde vorwiegend von Gemeindepriestern vertreten. Ihr Gegenüber waren weniger die staatlichen Behörden als die Bischöfe und Eparchialverwaltungen. Es zeigte sich darin die alte Problematik der Distanz zwischen der einfachen, verheirateten Pfarrgeistlichkeit (Weißer Klerus) und der aus dem Mönchtum hervorgegangenen höheren Geistlichkeit (Schwarzer Klerus). Trotzdem bestand kein grundsätzlicher Gegensatz. Gerade jener Kreis von Pfarrgeistlichen, der in dieser Zeit am wirksamsten geworden ist, tagte im Hause des reformfreudigen Petersburger Metropoliten Antoni und wurde von ihm unmittelbar unterstützt.

Für diesen Kreis hat sich die Bezeichnung «Gruppe der 32» eingebürgert. Zwei Denkschriften, deren erste bereits im März 1905 erschien, fanden durch den 1906 veröffentlichten Sammelband der «Gruppe Petersburger Geistlicher über das Kirchenkonzil» Verbreitung. Diese Geistlichen erstrebten eine «volle und allseitige Erneuerung» des kirchlichen Lebens. Ausgehend von der «allumfassenden Wahrheit Christi» habe sich das Christentum auch zeitgenössischen Fragen zu stellen, sich der Probleme des irdischen Lebens zu widmen, auf die gesellschaftliche, ökonomische und kulturelle Entwicklung im Staate Einfluß zu nehmen. Die erstrebten Strukturveränderungen konzentrierten sich auf die Selbstverwaltung der Gemeinden. Wirkliche Sobornost erfordere die Verwirklichung des von jeder staatlichen Beeinflussung freien Wahlprinzips auf allen kirchlichen Ebenen unter voller Einbeziehung der Laien. Die Wiedereinführung des Patriarchats blieb umstritten. Doch sollte periodisch ein Landeskonzil unter Leitung des Metropoliten der Hauptstadt zusammentreten, dem der Titel eines Patriarchen zuerkannt werden könne.

Diese Geistlichen gingen von ihren seelsorgerlichen Erfahrungen aus. Sie erlebten, wie sich viele Menschen enttäuscht von der Kirche abwandten. Deshalb ging es ihnen um umfassende Erneuerung. Dabei erkannten sie die Notwendigkeit eines stärkeren sozialen Bezugs. Aber zum Teil tendierten sie auch dazu, Prinzipien orthodoxer Tradition in Frage zu stellen. So wollten sie die Mönche von der Teilnahme an den Konzilen ausgeschaltet wissen, da sie für die Behandlung irdischer Probleme nicht zuständig seien. Bereits in diesem Kreise verband sich das berechtigte Anliegen mit Ansätzen einer Radikalisierung, deren spätere Verfechter sich in einen Gegensatz zur Kirche stellen sollten. Auch scheinen die im aufgeschlossenen Petersburg verbreiteten Gedanken schon unter den Geistlichen im konservativeren Moskau wenig Anklang gefunden zu haben.

Die Antworten der Eparchialbischöfe auf die Umfrage des Synod zeigen ebenfalls, in welch hohem Maße die Kirche von der Reformdiskussion erfaßt worden war und welche Bedeutung der Reorganisation der Pfarrgemeinden beigemessen wurde. Mit Ausnahme von drei Bischöfen stimmten alle einem Lokalkonzil zu. Die Mehrzahl der Bischöfe befürwortete eine Teilnahme von Angehörigen des Weißen Klerus und Laien mit beratender Stimme sowie die Wiedererrichtung des Patriarchats. Aus acht bis zehn Eparchien gebildete Metropolitangebiete sollten ihre Angelegenheiten weitgehend unabhängig vom Synod regeln können. Die Gedanken über das Bischofsamt spiegelten die praktischen Notwendigkeiten wider. Mehrere Hierarchen meinten, unverheiratete oder verwitwete Pfarrgeistliche eigneten sich am besten für das Bischofsamt, weil sie über größere pastorale Erfahrungen verfügten als Mönche. Allerdings lehnte der Episkopat den Vorschlag der «Gruppe der 32», die Eparchialbischöfe sollten von Geistlichen und Laien gewählt werden, einhellig ab. Eine Neuordnung des Gemeindelebens wurde als vordringliches Problem gesehen. Die Gemeindeglieder sollten sich nicht länger als bloße Gottesdienstbesucher verstehen, sondern zu tätiger Mitarbeit erzogen werden.

Während Fragen der Glaubenslehre nicht zur Debatte standen, befaßten sich viele Antworten mit der gottesdienstlichen Praxis. Die russischen Gottesdienste hielten sich an die aus dem Mönchtum stammende sogenannte Jerusalemer Ordnung (Ierusalimski ustaw). Wegen der übergroßen Länge hatten sich in den Pfarrgemeinden in unterschiedlicher Weise Zusammenfassungen und Kürzungen eingebürgert. Deshalb kamen jetzt Vorschläge, für die Pfarrgemeinden eine einheitliche, sich von der klösterlichen unterscheidende Gottesdienstordnung einzuführen. Allerdings ergab sich hierbei das Problem, nicht in Gegensatz zur kirchlichen Tradition zu geraten.

Weitergehende Vorschläge unterbreitete man zum bereits im 19. Jahrhundert dreimal reformierten geistlichen Schulwesen. Als notwendig wurde die Trennung von theologisch-pastoraler und Allgemeinbildung gesehen. Es sollten zwei geistliche Schultypen entwickelt werden, deren einer Allgemeinbildung vermitteln und der andere unmittelbar auf den kirchlichen Dienst vorbereiten sollte. Schließlich sei noch die von allen Bischöfen angeschnittene Frage des kirchlichen Eigentums erwähnt. Es wurden einheitliche staatliche Gesetze gefordert, um das kirchliche Eigentumsrecht zu sichern und eine Wiederholung früherer Säkularisierungen zu verhindern.

Das umfangreiche Antwortmaterial konnte der Konzilsvorbereitung dienen, nachdem Pobedonoszew nach 25jähriger Amtszeit als Oberprokuror im Oktober 1905 entlassen wurde und an seine Stelle der den Reformplänen wohlwollend gegenüberstehende Fürst A. D. Obolenski (bis April 1906) trat. Mit kaiserlicher Billigung nahm im März 1906 in der Petersburger Alexander-Newski-Lawra der Konzilsvorbereitungsausschuß (Predsobornoje prisutstwije) seine Arbeit auf. In sieben Arbeitsgruppen wirkten Bischöfe, Theologieprofessoren, Priester und gebildete Laien zusammen. Neben den genannten Materialien und Stellungnahmen der Presse hatten sie Tausende von Eingaben zu prüfen. Denn noch nie hatte es in der russischen Kirche eine so breite und gründliche Diskussion gegeben.

Der Ausschuß erarbeitete eine Reihe von Vorlagen. Nach heftigem Meinungsstreit entschied sich die Mehrheit für die Wiedereinführung eines Patriarchen. Er solle Vorsitzender des auf vier ständige und acht periodische Mitglieder erweiterten Synod sein. Als oberste kirchliche Gewalt wurde das Landeskonzil vorgesehen, das aller zehn Jahre stattfinden sollte. Einberufung und Beschlüsse seien vom Kaiser zu billigen. Dagegen sollte die Einflußmöglichkeit des Oberprokurors eingeschränkt werden, er habe lediglich auf die Einhaltung der Staatsgesetze durch die Kirche zu achten. Man erstrebte eine engere Zusammenarbeit von Priestern und Gläubigen. Vorgeschlagen wurde die Bildung des Kirchgemeinderates (prichodski sowet) mit von der Gemeinde gewählten Mitgliedern. Auch sollten die Laien ein Mitspracherecht bei der Stellenbesetzung erhalten.

Interessant ist der Gedanke einer finanziellen Loslösung vom Staat. Statt der in vielen Gemeinden üblich gewordenen staatlichen Besoldung der Geistlichen wurde die Einführung regelmäßiger Gemeindebeiträge und die entsprechende Nutzung von Kirchenland vorgeschlagen. Doch kam es hierüber zu keinem Beschluß. Auch fand der Vorschlag, zwei unterschiedliche Schultypen einzuführen, keine Mehrheit.

Trotz der vom Staat verkündeten Toleranz dürfe keine Abwerbung Orthodoxer zugelassen werden. Doch sei das nicht durch staatliche Unterstützung zu gewährleisten, sondern durch die Festigung der Gemeinden und ihrer Glieder.

Ein besonderes Problem ergab sich aus den ohne Konsultierung des Synod erlassenen staatlichen Bestimmungen über das aktive und passive Wahlrecht für Geistliche für die neue Reichsduma. Da altkirchliche Kanones dem widersprachen, unterschied man nun kirchlicherseits zwischen absolut gültigen Kanones und solchen von nur historisch bedingter Gültigkeit. Allerdings, heißt es in einer Kommissionsstellungnahme, dürften Geistliche nicht Mitglieder politischer Parteien werden.

Eine Reihe weiterer Fragen, wie die Einrichtung von Metropolitangebieten und die Gewährung der Autokephalie für das Exarchat Georgien, konnten nicht weiter behandelt werden, da der Konzilsvorbereitungsausschuß auf kaiserlichen Wunsch im Dezember 1906 seine Arbeit beenden mußte. Da auch das erhoffte Konzil und damit eine Verwirklichung der Reformanliegen nicht stattfinden konnte, wanderten die Materialien vorerst ins Synodalarchiv.

In den Kommissionen hatten die Vertreter sehr unterschiedlicher Meinungen miteinander gerungen. Trotzdem einte sie der Gedanke einer Erneuerung im Sinne der Sobornost, der Klerus und Laien umfassenden Gemeinschaft. Doch aufs Ganze gesehen hielt auch der Konzilsvorbereitungsausschuß an der problematischen Verbindung von Kirche und Staat fest und erstrebte lediglich eine größere Eigenständigkeit.

3

Die Kirche vor dem ersten Weltkrieg und in den Kriegsjahren

Trotz des Scheiterns der Revolution von 1905 nahmen die gesellschaftlichen und geistigen Auseinandersetzungen ihren Fortgang und ließen die Kirche nicht unberührt. Durch die «Grundgesetze» vom April 1906 hatte das autokratische Staatssystem einen begrenzt konstitutionellen Charakter erhalten. Freilich erhielt die Reichsduma nur beschränkte Einflußmöglichkeiten. Auch blieb die Regierung nicht der Duma, sondern allein dem Kaiser verantwortlich.

Trotzdem erwies sich die I. Duma in ihrer Mehrheit als derart oppositionell, daß sie bereits nach drei Monaten, im Juli 1906, aufgrund eines kaiserlichen Dekrets vom neuen Ministerpräsidenten P. A. Stolypin (1906–1911) aufgelöst wurde. Gleiches geschah im Juni 1907 mit der noch stärker links orientierten II. Duma. Erst ein neues Ständewahlsystem sicherte für die III. und IV. Duma eine stark konservative Zusammensetzung. Die übliche Bezeichnung der Amtsperiode dieses Ministerpräsidenten als «Stolypinsche Reaktion» charakterisiert die damalige Situation. In der Verfolgung Oppositioneller, insbesondere der Bolschewiki, soll es allein in den Jahren 1907 bis 1909 mehr als 5000 Todesurteile gegeben haben. Während sich als neue Gruppierungen die rechtsliberalen «Oktjabristy» im Sinne des kaiserlichen Oktobermanifests von 1905 einsetzten, vermochten die «Schwarzhunderter» (Tschornyje sotni) chauvinistische und antisemitische Verfechter des zaristischen

Absolutismus, unter anderem durch zahlreiche Pogrome maßgeblichen Einfluß auszuüben. Auch nach Stolypins Ermordung im September 1911 wurde die jeder Neuerung feindliche Politik fortgesetzt.

Es war für das Ansehen der Kirche unter der Bevölkerung wenig dienlich, daß die Hierarchie an der engen Bindung an die Monarchie festhielt und die Mehrheit der in der Reichsduma vertretenen Geistlichen auf seiten der Rechts- und Mittelparteien stand. Die Oberprokurore lenkten als Mitglieder des Ministerrats nach dessen Direktiven den Synod, oft ohne die Stimme der Kirche zu beachten. Unter diesen Gegebenheiten war an eine Durchführung kirchlicher Reformbestrebungen nicht zu denken. Selbst der im Synod erörterte Gedanke, dessen Vorsitzender solle, wenn auch im Beisein des Oberprokurors, die Möglichkeit zum direkten Vortrag beim Zaren erhalten, ließ sich nicht realisieren.

Während sich Pobedonoszews Nachfolger, die Fürsten A. D. Obolenski (1905–1906) und A. A. Schirinski-Schichmatow (1906) sowie besonders P. P. Iswolski (1906–1909) und S. M. Lukjanow (1909–1911), verständnisvoller verhielten, verschärfte sich die Situation unter dem Oberprokuror W. K. Sabler (1911–1915). Als Gehilfe Pobedonoszews von diesem gestürzt, weil er damals das kirchliche Reformstreben unterstützte, knüpfte der nun selbst zum Oberprokuror ernannte Sabler an Pobedonoszews Praktiken an. Dies wog um so schwerer, als sich über die Person Sablers der Einfluß Rasputins am kaiserlichen Hof auch auf die Kirche zu erstrecken vermochte.

Der sibirische Bauer Grigori Nowych, dem seine Landsleute wegen seines ausschweifenden Lebens den Namen Rasputin, das heißt der Liederliche, Unzüchtige, gaben, wurde etwa 1872 in einem Dorf der Eparchie Tobolsk geboren. Als Prediger und Wanderprophet, der wohl der Chlystensekte nahestand, fand der mit suggestiver Kraft begabte Analphabet zahlreiche Anhänger. Rasputin war nicht der erste Scharlatan, der in Hofkreisen Gehör fand. Seine leidenschaftliche, mit ausschweifender Sinnlichkeit gepaarte Religiosität fand in weiten Kreisen und besonders bei den Damen des Hochadels Anklang, wo der mit mystischer Glaubenshaltung und slawophil-romantisch verklärter Sicht des russischen «Volkes» gepaarte Hang zu primitiver bäuerlicher Frömmigkeit in diesem Mann etwas vom «heiligen» Schwachsinn eines «Narren in Christo» zu empfinden schien. Als es Rasputin, wie es hieß, gelang, die Bluterkrankheit des einzigen Zarensohnes zu bessern, und die Kaiserin glaubte, das Schicksal ihres Sohnes liege in den Händen dieses «heiligen Starez», erlangte Rasputin bald verhängnisvollen, vom willensschwachen Zaren geduldeten Einfluß, zumal er gegen alles die Selbstherrschaft in Frage Stellende auftrat.

Alle dem entgegenwirkenden Bemühungen scheiterten. Die vom Bischof Antoni von Tobolsk gegen Rasputins Immoralität und Aberglauben geführten Untersuchungen mußten eingestellt werden, der Bischof wurde zwangsversetzt. Als im Jahre 1910 Rasputins einstiger Förderer, Bischof Feofan, dem Kaiser erklärte, ein Mann solchen Lebenswandels sei kein Umgang für die Zarenkinder, verlor er seine Stellung als Beichtvater der Kaiserin und Rektor der Petersburger Geistlichen Akademie und wurde in die Eparchie Simferopol auf der Krim verschickt. Den ein Jahr später im gleichen Sinne intervenierenden Metropoliten Antoni Wadkowski rügte der Zar, er habe sich nicht in die Angelegenheiten der kaiserlichen Familie einzumischen. Schließlich forderte sogar der Vorsitzende des Ministerrates, Stolypin, gestützt auf vom Oberprokuror S. M. Lukjanow gesammeltes Material, Rasputins Entfernung vom Hof.

Trotz aller gegen Rasputin gerichteten Bemühungen verantwortlicher Hierarchen galten manche Bischöfe als dessen Günstlinge, bot die scheinbare oder tatsächliche Nachgiebigkeit des Synod in der Öffentlichkeit, der Presse und in den Debatten der Reichsduma zahlreiche Angriffsmöglichkeiten, die das Ansehen der Kirche weiter beeinträchtigten. Die verbreitete Unzufriedenheit nötigte den Zaren zum Nachgeben. Wiederholt zog sich Rasputin nach Sibirien zurück. In seinem Heimatort brachte ihm eine Frau mit dem Messer eine schwere Unterleibsverletzung bei, die er jedoch infolge seiner großen Widerstandskraft und ärztlicher Hilfe aus Petersburg überstand. Erst nach Beginn des ersten Weltkrieges kehrte er nach Petersburg zurück.

Die Kriegserklärung Deutschlands am 1. August und Österreich-Ungarns am 3. August 1914 kam manchen russischen Kreisen nicht ungelegen. In St. Petersburg, das nach Kriegsbeginn den russischen Namen Petrograd erhielt, gab es, wie schon bei Ausbruch des Russisch-Japanischen Krieges, konservative Stimmen, die durch einen siegreichen Krieg einer sich immer drohender abzeichnenden Revolution entgehen zu können glaubten. Andererseits waren manche Liberale davon überzeugt, ein Krieg werde die Unfähigkeit der bestehenden zaristischen Ordnung derart offenbar werden lassen, daß der Kaiser dem Bürgertum ein größeres Mitspracherecht werde zuerkennen müssen.

Bei Kriegsausbruch traten in der russischen Kirche die seit 1905 spürbaren kritischen Tendenzen zunächst zurück. Jetzt galt die Verteidigung der Heimat und ein Sichscharen um den rechtgläubigen Zaren als heilige Pflicht. Wie schon anläßlich des 300jährigen Herrscherjubiläums der Romanows veranlaßte Oberprokuror Sabler den Synod zu einer Proklamation, in der das enge Bündnis zwischen Kirche und Herrscherhaus zum Ausdruck gebracht wurde. Es hieß darin ferner, die Rechtgläubigkeit der Russen und ihrer «Brüder im Glauben», der Serben, werde durch die lutherischen und katholischen Mittelmächte bedroht.

Das Betonen des konfessionellen Gegensatzes ließ sogar die Frage aufkommen, ob die orthodoxe Kirche für die verbündeten, aber ebenso wie die Gegner heterodoxen Franzosen und Engländer beten könne. Als noch vor Bulgariens Kriegseintritt auf seiten der Mittelmächte die Bulgarische Orthodoxe Kirche 15 000 Lewa für verwundete russische Soldaten anbot, wies dies der russische Synod zurück, weil der Patriarch von Konstantinopel im Jahre 1872 Bulgariens Kirche wegen der eigenständigen Proklamation der Autokephalie für schismatisch erklärt hatte.

Vom Synod wurden besonders die Militärgeistlichen aufgefordert, die Soldaten zum Beweis ihrer «Liebe zu Zar und Vaterland» anzuhalten. Auch wurde zum Beispiel nach der

Niederlage der russischen Truppen an den Masurischen Seen im August 1914, wie es hieß, auf Geheiß des Zaren, die wundertätige Muttergottesikone aus der Troize-Sergi-Lawra an die Front gebracht. Die Identifizierung von Rußland und Orthodoxie führte im Lande teilweise zu einer verhärteten Haltung gegenüber nichtorthodoxen Christen, die nicht selten sogar der Kollaboration bezichtigt wurden.

Angesichts der militärischen Mißerfolge sah sich der Kaiser im Sommer 1915 genötigt, ein besseres Verhältnis zu den verschiedenen gesellschaftlichen Kräften herzustellen. Neue Minister wurden berufen. Angesichts der Kritik an der Kirchenpolitik trat an Sablers Stelle als Oberprokuror im Juli 1915 der Moskauer Adelsmarschall A. D. Samarin, ein gläubiges Glied der Kirche. Die auf ihn gesetzten Hoffnungen erfüllten sich nicht. Wegen seines Streites mit einem von Rasputin protegierten Bischof wurde er auf Betreiben der Kaiserin bereits nach zweimonatiger Tätigkeit wieder gestürzt. Nun erhielt A. N. Wolshin (1915–1916) das Amt des Oberprokurors. Wenige Wochen später versetzte man den im genannten Streit auf Samarins Seite stehenden Metropoliten Wladimir Bogojawlenski von Petersburg (1913–1915) unter Belassung des Vorsitzes im Synod nach Kiew (1915–1918) und berief in die Hauptstadt den von Rasputin begünstigten Exarchen von Georgien, Metropolit Pitirim Oknow (1915–1917). Und als Wolshin in Gegensatz zu Rasputins Anhängern geriet, wurde er durch den gefügigeren Oberprokuror N. P. Rajew (1916 bis 1917) ersetzt.

Im Synod haben sich zwar zumindest Metropolit Wladimir Bogojawlenski und Erzbischof Sergi Stragorodski gegen die damalige Kirchenpolitik gewandt. Und in der Reichsduma erhoben bei der Beratung des Etats für den Synod für das Jahr 1916 geistliche Abgeordnete aller Fraktionen die Forderung nach Erneuerung der kirchlichen Verwaltung durch den Grundsatz der Sobornost sowie ein Abgehen von der Auffassung, die orthodoxe Geistlichkeit sei ein «Instrument der Innenpolitik». Doch blieben die Wirkungsmöglichkeiten der Kirchenleitung stark beeinträchtigt und sah die Öffentlichkeit in ihr ein Werkzeug der herrschenden Politik.

4
Versuche einer
geistig-theologischen Bewältigung

Rein äußerlich bietet die letzte offizielle Statistik des Synod
für das Jahr 1914 ein recht eindrucksvolles Erscheinungsbild
der Russischen Orthodoxen Kirche: 73 Eparchien, 163 Bischöfe, 51 105 Pfarrgeistliche, 54 174 Kirchen, 25 593 Kapellen, 1025 Klöster, 4 Geistliche Akademien, 57 Geistliche Seminare, 35 528 Pfarrschulen, 291 Krankenhäuser, 1113 Alters-
heime und Pflegeanstalten. Doch läßt sich nicht verkennen,
daß Teile der Bevölkerung, vor allem der Gebildeten, aus verschiedenen Gründen der Kirche kritisch gegenüberstanden.
Trotz aufopferungsvollen Wirkens der Geistlichen, trotz bedeutender Leistungen von Vertretern der einzelnen theologischen Disziplinen zeigte sich vielfach eine nicht zuletzt durch
die Ära Pobedonoszews verursachte, oft mißtrauische Zurückhaltung. Das empfanden nicht wenige Hierarchen, Theologen
und Laien als drückend. In den seit Ende des 19. Jahrhunderts
sich verschärfenden geistigen und gesellschaftlichen Auseinandersetzungen konnten Kirche und Christenheit nicht unbe-
teiligt zuschauen. So zeichneten sich neben den auf gesellschaftliche Veränderungen drängenden liberalen und revolutionären Bewegungen und Strömungen auch Versuche ab, vom
christlichen Glauben her neue Wege zu finden, Versuche, die
allerdings in der damaligen Zeit häufig mehr oder weniger
pointiert in Konflikt mit den auf grundsätzliche Veränderungen Drängenden geraten sollten.

Auf verschiedene Weise versuchten die bestehenden Bruderschaften sowie neue kirchliche Organisationen den christlichen Glauben zu fördern und fruchtbar zu machen. So etwa
die «Gesellschaft zur Verbreitung religiös-sittlicher Bildung»
oder die Moskauer «Kommission für Fragen der Kirche und
des Glaubensbekenntnisses», in der besonders liberale Geistliche wirkten.

Eine Reihe neuer Organisationen entstand nach dem Allrussischen Missionskongreß vom Juli 1908 in Kiew. Es ging,

nachdem aufgrund der staatlichen Gesetze die nichtorthodoxen Kirchen und Religionsgemeinschaften große Aktivität entfaltet hatten, um eine Festigung des orthodoxen Glaubens, um Probleme der Inneren Mission und der Glaubensunterweisung. Damit verband sich jedoch weithin eine zum Teil polemische Abgrenzung gegenüber Materialismus und Sozialismus. Das galt besonders für extrem konservative Organisationen wie den «Erzengel-Michael-Bund» oder die Moskauer «Gesellschaft der Kirchenbannerträger».

Auch der Jugendarbeit schenkte man Aufmerksamkeit, zum Beispiel durch den in Moskau gegründeten Zweig des Christlichen Weltstudentenbundes. Dabei kann nicht übersehen werden, daß im Gegensatz zu konservativem Denken unter den Studierenden der geistlichen Ausbildungsstätten oppositionelles Denken um sich griff, das gelegentlich in Gegensatz zur Kirche trat. Auch hier fanden revolutionäre Ideen Eingang, die seit Ende der neunziger Jahre des 19. Jahrhunderts mancherorts organisierte Formen annahmen. Waren die Anlässe zunächst Mißstände im Unterrichtsbetrieb, Mängel der Nahrung und Kleidung oder zum Beispiel am Seminar in Tiflis die Forderung, einige Fächer in georgischer Sprache zu unterrichten, so verbanden sich die Forderungen der Studierenden zum Teil mit einer antizaristisch-revolutionären Haltung. Einige Studierende begannen mit der Verbreitung marxistischen Schrifttums und beschlossen auf einer der illegalen Seminaristentagungen in Moskau 1906 die Satzung eines Seminaristenbundes, die neben Reformplänen auch die Zusammenarbeit mit sozialistischen Parteien vorsah. Verhaftungen ließen diese Bewegung zum Erliegen kommen.

Mit dem Ziel, die Entfremdung der Gebildeten von der Kirche zu überwinden, fanden sich in den Jahren 1902—1903 im Rahmen der «Petersburger religiös-philosophischen Versammlungen» unter dem Vorsitz des Rektors der Petersburger Geistlichen Akademie, Bischof Sergi Stragorodski, Theologen und Laien zusammen, darunter W. A. Ternawzew, E. Akwilonow, I. L. Janyschew, W. W. Uspenski, D. S. Mereshkowski und Frau, A. W. Kartaschow, N. O. Losski, S. N. Bulgakow und N. A. Berdjajew. Die Sitzungsprotokolle wurden bis auf einige von der Zensur gestrichene von Januar 1903 bis Dezember 1904 in Beilagen der Zeitschrift «Neuer Weg» (Nowy put) und als Sammelband 1906 veröffentlicht.

Man behandelte das Verhältnis zur Intelligenz sowohl unter aktuellem Gesichtspunkt wie dem Ausschluß Lew Tolstois aus der russischen Kirche im Jahre 1901 als auch in Prinzipienfragen wie dem Verhältnis von Geist und Fleisch, der Ehe, der Gewissensfreiheit, der Entwicklung des Dogmas sowie das immer im Zentrum stehende Problem der Kirche.

Es ging um die Frage, wie christlicher Glaube im Leben wirksam werden könne. Dazu hatte bereits in der ersten Versammlung der Kirchenhistoriker W. A. Ternawzew erklärt: «Für die ganze Christenheit ist es an der Zeit, nicht nur durch das Wort der Lehre, sondern auch durch Taten zu zeigen, daß es im Kirche-Sein nicht nur um ein Ideal des Jenseits geht.» In kritischem Aufgreifen von Gedanken der bisherigen Laientheologen erkannten nun manche die vorfindlichen Kirchen als geschichtlich und sozial geprägte Gemeinschaft von Menschen, die Anteil haben an der einen universalen, mystischen Kirche. Somit war auch das Dogma nicht mit der Offenbarung zu identifizieren, sondern in seiner der geschichtlichen Kirche entsprechenden Entwicklung zu sehen. Obwohl das in Christus gekommene Heil objektiv gegeben ist, erweist sich das Dogma nicht als fertige Norm, sondern als ständige Aufgabe immer neuen Bekennens, bedeutet Kirche-Sein in Zeit und Geschichte ein immer neues Verwirklichen echter Gemeinschaft der zum Leibe Christi Gehörenden.

Solche für damaliges orthodoxes Denken «revolutionär» wirkende Gedanken blieben selbst in den Versammlungen nicht unumstritten oder fanden sehr unterschiedliche Ausdeutung. Es lag wohl in erster Linie an der verständnisvollen Leitung durch Bischof Sergi Stragorodski, daß die Gesprächspartner nicht schon bald wieder auseinandergingen. Sergi selbst betonte die damals besonders aktuelle Forderung nach Gewissensfreiheit. Er sah die Notwendigkeit für die Kirche, sich aus ihren verhängnisvollen Bindungen zu lösen: «Es ist nötig, daß der Staat die Kirche nicht als Waffe zu seinen Gunsten benutzt ...»

Über die kritische Haltung der theologischen Gesprächspartner ging eine Reihe von Laien, Vertreter der Intelligenz,
weit hinaus. Obwohl auch sie sich als orthodoxe Christen verstanden, verließen manche den Boden orthodoxer Kirchlichkeit beziehungsweise überhaupt christlichen Glaubens. Es gab
Tendenzen zu einer «revolutionär-mystischen Haltung«, die
sich vom Säkularen und damit vom, wie man sagte, «historischen» Christentum lösen wollte. Oder es gab eschatologisch-
apokalyptische Vorstellungen, ein Erwarten neuer Offenbarungen. Während beispielsweise Wassili Rosanow (1856–1919)
das «historische» Christentum vom Alten Testament her kritisierte, übernahm Dmitri Mereshkowski (1865–1941), der
Wegbereiter des russischen Symbolismus, von Nietzsche den
Gedanken einer Befreiung durch Schönheit und wollte die asketische Enge des «historischen Christentums» durch ein «drittes Testament» überwinden. Auf einen «ethischen Idealismus»
hin zielten die Aufsätze verschiedener Verfasser in dem 1903
erschienenen Sammelband «Probleme des Idealismus».

Diese als «Neuchristentum» (neochristianstwo) bezeichneten
Tendenzen eines neuen Verständnisses von Gott und Welt
fanden auch als «Gottsuchertum» (bogoiskatelstwo) Ausdruck.
Insbesondere nach der Unterdrückung der Revolution von
1905 suchten manche nach einer «Verinnerlichung» der Revolution. Sie gingen vom orthodoxen, zumindest vom christlichen Glauben aus, suchten aber, zum Teil unter Aufgreifen
des Gedankens eines «dritten Testaments», an die Stelle iso-
lierter Kirchlichkeit eine neue christliche Gesellschaft treten
zu lassen.

Ganz anders war der Ausgangspunkt einer anderen, sich
etwa gleichzeitig entwickelnden Richtung, die unter dem Begriff des «Gott-Schaffens» (bogostroitelstwo) bekannt geworden ist. Es handelte sich hierbei mehr um eine scheinbar religiöse Interpretation materialistischer Gedanken. Sie fanden
Ausdruck zum Beispiel in den Arbeiten von A. W. Luna-
tscharski (1875–1933) «Religion und Sozialismus» (2 Bde.
1908–1911) und dem Aufsatz «Atheismus» (1908) sowie im
frühen Schaffen von Maxim Gorki, insbesondere seiner «Beichte» (1908). Hierbei ging es um das Schaffen eines revolutio-

nären Ideals, dessen Träger, Erbauer, Schöpfer das werktätige Volk ist. Ein Ende dieser Vorstellungen zeichnete sich ab, als sie durch die unter Leitung Lenins in einer Beratung der erweiterten Redaktion des «Proletari» im Juni 1909 in Paris beschlossene Resolution als mit dem wissenschaftlichen Sozialismus unvereinbar abgelehnt wurden.

Es entstanden in dieser Zeit viele Konzeptionen, die an den Realitäten vorbeigingen und keine Wege zu weisen vermochten. Andererseits zeichnete sich eine große Zahl namhafter Theologen durch eine fruchtbare Arbeit aus, die sich in den zahlreichen Veröffentlichungen aller theologischen Disziplinen zeigte. Bei anderen fanden sich die ersten Ansätze ihres Schaffens. Als ein Beispiel sei hier nur der Geistliche Pawel Florenski (1882–1943) erwähnt, der sich als Theologe, Philosoph, Mathematiker und Kunsttheoretiker Verdienste erworben hat. Von 1912–1917 redigierte er die Zeitschrift «Theologischer Bote» (Bogoslowski westnik). Nach Abschluß seines Mathematikstudiums an der Moskauer Universität schrieb er als Student der Moskauer Geistlichen Akademie im Jahre 1906 seine erste größere theologische Arbeit: «Ekklesiologische Materialien – Das Kirchenverständnis in der Heiligen Schrift». Sie ist jetzt durch eine Veröffentlichung des Moskauer Patriarchats von 1974 ebenso zugänglich geworden wie die 1922 geschriebene und 1972 gedruckte Arbeit «Der Ikonostas». Diese Publikationen ermöglichen ein tieferes Verständnis anderer Veröffentlichungen Florenskis, zum Beispiel seines 1914 in Moskau erschienenen theologischen Hauptwerkes «Der Pfeiler und die Grundfeste der Wahrheit».

VIII.
Die russische Orthodoxie
nach der Oktoberrevolution

1
Auf dem Wege zur Oktoberrevolution

Die militärischen Mißerfolge und die Desorganisation im Inneren des Landes, die immer schlechtere Versorgung, Unruhen und Streiks, kurz, eine allerorts und auch bei der Armee deutlich spürbare Kriegsmüdigkeit richtete sich immer mehr gegen jene, die an der Fortführung des Krieges festhielten. Die Streiks und Demonstrationen, zu denen die Bolschewiki im Januar 1917, zum 12. Jahrestag des «Blutsonntags», aufriefen, nahmen gewaltige Ausmaße an. Ein Mitte Februar in den Putilow-Werken beginnender Streik erfaßte ganz Petrograd. Als auch das Militär meuterte und auf die Seite der demonstrierenden Arbeiter überging, führte die bürgerlich-demokratische Februarrevolution zu einem siegreichen Umsturz. Obwohl Nikolaus II. dem Vorschlag der konservativen Duma-Mitglieder und Generäle folgte und Anfang März zugunsten seines Bruders, des Großfürsten Michail, abdankte, konnte er die Monarchie nicht mehr retten. Mit dem tags darauf von Michail erklärten Thronverzicht fand die Herrschaft der Romanows und damit das russische Zarentum ein endgültiges Ende.

Die neue bürgerliche Provisorische Regierung, deren erster Ministerpräsident, Fürst G.-E. Lwow, noch vom Kaiser berufen worden war, galt als interimistisches Leitungsinstrument bis zur angekündigten Wahl einer Konstituierenden Versammlung, die über die endgültige Staats- und Regierungsform entscheiden sollte.

Es entstand eine Doppelherrschaft, insofern die inzwischen gebildeten Sowjets der Arbeiter- und Soldatendeputierten auf die Entwicklung im Lande und die Handlungen der Provisorischen Regierung nachhaltig Einfluß ausübten. Lenins Aprilthesen leiteten den Übergang von der bürgerlich-demokratischen zur sozialistischen Revolution ein.

Nach der Unterdrückung der Petrograder Julidemonstrationen, bei denen die Übergabe der Macht an die Sowjets gefordert worden war, ging die Zeit der Doppelherrschaft zu Ende. Die konservativen Kräfte schienen sich durchgesetzt zu haben. Doch war der Herrschaft der nunmehr von A. F. Kerenski geleiteten Regierung kein Erfolg mehr beschieden. Schon sein Eintreten für die Fortführung des Krieges nahm ihm im Volk und in der Armee jeden Kredit. Im September/Oktober reifte die sozialistische Revolution heran.

Die russische Kirche hat den Sturz des Zarentums viel unproblematischer aufgenommen, als es angesichts der «Symphonia» und der traditionellen Vorstellung vom Gottgesalbten Zaren zu erwarten gewesen wäre. Zwar behielt man in vielen Gemeinden zunächst die Fürbitten für den Zaren bei. Und Erzbischof Arseni von Nowgorod soll sogar voller Verzweiflung erklärt haben: «Es gibt keinen Zaren, es gibt keine Kirche mehr!» Andererseits hatten gerade in den letzten Jahrzehnten viele Einsichtige im höheren und niederen Klerus die Bindung an die Staatsmacht als drückende Belastung empfunden und das enttäuschende Zurückdrängen aller Reformpläne unter der Herrschaft Nikolaus II. erlebt. Die Landgeistlichkeit besaß nur geringen Einblick. Doch hatten in den größeren Städten sowie in den Geistlichen Seminaren und Akademien liberale, demokratische und in gewissem Umfang auch sozialrevolutionäre Ideen Eingang gefunden. Man darf zwar die Bemerkung des erzkonservativen Fürsten Shewachow, Gehilfe des Oberprokurors N. P. Rajew (1916–1917), nicht wörtlich nehmen, es habe am Vorabend der Revolution selbst in den Kirchenbehörden neunzig Prozent Revolutionäre gegeben. Die Bemerkung zeugt aber von einer auch in kirchenleitenden Kreisen verbreiteten Unzufriedenheit und der Bereitschaft, sich wenigstens in gewissem Maße Veränderungen nicht zu verschließen.

So zeigte der Synod wenig Neigung, sich in den Februar-ereignissen auf die Seite des Zaren und seiner Regierung zu stellen. Er widersetzte sich dem Wunsch des Oberprokurors, durch Androhung von Kirchenstrafen das Volk von revolutionären Bestrebungen abzubringen und das Zarenregime zu stützen.

Die Provisorische Regierung verstand sich selbst als eine Staatsmacht weltlichen Charakters, also nicht mehr «von Gottes Gnaden». Trotzdem beließ sie nicht nur die traditionelle Stellung der Kirche im Staat, sondern bewahrte sich ihre Einflußmöglichkeit, indem sie das Amt des Oberprokurors vorläufig beibehielt. Als bürgerliche Regierung strebte sie aber keine grundsätzliche Veränderung der gesellschaftlichen Verhältnisse an. Das galt auch für Rechte und Besitz der Kirche. Nun rief der Synod in einem Hirtenbrief alle Glieder der russischen Kirche auf, die neue Staatsmacht zu unterstützen, und es wurden entsprechende Fürbitten für die Provisorische Regierung vorgeschrieben.

Bald ergaben sich erste Spannungen. An die Stelle des entlassenen zarentreuen Oberprokurors Rajew trat der Gutsbesitzer W. N. Lwow (März bis Juli 1917). In den zurückliegenden Jahren war er als Mitglied der Oktjabristenpartei in der Duma-Kommission für kirchliche Angelegenheiten durch Kritik an der zaristischen Kirchenpolitik und Gegnerschaft gegen Rasputin hervorgetreten. Als Oberprokuror amtierte er selbstherrlich. Immer wieder kam es zu Gegensätzen, wenn die Regierung ohne Konsultierung des Synods die Kirche betreffende Beschlüsse faßte oder sich in innerkirchliche Angelegenheiten einmischte.

Bereits am Tag nach seinem Amtsantritt bestand Oberprokuror Lwow auf der Entfernung der Metropoliten Pitirim von Petrograd und Makari von Moskau, die als Günstlinge Rasputins galten, aus dem Synod. Es blieb nicht dabei. Gegen den Einspruch des Synod wurde etwa zehn Tage später der bisherige durch Regierungserlaß aufgelöst und ein neuer Synod berufen. Von den bisherigen Mitgliedern blieb lediglich Erzbischof Sergi Stragorodski.

Die Provisorische Regierung stimmte der im März 1917

proklamierten Autokephalie der Georgischen Kirche zu, mit der die dort als drückend empfundene, mehr als hundert Jahre währende Eingliederung als Exarchat der Russischen Kirche ein Ende fand. Seitens der Russischen Orthodoxen Kirche erfolgte die Anerkennung der georgischen Autokephalie erst im Herbst 1943. Gegen den Widerstand des Synod verfügte die Regierung im Juni 1917, die ohnehin weitgehend vom Staat subsidierten kirchlichen Pfarrgemeindeschulen der staatlichen Aufsicht zu unterstellen und damit in das säkulare Schulsystem einzugliedern. Der Versuch, darüber hinaus den Religionsunterricht als Pflichtfach abzuschaffen, ließ sich nicht durchsetzen, wohl aber konnten jetzt Eltern auf schriftlichen Antrag ihre Kinder davon befreien. Das Dekret vom Juli über die «Freiheit des religiösen Gewissens» fußte auf dem Oktobermanifest des Jahres 1905. Es gewährte den freien Wechsel des Glaubensbekenntnisses beziehungsweise überhaupt den Autritt aus einer religiösen Gemeinschaft sowie für Ausgetretene die Möglichkeit einer säkularen Eheschließung.

Andererseits kam die Regierung den kirchlichen Reformbestrebungen entgegen. Ende April konnte der neue Synod die Einberufung des lange erwarteten Landeskonzils ankündigen und zu dessen Vorbereitung einen Vorkonzilsrat (Predsoborny sowjet) tätig werden lassen, der sich aus sechzig großenteils reformfreudigen Hierarchen, Priestern, Theologieprofessoren und Laien zusammensetzte. Die Materialien des Konzilsvorbereitungsausschusses von 1906 ermöglichten ein zügiges Vorankommen.

Die Reformanliegen waren in unterschiedlicher Orientierung wieder aufgelebt. Anfang März konstituierte sich ein «Allrussischer Verband der demokratischen orthodoxen Geistlichkeit», dem sich Mitglieder der einstigen «Gruppe der 32» anschlossen und als dessen Sekretär der später zu den «Erneuerern» übergehende Priester A. W. Wwedenski fungierte. Neben der Forderung weitgehender innerkirchlicher Reformen näherte sich dieser Verband auch sozialistischen Ideen an. Als etwas gemäßigt liberaler erwies sich der «Verband der fortschrittlichen Petrograder Geistlichkeit». Unterschiedliche Tendenzen zeigten sich ferner auf dem Ende Mai bis Anfang Juni

1917 in Moskau tagenden «Allrussischen Kongreß der Geistlichen und Laien». Eine beachtliche Aufgeschlossenheit gegenüber gesellschaftlichen Neuerungen, demokratischen Verwaltungsstrukturen und sozialen Reformen verband sich mit gleichzeitigem Festhalten an der bevorrechtigten Stellung der orthodoxen Kirche, den staatlichen Subventionen, obligatorischem Religionsunterricht und den kirchlichen Pfarrschulen.

Während manche der von Geistlichen und Laien in den Hauptstädten vertretenen Gedanken in der Provinz wenig Widerhall fanden, machte sich an einigen Orten die Unzufriedenheit mit Eparchialverwaltungen und Geistlichen zum Teil recht drastisch Luft. Mehrere Eparchialtagungen verlangten und erreichten beim Oberprokuror die Amtsenthebung mißliebiger Bischöfe, Gemeindeversammlungen setzten Priester ab. Es gab auch Fälle einer Vertreibung von Geistlichen aus ihren Gemeinden.

Deshalb erließ der Synod zur Aufrechterhaltung der kirchlichen Ordnung «Vorläufige Verordnungen», mit denen er bereits vor dem Konzil dem immer wieder geäußerten Reformverlangen nach breiterer Mitarbeit und Mitverantwortlichkeit nachkam. Drei Verordnungen von Anfang Mai bis Anfang Juli schufen zusätzlich zu den Konsistorien aus Geistlichen und Laien bestehende Eparchialräte, gewährleisteten eine Neuordnung der Pfarrgemeinden und führten auf den verschiedenen Ebenen das Wahlprinzip ein. Allerdings bedurfte die Wahl der Eparchialbischöfe der Bestätigung durch den Synod.

Die zum Teil durchaus gesellschaftsorientierte Reformwilligkeit änderte sich bald. Offenbar rief die Ausweitung der revolutionären Bewegung ein gewisses Erschrecken hervor. Gleichgültigkeit oder Ablehnung der Kirche griffen weiter um sich. Während die große Mehrheit der Bevölkerung das Ende des Krieges und eine Lösung des Agrarproblems verlangte, hielt die Kirche an den Besitzverhältnissen fest und unterstützte die Regierung bei der Fortführung des Krieges. Ein übriges taten die sich seit März ausbreitende, von den Bolschewiki unterstützte Bauernbewegung, die in manchen Gegenden auch Kirchen- und Klosterländereien beschlagnahmte, sowie offizielle Verlautbarungen wie die im März 1917 von Lenins Mitarbeiter W. D. Bontsch-Brujewitsch erhobene Forderung: «Eine Staatsreform mit der Trennung der Kirche vom Staat und der Schule von der Kirche ist herangereift und in der Zeit, in der wir leben, unumgänglich geworden.»

Selbst liberale Geistliche und Theologieprofessoren forderten unter dem Motto «Das Vaterland ist in Gefahr» zur Verteidigung der bestehenden Ordnung auf, und nach der Unterdrückung der Julidemonstrationen wandte sich der Synod öffentlich gegen die Bolschewiki. Zwar erstrebte die Mehrheit der Geistlichen und Laien die Freiheit der Kirche vor Eingriffen des Staates, aber keine die kirchlichen Rechte und Privilegien schmälernde Trennung der Kirche vom Staat. Die umgebildete Regierung unter Kerenski kam dem etwas entgegen. Anstelle von W. N. Lwow erhielt dessen bisheriger Gehilfe, der tiefgläubige Vorsitzende der Religionsphilosophischen Gesellschaft A. W. Kartaschow Ende Juli das Amt des Oberprokurors. Auf seine Initiative wurde schon zehn Tage später dieses Amt nach zweihundertjährigem Bestehen abgeschafft. Die Aufgaben der Kanzlei des bisherigen Oberprokurors übernahm ein für alle Religionsgemeinschaften zuständiges Ministerium für die Glaubensbekenntnisse. Als dessen Minister erklärte Kartaschow, nach dem bevorstehenden Landeskonzil solle der Synod auch von den letzten Bindungen des einstigen Oberprokurorenamtes befreit werden.

Die erneut konservativere Haltung zeigte sich in den Kirchenwahlen vom Juli und August. Fast überall wurden die erst im März und April abgesetzten Bischöfe wiedergewählt. Entsprechendes ergab sich bei der Wahl der Konzilsteilnehmer, so daß sich bereits jetzt die spätere Haltung des Landeskonzils abzeichnete. Diese Tendenzen bestimmten auch die Arbeit des Vorkonzilsrates.

2

Die erste Phase
des Landeskonzils von 1917/18

Endlich ließ sich das so lange erhoffte Konzilsvorhaben realisieren. Die Zusammensetzung entsprach den Reformanliegen. Außer den ohnehin teilnehmenden Bischöfen waren von jeder Eparchie zwei Geistliche und drei Laien gewählt worden, die in den Vollversammlungen gleichberechtigt beraten und beschließen konnten. Somit wurde im Unterschied zur älteren kirchlichen Praxis, bei der Konzilsbeschlüsse nur oder vorwiegend von Bischöfen gefaßt wurden, als Ausdruck der kirchlichen Sobornost die Ganzheit von Episkopat, Klerus und Laien betont. Diese inzwischen eingebürgerte Praxis kann zu einer neuen Sicht der Gültigkeit von Konzilsentscheiden führen. Galt nämlich, abgesehen von der altkirchlichen Bestätigung durch den byzantinischen Kaiser, ein Konzilsbeschluß letztlich erst dann als inspiriert und damit allgemeinverbindlich, wenn ihn die Kirche in ihrer Ganzheit als der Leib Christi rezipiert hatte, so ist nun diese Ganzheit — zumindest repräsentativ — bereits am Zustandekommen des Beschlusses beteiligt. Doch ergab sich für das Landeskonzil von 1917/18 eine Einschränkung, insofern die letztgültige Verabschiedung eines Beschlusses einer jeweiligen «Beratung der Bischöfe» vorbehalten blieb.

Die feierliche Eröffnung erfolgte am 15. August 1917, zu Mariä Himmelfahrt, in der diesem Fest geweihten Uspenski-Kathetrale des Moskauer Kreml, in weiteren 33 Moskauer Kirchen sowie mit einer großen Prozession auf dem Roten Platz.

Einen besonderen Akzent erhielt die Arbeit des Konzils bereits durch die Ansprachen, die tags darauf auf einer Eröffnungsversammlung in Moskaus größter Kirche gehalten wurden, der 1883 als Ausdruck des Dankes für den Sieg über die Heere Napoleons errichteten und bis 1931 existierenden Kirche «Christi des Erlösers». Minister Kartaschow unterstrich die Verbundenheit der Provisorischen Regierung mit der orthodoxen Kirche und schlug dem Konzil vor, ein Grundsatzmaterial

über die Beziehungen von Staat und Kirche zu beschließen —
ein Entwurf des Vorkonzilsrates lag bereits vor —, das der geplanten Konstituierenden Versammlung bei der Erarbeitung
eines neuen Grundgesetzes dienen könne. Das Landeskonzil
solle seine Autorität dazu nutzen, gegenüber der revolutionären Unruhe Volk und Armee zu Ruhe, Ordnung und Vater-
landsliebe aufzurufen. Mehrere Redner äußerten sich ähnlich.
Auf diese Weise prägte die Arbeit des Konzils von vornherein
eine über die eigentliche kirchliche Aufgabenstellung hinausgehende antirevolutionäre Tendenz.

Eigentlich sollte sich das Landeskonzil nur den anstehenden
innerkirchlichen Problemen widmen, deren Dringlichkeit in
den vergangenen Jahrzehnten immer augenfälliger geworden
war. Zwanzig Kommissionen widmeten sich einem umfassenden Programm: Strukturfragen von der obersten Kirchenleitung bis in die Pfarreien, Fragen von Gottesdienst, Predigt,
kirchlicher Disziplin, Mönchtum, Kunst, theologischer Ausbildung, kirchlichem Schulwesen und Religionsunterricht, innerer und äußerer Mission, die Problematik der Altgläubigen,
Eingläubigen und der georgischen Autokephalie bis hin zu
Vermögens- und Finanzproblemen. Nur einer unter den
vielen Komplexen galt der rechtlichen Lage der Kirche im
Staat. Dennoch hat, nicht zuletzt unter dem Druck der Ereignisse, dieses Problem ständig im Hintergrund gestanden und
dem Landeskonzil einen politischen Charakter verliehen, der
ursprünglich nicht vorgesehen war.

Dabei sah sich das Konzil in einem gewissen Gegensatz zur
Provisorischen Regierung. Man beschloß nämlich, gegen die
von ihr erlassenen Dekrete zu protestieren, und bestand auf
der weiteren kirchlichen Aufsicht über die Pfarrschulen und
der uneingeschränkten Beibehaltung des vom Staat zu finan-
zierenden Religionsunterrichts. Im Gespräch mit einer vom
Konzil entsandten Delegation blieb Ministerpräsident Kerenski unter Hinweis auf den nichtkonfessionellen Charakter
des Staates in der Schulfrage unnachgiebig.

Das wichtigste bleibende Ergebnis des Landeskonzils bestand in der Wiedererrichtung des Patriarchats. Schon im Konzilsvorbereitungsausschuß vom Jahre 1906 war es darüber zu

leidenschaftlichen Auseinandersetzungen gekommen. Der Vorkonzilsrat von 1917 hatte sich nicht auf die Wiedererrichtung
einigen können, und auch die Provisorische Regierung zeigte
sich wenig daran interessiert. Während sich für das Patriarchat
vor allem die Mehrheit der Bischöfe und der Laiendelegierten
aussprachen, widersetzten sich zunächst viele Vertreter des
Weißen Klerus und die meisten Professoren. Gerade die eifrigsten Liberalen fürchteten, ein Patriarch könne die auf allen
Ebenen angestrebte Kollegialität als Ausdruck der Sobornost
in Frage stellen. Demgegenüber betonten die Befürworter die
in der Synodalperiode aufgetretenen Nachteile sowie das Er-
forderliche eines erneuten Anknüpfens an die Strukturprinzi-
pien der Gesamtorthodoxie.

Noch waren die Diskussionen in vollem Gange, als sich die
Konzilsteilnehmer vor den neuen Gegebenheiten der Oktoberrevolution sahen. Angesichts der sich sogleich abzeichnenden
grundsätzlichen Wandlungen und der bewaffneten Auseinandersetzungen in Moskau entschloß sich das Konzil zu einem
umgehenden Entscheid, der auch die Einwände der Patri-
archatsgegner berücksichtigte. Man beschloß: Die oberste Kir-
chengewalt obliegt dem Landeskonzil (Pomestny sobor). Es
setzt sich aus Bischöfen, Klerikern und Laien zusammen und
ist periodisch, in bestimmten Zeitabschnitten, einzuberufen.
Die Patriarchenwürde wird wiederhergestellt. Als erster unter
den ihm gleichen Bischöfen steht der Patriarch an der Spitze
der Kirchenleitung. Er ist zusammen mit den kirchenleitenden
Organen dem Konzil gegenüber rechenschaftspflichtig.

Damit war die Patriarchenwürde auf der Grundlage des
Sobornost-Prinzips wiederbegründet. Der Patriarch, heißt es
weiter, leitet die Kirche gemeinsam mit zwei Gremien, in
denen er den Vorsitz führt, bei Stimmengleichheit entscheidet
und ein Vetorecht besitzt. Eines ist der Heilige Synod mit vier
Metropoliten und zwei Erzbischöfen für die Behandlung pastoraler und Glaubensfragen. Er heißt seitdem «Heiliger»
Synod. Die Bezeichnung «Heiligster», die während der Synodalperiode dem Synod beigelegt wurde, führt nunmehr der
Patriarch als Oberhaupt. Daneben trat ein für Verwaltungs-
und Rechtsfragen zuständiger Oberster Kirchenrat (Wysschi

Zerkowny Sowjet), dessen fünfzehn Mitglieder die Ganzheit der Kirche umfaßten.

Während der Kämpfe um den Kreml fand die Patriarchenwahl in der Kirche «Christi des Erlösers» statt. Aus einem Schrein mit den Zetteln der Namen der drei vom Konzil gewählten Kandidaten zog ein greiser Schimonach (Träger der zweiten Mönchsweihe) jenen mit dem Namen des Moskauer Metropoliten Tichon Belawin.

Wassili Belawin, wie er mit bürgerlichem Namen hieß, wurde 1865 als Sohn eines Priesters im Gouvernement Pskow geboren. Nach der Ausbildung in Pskow und an der Petersburger Akademie lehrte er am Pskower Seminar Dogmatik und Ethik. Im Jahre 1891 erhielt er beim Eintritt in den Mönchsstand den Namen Tichon im Gedenken an Tichon von Sadonsk. Der 1897 zum Bischof von Lublin Geweihte leitete 1898—1907 die russische Eparchie in Nordamerika, wo er 1905 die Würde eines Erzbischofs erhielt. Es folgte die Leitung der Eparchie Jaroslawl, seit 1914 von Litauen und Wilna, im Juli 1917 die Wahl zum Metropoliten von Moskau. Mit seiner feierlichen Inthronisierung zum Patriarchen im November 1917 endete die zweihundertjährige Synodalperiode der russischen Kirche.

3

Das grundsätzlich Neue
der Großen Sozialistischen Oktoberrevolution

In seinem Rechenschaftsbericht auf dem Landeskonzil des Jahres 1971 charakterisierte der jetzige Patriarch Pimen die anfängliche Haltung der Kirche gegenüber der jungen Sowjetmacht mit folgenden Worten: «Wir wissen, wie schwierig sich die Beziehungen zwischen der Russischen Orthodoxen Kirche und dem Sowjetstaat in der Zeit nach der Revolution gestalteten. Wir können die Verantwortung dafür jenen zahlreichen Männern der Kirche nicht abnehmen, die, eng mit den herrschenden Klassen verbunden und durch die Große Soziali-

stische Oktoberrevolution ihrer Vorrechte beraubt, die epochale
Bedeutung der Oktoberereignisse für die positive Umgestaltung unseres Vaterlands, ja für die historische Entwicklung
der ganzen Welt nicht zu erkennen vermochten.»

Durch den Sturm auf das Winterpalais und die Verhaftung
der Provisorischen Regierung gelangte alle Macht in die Hände
der Sowjets der Arbeiter-, Soldaten- und Bauerndeputierten,
des auf dem II. Gesamtrussischen Sowjetkongreß gewählten
Rates der Volkskommissare unter Führung Lenins. Mit den
Dekreten über den Frieden und über Grund und Boden als den
ersten Gesetzen der Sowjetmacht begann der Aufbau einer
sozialistischen Gesellschaftsordnung.

Für das Verständnis des Verhältnisses von Kirche und Staat
zur Zeit der Oktoberrevolution und die sich bald abzeichnenden harten, der Kirche bittere Rückschläge bringenden Auseinandersetzungen muß man sich die damaligen gegensätzlichen Positionen vor Augen halten.

Die von der jungen Sowjetmacht verwirklichten Maßnahmen beruhten auf zwei Voraussetzungen:

1. der weltanschaulichen Unvereinbarkeit des dialektischen
und historischen Materialismus mit religiösem Glauben und
2. der Haltung gegenüber der Russischen Orthodoxen Kirche,
in der man den Verbündeten des russischen Zarentums und
auch nach dessen Sturz einen Verfechter der zu beseitigenden
Ausbeuterordnung sah.

Demgegenüber läßt sich, trotz unterschiedlicher Tendenzen
und Einsichten, die damalige Position der Russischen Orthodoxen Kirche aufs ganze gesehen etwa so charakterisieren:

1. Der Dienst zum Heil des Menschen und damit des ganzen
Volkes im gottesdienstlichen Geschehen, in der Verkündigung
und leiblichen Nöten abhelfender Karitas, das Bemühen, dem
vom Evangelium gewiesenen Auftrag gerecht zu werden, war
vorstellbar nur im Verbessern, aber doch grundsätzlichen Bewahren der überkommenen gesellschaftlichen Verhältnisse mit
der durch diese gewährleisteten kirchlichen Vorrangstellung
und allen sich daraus ergebenden Privilegien, Wirkungswei-
sen und Besitzrechten.

2. Durch Herkunft, Erziehung oder eigenen Besitz gewollt oder

ungewollt mit der überkommenen Ordnung und den bisher Herrschenden verbunden, verkannten die maßgebenden Kreise der Hierarchie und der kirchlichen Laien die auf eine Verwirklichung menschlicher Grundanliegen ausgerichtete Zielsetzung der Revolution. Deshalb wandte man sich gegen deren Verfechter als gegen Gottlose, deren apokalyptisch anmutendes Vorgehen zur Störung aller Ordnung, zu Zwietracht und Brudermord führe und dabei auch vor Kirche und Religion nicht haltmache.

Bedenkt man außerdem die zum Teil anarchischen Zustände während des Bürgerkrieges, die Folgeerscheinungen von wirtschaftlichem Rückgang und Hungersnöten, so läßt sich eine etwaige Vorstellung von der zeitweilig außerordentlichen Härte der Auseinandersetzungen und Übergriffe gewinnen.

Das sogleich nach der Oktoberrevolution vom II. Sowjetkongreß angenommene Dekret über Grund und Boden sowie das darauf basierende Dekret über die Landkomitees vom 4. 12. 1917 betraf außer den Gutsbesitzer- und Kronländereien auch die der Kirche und den Klöstern gehörenden, die bisher eine entscheidende materielle Grundlage darstellten. Die Deklaration über die Rechte der Völker Rußlands vom 2. 11. beinhaltete das Aufheben aller nationalen und religiösen Vorrechte, also auch der bisherigen Privilegien der russischen Kirche.

Weitere, im Dezember 1917 erlassene Gesetze unterstellten das gesamte Schulwesen einschließlich der theologischen Ausbildungsstätten dem Volkskommissariat für Bildung, erkannten allein den standesamtlichen Eheschließungen und Scheidungen Rechtskraft zu und übertrugen die bisher in den Pfarrgemeinden geführten Personenstandsregister über Geburten, Eheschließungen und Todesfälle der ausschließlichen Kompetenz staatlicher Behörden. Ferner wurde noch im Dezember dem Rat der Volkskommissare der Entwurf eines Grundsatzdekrets über die Trennung von Kirche und Staat zur Behandlung übergeben. Anfang Januar 1918 beschlossen die betreffenden Volkskommissariate die Entlassung aller Militärgeistlichen sowie die Einstellung aller Zahlungen für den Unterhalt von Kirchen, Geistlichen und Religionslehrern. Ende Januar

1918 führte man im Staat anstelle des bisherigen Julianischen den Gregorianischen Kalender ein.

Maßgebende Bedeutung erhielt das die bisherigen Einzelbeschlüsse aufgreifende Grundsatzdekret «Über die Trennung der Kirche vom Staat und der Schule von der Kirche», das nach eingehenden Beratungen, an denen sich Lenin selbst beteiligte, am 23. 1. 1918 veröffentlicht wurde. Darin werden die in der Überschrift genannten Hauptmomente unter dem Gesichtspunkt der Gewissensfreiheit gesehen: Aus dem Bekennen oder Nichtbekennen eines religiösen Glaubens dürfen sich weder Vorrechte noch Rechtsnachteile ergeben (Art. 2 u. 3). Die freie Ausübung religiöser Riten wird gewährleistet, soweit dies die öffentliche Ordnung nicht stört und sich kein Gläubiger bürgerlichen Pflichten entzieht (Art. 5 u. 6). Öffentliche Handlungen werden nicht mit religiösen Zeremonien verbunden, der religiöse Eid wird abgeschafft, die Registrierung von Geburten usw. den staatlichen Behörden übertragen (Art. 4, 7 u. 8). In Lehranstalten mit allgemeinbildenden Fächern wird kein Religionsunterricht zugelassen, er kann aber privat erfolgen (Art. 9). Als private Gesellschaften besitzen die Glaubensgemeinschaften nicht die Rechte einer juristischen Person, haben kein Eigentumsrecht, erhalten keine staatlichen Zuwendungen und dürfen nicht zwangsweise Geldbeträge erheben (Art. 10, 11, 12). Die entsprechenden, in Volkseigentum befindlichen Gebäude und Gegenstände können für gottesdienstliche Zwecke zur kostenlosen Nutzung übergeben werden (Art. 13).

Man darf nicht übersehen, daß es sich hierbei um eine für alle Religionsgemeinschaften in gleicher Weise geltende Regelung handelte, also auch für die Georgische, Armenische und Römisch-katholische Kirche, Altgläubige, Lutheraner, Evangeliumschristen, Baptisten, die verschiedenen christlichen Sekten, Angehörige jüdischen, mohammedanischen, buddhistischen und lamaistischen Glaubens. Freilich sah sich die bisherige orthodoxe Staatskirche am spürbarsten betroffen, während es zum Beispiel Altgläubige und die evangelischen Freikirchen begrüßten, daß ihre bisherige rechtliche Benachteiligung aufgehoben wurde.

Die neuen Grundsätze fanden ihren Niederschlag in der vom V. Allrussischen Sowjetkongreß am 10. 7. 1918 angenommenen Verfassung der RSFSR, deren Artikel 13 lautete: «Um den Werktätigen wirkliche Gewissensfreiheit zu sichern, ist die Kirche vom Staat und die Schule von der Kirche getrennt und wird allen Bürgern die Freiheit der religiösen und antireligiösen Propaganda zuerkannt.» In einer Zeit harten Kampfes gegen die sich festigende Gegenrevolution sah diese Verfassung eine Einschränkung des Wahlrechtes für potentielle Gegner vor, unter ihnen auch die Angehörigen des Klerus und des Mönchtums (Art. 65).

Mit der am 24. 8. 1918 vom Volkskommissariat der Justiz erlassenen «Instruktion» zur Verwirklichung des Dekrets über die Trennung von Kirche und Staat, der die bisher gemachten Erfahrungen zugrunde lagen, waren die entscheidenden Rechtsbestimmungen erlassen. In der Instruktion, die bis 1929 gültig blieb und unter anderem den Modus für die Benutzung von Kirchengebäuden und Inventar regelte, heißt es, diese könnten von den lokalen Behörden einer Gruppe von «nicht weniger als zwanzig Leuten» übertragen werden. Damit wurde die Verantwortung einem Gemeindekreis, also Laien, als konstitutivem Kern der Gemeinde übertragen, der «Dwazatka» (Zwanzigergruppe), wie es bis heute üblich ist.

Da die Durchführung dieser völlig neuen gesetzlichen Bestimmungen in jener Umbruchzeit mit Mißverständnissen und Fehlverhalten verbunden war, erließ das Volkskommissariat der Justiz am 3. 1. 1919 ein Zirkular. Darin wurden alle Behörden zu strikter Befolgung der in der Instruktion festgelegten Bestimmungen angehalten, nämlich Kirchen und Inventar diesen Bestimmungen entsprechend zu gewähren, sich administrativer Eingriffe in Gemeindebelange, repressiver Maßnahmen gegen Geistliche und jeder Verletzung religiöser Gefühle zu enthalten. Denn jede Maßnahme, heißt es in Artikel 5, «die begleitet ist von völlig unnötigen Ausfällen gegen diesen oder jenen Kult, wie es mancherorts geschehen ist, schafft nur eine falsche Vorstellung von den Kampfmethoden der Sowjetmacht gegen die Vorurteile des Volkes».

4

Die Haltung des Landeskonzils von 1917/18 nach der Oktoberrevolution

In der Annahme, erst die Konstituierende Versammlung werde legitim über eine neue Staatsform entscheiden, sahen die meisten Teilnehmer des Landeskonzils in der jungen Sowjetmacht zunächst nur ein bald vorübergehendes Provisorium. Die durch Beschuß des von Junkern verteidigten Moskauer Kreml an den dortigen Kathedralen entstandenen Schäden betrachtete man als Schändung der russischen Heiligtümer. Doch kam es nach anfänglichem kirchlichem Zögern zu Absprachen mit den Sowjetbehörden über das Begräbnis der Gefallenen, und selbst konservative Bischöfe äußerten, Ungläubige gebe es unter Junkern und Bolschewiki, aber die Kirche müsse für beide beten.

Die Konzilsteilnehmer wandten sich im November 1917 gegen die mit Deutschland eingeleiteten Friedensverhandlungen, da hierzu nur eine rechtmäßige Regierung befugt sei. Und zu deren im März 1918 erfolgten Abschluß erklärte der Patriarch in einem Sendschreiben, zwar sei die Kirche dankbar für das Ende des Blutvergießens, doch würden die schmachvollen Bedingungen, darunter der Verlust der «von alters her rechtgläubigen Ukraine», keinen wirklichen Frieden ermöglichen.

Da man noch mit einer Neuregelung des Verhältnisses von Kirche und Staat durch die Konstituierende Versammlung rechnete, verabschiedete das Konzil, gestützt auf die Vorlage des Vorkonzilsrates, in der sich auch die vom Allrussischen Kongreß der Geistlichen und Laien vom Juli 1917 erhobenen Forderungen widerspiegelten, am 2. 12. 1917 einen «Beschluß über die rechtliche Stellung der Orthodoxen Russischen Kirche». Es müsse, heißt es bereits eingangs, «im russischen Staat die Vorrangstellung unter allen übrigen Bekenntnissen in öffentlich-rechtlicher Hinsicht» gewahrt bleiben. Dieser Beschluß erweist sich als ein Maximalprogramm, demzufolge alle bisherigen, detailliert aufgezählten Rechte und Privilegien beibehalten, die staatliche Bevormundung der Synodalperiode verhindert und alle von der Provisorischen Regierung nach der Februarrevolution erlassenen, die Kirche beeinträchtigenden Gesetze wieder aufgehoben werden sollten. Als selbstverständlich galt es, daß das Staatsoberhaupt sowie die Minister für Religionsangelegenheiten und Volksbildung orthodoxen Glaubens seien. Der Beschluß ignorierte die mit der Oktoberrevolution eingetretenen Veränderungen. Und manches realistisch denkende Konzilsmitglied zweifelte daran, ob diese Forderungen oder auch nur Teile davon überhaupt noch durchführbar seien.

Im Zusammenhang mit Auseinandersetzungen bei der Realisierung der neuen sowjetischen Gesetze, insbesondere aber angesichts des blutiger werdenden Bürgerkrieges, entschloß sich Patriarch Tichon, während sich die Konzilsteilnehmer noch in den Weihnachtsferien befanden, mit seinem Hirtenbrief vom 19. 1. 1918 zu einem Schritt von folgenschwerer Tragweite. Der Patriarch prangerte darin die «offenen und versteckten Feinde» der Wahrheit Christi an, die durch Haß, Bruderzwist und Blutvergießen im ganzen Land das «Werk des Satans» ausführten, und erklärte: «Durch die uns von Gott verliehene Gewalt verbieten wir euch den Zutritt zu den Sakramenten Christi, sprechen gegen euch das Anathema aus, sofern ihr überhaupt noch christliche Namen tragt und, wenigstens der Geburt nach, zur Orthodoxen Kirche gehört.» Mit solchen, schrieb er, dürfe kein treues Glied der Orthodoxen Kirche Gemeinschaft pflegen. Er wies darauf hin, daß Taufe und kirchliche Eheschließung als nicht mehr notwendig gelten, der Kirche die Lehrmöglichkeit und ihr Besitz genommen wurde. Er wandte sich gegen Übergriffe durch die «gottlosen Herrscher der Finsternis dieser Zeit», die nicht das Recht hätten, «sich Verfechter des Volkswohls und Erbauer eines neuen Lebens» zu nennen. Schließlich rief Tichon alle Gläubigen auf, sich, zum Beispiel in geistlichen Vereinigungen, zum Schutz der Kirche zusammenzuschließen. Als das Konzil nach den Weihnachtsferien am 20. 1. 1918 wieder zusammentrat, billigte es einmütig diesen Hirtenbrief.

Im Hirtenbrief wurde die Sowjetmacht mit keinem Wort

erwähnt. Bis heute bleibt es umstritten, wem das Anathema galt. Es ist nicht ausgeschlossen, daß es der Patriarch in für ihn unübersichtlichen Verhältnissen auf die unterschiedlichsten an den blutigen Auseinandersetzungen beteiligten Kräfte bezog. Aber angesichts der ablehnenden Haltung gegenüber der Sowjetmacht, gegen die sich der zweite Teil des Schreibens eindeutig richtet, wurde dieser Hirtenbrief für die Gläubigen zu einem Symbol des Widerstandes und für die Sowjetmacht zum Ausdruck konterrevolutionären Verhaltens.

Wenige Tage später, am 23. 1. 1918, erschien das bereits erwähnte Dekret «Über die Trennung der Kirche vom Staat und der Schule von der Kirche». Dagegen sowie gegen die im Dezember erlassenen Dekrete erhob das Konzil lebhaften Protest. Die Aussprache einer Konzilsdelegation darüber mit Vertretern des Rates der Volkskommissare im März 1918 blieb ohne Erfolg.

Zwar klingt in Tichons zu Reue und Buße mahnendem Fastenbrief vom Juli 1918 an, daß die Leiden und Nöte des Volkes auch «durch unsere Sünde», also die Kirche, mitverschuldet seien, er wendet sich aber zugleich gegen den Versuch, «das Paradies auf Erden zu errichten». So zeichnete sich eine zunehmende Konfrontation ab. Die weiteren, Wirtschafts- und Finanzfragen betreffenden sowie die Herausgabe kirchlicher Gegenstände als gotteslästerlich ablehnenden Konzilsbeschlüsse ignorierten die gesetzlichen Bestimmungen oder widersprachen ihnen.

Mit der Übernahme des Anfang 1918 im Staat eingeführten Gregorianischen Kalenders befaßte sich eine Konzilskommission. Sie hielt die Übernahme für möglich unter der Voraussetzung, daß der Patriarch die Zustimmung der übrigen orthodoxen Kirchen erhalte. Dazu ist es jedoch nicht gekommen. Andere Konzilsbeschlüsse ergaben sich aus den veränderten Staatsgrenzen. Während die orthodoxe Eparchie Warschau weiter als zur Russischen Orthodoxen Kirche gehörig betrachtet wurde, billigte ein Beschluß vom September 1918 die Anerkennung einer autonomen ukrainischen Kirche.

Trotz der politischen Ausrichtung, die das Konzil in der damaligen Situation erfuhr, darf nicht dessen eigentliche Zielstellung und Arbeit übersehen werden, die, gestützt auf die vielfältigen Reformbestrebungen, der russischen Kirche neue geistliche Impulse vermitteln wollte. In dieser Hinsicht gab es vielerlei Beschlüsse. Viele von ihnen, zum Beispiel über die karitative Arbeit und Wohltätigkeitseinrichtungen, eine erweiterte kirchliche Bildungsarbeit, die Verwendung kirchlichen Eigentums und jährliche Geldsammlungen, blieben wirkungslos, weil sie von nicht mehr gegebenen Verhältnissen ausgingen. Dagegen sind andere Beschlüsse zumindest teilweise oder indirekt für die weitere Entwicklung der Russischen Orthodoxen Kirche bestimmend geblieben.

So diente ein Konzilsbeschluß vom Dezember 1917 einer Wiederbelebung der vielfach vernachlässigten Predigttätigkeit. Gestützt vor allem auf Kanon 64 des Konzils von 692 (II. Trullanum), wurde die Predigt als «eine Hauptpflicht pastoraler Tätigkeit» der Geistlichen herausgestellt. Mit dem Segen des Bischofs und unter Zustimmung des Ortsgeistlichen dürfen auch Laien predigen. Es wurde für Geistliche, Mönche und Laien die Einrichtung spezieller Predigerkurse vorgesehen.

Unter dem Gesichtspunkt der Sobornost wurde einer möglichst vielseitigen aktiven Mitarbeit der Laien große Beachtung geschenkt. Im Gegensatz zur Synodalperiode beschloß man nun ihre verantwortliche Einbeziehung und Mitbestimmung auf den verschiedenen Ebenen mit Ausnahme des Heiligen Synod. Im Mittelpunkt stand hierbei das am 20. 4. 1918 verabschiedete Pfarrgemeindestatut. Danach sind alle Gemeindeangelegenheiten von der mindestens halbjährlich einzuberufenden Gemeindeversammlung zu entscheiden. Die von dieser vorgeschlagenen Kandidaten für das geistliche Amt hat der Bischof bei der Stellenvergabe zu berücksichtigen. Die Gemeindeversammlung wählt die für den Gemeindehaushalt Verantwortlichen, darunter den Kirchenältesten (starosta), der nunmehr auch eine Frau sein kann. Sie wählt ferner den Kirchgemeinderat, der sich paritätisch aus Geistlichen und Laien zusammensetzt und unter Vorsitz des Vorstehers der Pfarrkirche allein für die geistlichen Fragen verantwortlich ist. Somit gründeten sich Struktur und Arbeit der Gemeinde maßgeblich auf die Mitwirkung von Laien. Das ist, wenn auch in abgewandelter Form, geltend geblieben.

Als Ergänzung dessen versteht sich der Beschluß «Über die Heranziehung der Frauen zu tätiger Mitarbeit auf den verschiedenen Gebieten kirchlichen Dienstes» vom 20. 8. 1918. Er eröffnet den Frauen vielfältige Wirkungsmöglichkeiten, in Ausnahmefällen auch das Amt eines Psalmisten, «jedoch ohne Aufnahme in den Klerus».

Die Konzilsarbeit ist, wenn auch immer unregelmäßiger und mit abnehmender Teilnehmerzahl, bis zum September 1918 weitergeführt worden. Patriarch Tichon wurde beauftragt, das nächste Landeskonzil für Herbst 1921 einzuberufen. Doch dazu ist es nicht gekommen.

Dieses erste Landeskonzil seit der zweiten Hälfte des 17. Jahrhunderts leitete in mehrfacher Hinsicht eine kirchliche Neuorientierung ein:

1. Es beendete die zweihundertjährige Synodalperiode der russischen Kirche durch die Wiedererrichtung des Moskauer Patriarchats.

2. Trotz Anknüpfens an die alte Konzilspraxis wurde jetzt dem Gedanken der Sobornost in Gestalt einer lebendigeren Gemeinschaft von Episkopat, Klerus, Mönchtum und Laien in der Arbeit des Konzils selbst wie auch in seinen Beschlüssen stärkerer Ausdruck verliehen.

3. Im Erleben der Großen Sozialistischen Oktoberrevolution stand es als erstes Konzil im Zeichen der Trennung von Kirche und Staat. Es erwies sich als folgenschwer, daß damals den meisten Teilnehmern das Verständnis für die sich in Rußland vollziehenden Wandlungen abging. Das Bewahren des Glaubens schien vielen identisch zu sein mit dem Festhalten an den alten gesellschaftlichen Verhältnissen. Noch war es für die meisten unvorstellbar, daß Kirche-Sein ohne staatliche Absicherung und Privilegien möglich ist, ja dem eigentlichen Wesen der Kirche entspricht.

5

Die Zeit und die Folgen
des Bürgerkrieges

Die kirchliche Haltung während des Bürgerkrieges und der Intervention durch ausländische Truppen wurde von der jeweiligen Entwicklung, mangelnder Information und auch fehlender Einsicht in die größeren Zusammenhänge mitgeprägt. In einem anläßlich des ersten Jahrestages der Oktoberrevolution an den Rat der Volkskommissare gerichteten Schreiben machte Patriarch Tichon diese für die blutigen Auseinandersetzungen verantwortlich. Es war der schärfste Angriff, den der Patriarch gegen die Sowjetregierung richtete. In den noch oder zeitweilig wieder außerhalb des sowjetischen Machtbereichs befindlichen Territorien sympathisierten viele Geistliche mit den Behörden und Armeen der Weißen, von denen sie eine Wiederherstellung der Ordnung erhofften. In einigen Gegenden aufgestellte «Jesus-Regimenter» blieben allerdings kirchlicherseits umstritten. Eine besonders radikale Haltung bezeigte, unterstützt von den dort durch die deutsche Besatzungsmacht geduldeten beziehungsweise eingesetzten Regierungen, die Oberste Kirchenverwaltung der autonom gewordenen Ukrainischen Kirche. Für die Sowjetregierung bedeutete all dies ein konterrevolutionäres Verhalten der Kirche und besonders des höheren Klerus.

Die damalige kirchliche Position muß freilich differenziert gesehen werden. Selbst in der Emigrantenliteratur hat man erkannt, daß damals zahllose gläubige Arbeiter und Bauern allein von einem Sieg der Roten Armee eine Verbesserung ihrer Lage erwarteten. Auch Patriarch Tichon bemühte sich, zu einer Wesen und Auftrag der Kirche entsprechenden Haltung zu lenken. Gerade in jener Phase des Bürgerkrieges, als die Weißen ihre größten Erfolge erlangten, rief er in seinem Hirtenbrief vom 25. 9. 1919 alle Bischöfe und Geistlichen auf, sich allein von kanonischen Grundsätzen leiten zu lassen und sich nicht in den Bürgerkrieg einzumischen. Im Abhalten von Gottesdiensten für die Weißen, wie es vielfach geschehen sei,

sieht der Patriarch einen den Kanones widersprechenden Mißbrauch zu politischen Zwecken. Die Diener der Kirche müßten
sich frei machen von dem Verdacht einer «versteckten Konterrevolution zum Sturz der Sowjetordnung». Über die Regierungsform zu bestimmen sei nicht Sache der Kirche, sondern
allein des Volkes. Das Wort: «Seid untertan aller menschlichen Ordnung» (1. Petrus 2, 13), sofern dies nicht dem Glauben widerspricht, gelte auch im Verhältnis zur Sowjetmacht.
Somit zeichnete sich hier ein Ansatz zu deren Anerkennung ab.

Ähnliches bezeugt auch der spätere Bericht des Fürsten G. N.
Trubezkoi, eines Teilnehmers des Moskauer Landeskonzils,
der sich den Weißen anschloß. Des Fürsten Bitte, einem Repräsentanten der Weißgardisten den Segen des Patriarchen
überbringen zu dürfen, hatte Tichon nach diesem Bericht mit
dem Hinweis abgelehnt, «er halte dies zu tun für nicht möglich, denn ... er wolle nicht nur dem Scheine nach, sondern
wahrhaftig (po sustschestwu) dem Vorwurf einer wie auch
immer gearteten Einmischung der Kirche in die Politik entgehen».

Während sich nach dem Ende des Bürgerkrieges eine gewisse Beruhigung abzeichnete, sollte es im Zusammenhang
mit der durch eine Dürre vom Sommer 1921 in weiten Teilen
besonders des Wolgagebietes verursachten katastrophalen
Hungersnot zum härtesten und folgenschwersten Konflikt
zwischen Kirche und Staat kommen. Angesichts der durch vier
Jahre Weltkrieg und drei Jahre Bürgerkrieg erlahmten Wirt-
schaftskraft des Landes mußten für die notwendig gewordene
Lebensmitteleinfuhr alle verfügbaren Mittel ausgeschöpft werden. Kirchlicherseits wurden Sammlungen für Geld und Lebensmittel durchgeführt. Auch sandte Patriarch Tichon im
August 1921 an die Patriarchen der orthodoxen Kirchen, an
den Papst, den Erzbischof von Canterbury und den Bischof
der anglikanischen Protestant Episcopal Church in New York
ein Hilfeersuchen für die Nöte des russischen Volkes.

Nun verfügte die Kirche über jene im Verlauf von Jahrhunderten geschenkten Reichtümer an kostbaren Geräten und
Wertgegenständen, die teils gottesdienstlich genutzt, teils in
den Sakristeien aufbewahrt wurden. In einem Aufruf vom

19. 2. 1922 billigte Patriarch Tichon das Spenden kirchlicher Wertgegenstände, sofern sie nicht im Gottesdienst Verwendung finden und konsekriert sind. Viele Bischöfe, Geistliche und Gemeinden kamen dem weitherzig nach, da ihnen die Not der Menschen mehr galt als kanonische Bedenken.

Am 23. 2. 1922 erließ das staatliche Zentralexekutivkomitee ein Dekret zur Entnahme (isjatije) der Wertgegenstände, die als Volkseigentum «den Gruppen von Gläubigen aller Religionen gemäß Inventarverzeichnis und Vertrag zur Nutzung übergeben» waren. Das Dekret enthielt die Einschränkung, durch die Entnahme solle der Kult nicht beeinträchtigt werden.

Das Dekret ging von den durch die staatlichen Gesetze festgelegten Eigentumsverhältnissen aus. Für die Kirchenleitung, und diese Auffassung vertrat man auch in den Gemeinden, galt aber von alters her alles der Kirche und damit eigentlich Gott Geopferte als unantastbares «Gotteseigentum». Zwar kannte das Kirchenrecht diesbezüglich keine eindeutigen Eigentumsbestimmungen. Doch betonte einer der letzten Beschlüsse des Moskauer Landeskonzils vom 12. 9. 1918, die staatlichen Gesetze ignorierend, als «Gotteseigentum» befänden sich Kirchengebäude und Inventar in ausschließlichem Besitz der Kirche.

Patriarch Tichon reagierte auf das Dekret mit einem ungewöhnlich scharfen Aufruf vom 28. 2. 1922. Wohl rufe er weiter dazu auf, nicht geweihte und nicht in gottesdienstlichem Gebrauch befindliche Gegenstände zu opfern. «Wir können aber nicht die Wegnahme, auch nicht als freiwilliges Opfer, der geweihten Gegenstände aus den Kirchen billigen, deren Gebrauch für andere als gottesdienstliche Zwecke durch Gesetz der Gesamtkirche verboten ist und von ihr als Sakrileg bestraft wird: beim Laien durch Exkommunikation, beim Geistlichen durch Entkleidung seiner Würde.»

Später haben orthodoxe Theologen und Kirchenrechtler den damaligen Standpunkt des Patriarchen mit dem Hinweis korrigiert, die von ihm angeführten Kanones (Apostolische Konstitutionen 73, II. Trullanum, Kanon 10) bezeichneten als Sakrileg nur den Raub und den Gebrauch für persönliche Zwecke, während andere Bestimmungen die Abgabe geistlicher Geräte für den Loskauf von Gefangenen und andere menschliche Notlagen durchaus billigten.

Die entstandenen Gegensätze erfuhren eine spürbare Verschärfung durch das Verhalten der russischen Emigranten. Diese hatten zunächst in Konstantinopel und danach im zu Jugoslawien gekommenen Karlowitz (Sremski Karlovcy) eine vorläufige Oberste Kirchenverwaltung im Ausland geschaffen und dort vom 21. 11. bis 2. 12. 1921 eine Synode abgehalten. Sie stand unter Leitung des bisherigen Kiewer Metropoliten Antoni Chrapowizki, eines unversöhnlichen Antikommunisten. Antoni wurde später zum Ehrenvorsitzenden des 1926 in Bad Reichenhall geschaffenen Obersten monarchistischen Rates gewählt, dessen Vorsitzender, N. E. Markow, ebenso wie andere Monarchisten, zu den maßgebenden Teilnehmern der Karlowitzer Synode gehörte. Für die Haltung der Karlowitzer Richtung ist es charakteristisch, daß sie in ihren Botschaften eine Wiedergeburt Rußlands mit einer «christlichen monarchistischen Struktur» unter einem neuen Zaren aus dem Hause Romanow proklamierten und die emigrierten Weißgardisten aufforderten, sich als ein «wahrhaft kreuztragendes Heer» auf die Befreiung Rußlands von den Bolschewiki vorzubereiten.

Darüber hinaus richtete der Vorsitzende der Obersten Kirchenverwaltung, Metropolit Antoni, im Namen der Karlowitzer einen am 1. 3. 1922 veröffentlichten Appell an die nach Genua einberufene Weltkonferenz, in dem die in Rußland herrschende Hungersnot als Folge der Sowjetherrschaft hingestellt, vor jeder Anerkennung der Sowjetregierung gewarnt und abschließend dazu aufgerufen wird: «Völker Europas, Völker der Welt! Helft den ehrbaren russischen Bürgern! Gebt ihnen Waffen in die Hand, schickt ihnen euere Freiwilligen und helft, den Bolschewismus ... aus Rußland und der ganzen Welt zu vertreiben.»

Bereits wenige Wochen später wurden diese Erklärungen der Karlowitzer in der gemeinsamen Sitzung von Heiligem Synod und Oberstem Kirchenrat unter Vorsitz von Patriarch Tichon zurückgewiesen als «Akte, die nicht die offizielle Stimme der Russischen Orthodoxen Kirche ausdrücken und

wegen ihres rein politischen Charakters keine kirchlich-kano-
nische Bedeutung haben». Die Oberste Kirchenverwaltung
im Ausland wurde wegen ihres die Kirche schädigenden politischen Verhaltens für aufgelöst erklärt und die Leitung der
Auslandsgemeinden dem Metropoliten Jewlogi (Georgijewski)
übertragen.

Da aber die Karlowitzer ihre Verbundenheit mit der Heimatkirche betonten, den Metropoliten Antoni, ohne Tichons
Billigung, als Stellvertreter des Patriarchen bezeichneten und
behaupteten, alle ihre Beschlüsse würden dem Patriarchen zur
Bestätigung vorgelegt, erschien nun letzterer den Sowjetbehörden als mitverantwortlich für das Vorgehen der Karlowitzer
und das Verhalten der Kirche in der Frage der Kirchenschätze
folglich als konterrevolutionär. Es folgten zahlreiche Verhaftungen, wurde Bischöfen, Priestern und Laien, die sich der Abgabe der Wertgegenstände widersetzten, wegen konterrevolutionären Verhaltens der Prozeß gemacht. Am 9. 5. 1922 wurde
auch Patriarch Tichon unter Hausarrest gestellt und gegen ihn
Anklage erhoben.

6

Die Abspaltung der «Erneuerer»

Die Auseinandersetzungen um die Kirchenschätze hatten im
kirchlichen Leben tiefe Spuren hinterlassen. Nun wurde die
Einheit der Kirche durch die verschiedenen Gruppierungen der
«Erneuerer» (Obnowlenzy) in Frage gestellt. Die Erneuerung
der russischen Kirche war bereits seit Anfang des Jahrhunderts ein verbreitetes Anliegen. Es bestimmte die Konzilsvor-
arbeiten und fand in wichtigen Beschlüssen des Moskauer
Landeskonzils von 1917/18 konkreten Ausdruck. Dabei ging
es um das Vermitteln neuer Impulse, um das Überwinden von
Momenten, die Leben und Verwirklichung des Auftrages der
Kirche hemmten.

Die «Erneuerer» wollten weiter gehen. Das Landeskonzil
ließ eine Reihe von Problemen ungelöst. Außerdem hatten

sich die radikaleren Forderungen nicht durchsetzen können. Ihre Anhänger sahen gerade die gegen ihren Willen beschlossene Wiedererrichtung des Patriarchats als Rückkehr zu monarchischen Prinzipien und damit zu einer restaurativen Haltung der Kirche an. Als Beweis dafür galt ihnen das Verhältnis von Patriarch und Hierarchie zur Sowjetmacht, insbesondere während der Auseinandersetzungen um die kirchlichen Wertgegenstände. Dabei verbanden sich bei der sehr unterschiedlichen Zielsetzung der «Erneuerer» legitime theologische Ansätze und notwendige gesellschaftliche Erkenntnisse mit überspitzten und abwegigen Momenten, die bei manchen ihrer Repräsentanten wohl mehr vom persönlichen Ehrgeiz als sinnvollem Erneuerungsstreben getragen waren.

Trotz konservativer Grundhaltung stand Patriarch Tichon kirchlichen Reformanliegen nicht ablehnend gegenüber. Er ließ es auch in seiner eigenen Kathedrale zu, daß Teile der Gottesdienste statt in kirchenslawischer in russischer Sprache zelebriert wurden. Als sich jedoch vielerorts Neuerungen bemerkbar machten, verbot er durch ein Schreiben vom 17. 11. 1921 alle liturgischen Abweichungen wie den Gebrauch der Volkssprache oder eigenmächtige Kürzungen. Obwohl er darauf hinwies, Änderungen müßten erst von der ganzen Kirche entschieden werden, verbreitete die innerkirchliche Opposition, er widersetze sich jedem Reformanliegen.

Aus schon bestehenden kleineren Gruppierungen entfaltete sich eine größere Bewegung im Zusammenhang mit der Auseinandersetzung um die kirchlichen Wertgegenstände. Ein von einigen Bischöfen unterstütztes Gremium oppositioneller Priester, unter ihnen A. W. Wwedenski und W. D. Krasnizki, nahm den Arrest des Patriarchen Tichon zum Anlaß, ihn zu entmachten und selbst die Kirchenleitung zu übernehmen. Bereits nach drei Tagen, am 12. 5. 1922, suchte ihn eine Delegation im Hausarrest auf, verlangte seinen Rücktritt und die Einberufung eines Landeskonzils für eine Neuregelung der Kirchenleitung. Tichon soll erklärt haben, es wäre ihm eine Erleichterung, wenn ihn ein Landeskonzil von der Kreuzesbürde des Patriarchenamtes befreie. Bis dahin sei er bereit, die Amtsgeschäfte einem der ältesten Hierarchen zu übertragen, und beauftragte damit den Metropoliten Agafangel (Preobrashenski) von Jaroslawl. Am 28. 5. gab Tichon einem weiteren Ersuchen der Priestergruppe statt, diesen bis zum Eintreffen Agafangels in Moskau die dringendsten Kanzleiangelegenheiten anzuvertrauen.

Statt dessen verbreiteten diese Priester den Eindruck, Tichon habe ihnen alle Leitungsfunktionen übertragen, und schufen eine vorläufige Oberste Kirchenverwaltung (nicht zu verwechseln mit der gleichnamigen der Karlowitzer). Um den kanonischen Grundsätzen zu entsprechen, betraute man mit dem Vorsitz Bischof Antonin (Granowski) und bezog Bischof Leonid (Warnenski) ein.

Zunächst trug diese neue Bewegung allgemein die Bezeichnung «Lebendige Kirche» (Shiwaja zerkow, in den Gemeinden spöttisch Shiwzy genannt). In der Folgezeit behielt diese Bezeichnung die größte der Gruppierungen, in die sich die Bewegung aufspaltete. Diese «Lebendige Kirche» im engeren Sinn hat sich am 29. 5. 1922 in Moskau konstituiert. In dem dort vorgelegten und im August präzisierten Programm erwies sie sich als Interessenvertreterin radikaler Kreise des Weißen Klerus, deren Denken sich mit einigen rationalen Momenten verband. Die erstrebte gesellschaftliche Neuorientierung von Geistlichen und Laien einschließlich einer entsprechenden Sozialethik verknüpfte man mit der Forderung nach zeitgemäßer Kirchlichkeit durch Überprüfung der Kanones, der dogmatischen Lehren und der gottesdienstlichen Texte. Das Mönchtum wurde abgelehnt. Deshalb setzten sich Vertreter dieser «Lebendigen Kirche», unter ihnen Krasnizki, für die Schließung von Klöstern, zum Beispiel des Moskauer Simonow-Klosters, ein. Nur Angehörige des Weißen Klerus, auch verheiratete, sollten ein Bischofsamt erhalten können, eine Eparchialkollegium etwaigen hierarchischen Tendenzen wehren. Einer «Demokratisierung» diente ferner die im Juli 1922 erfolgte Wahl eines Zentralkomitees mit einem ZK-Präsidium als höchstem Leitungsgremium sowie die Gründung von Gruppen der «Eiferer der kirchlichen Erneuerung» in den Eparchien und Gemeinden.

Die übrigen Gruppierungen unterschieden sich hiervon vornehmlich in ihrer kirchlich-theologischen Zielstellung. Erzbischof Antonin (Granowski) gründete im August 1922 einen Allrussischen Bund (Sojus) der «Kirchlichen Wiedergeburt», dem sich zunächst auch der liberale Kirchenhistoriker B. W. Titlinow anschloß. In einigen Punkten dachte man gemäßigter. Das Mönchtum wurde nicht grundsätzlich abgelehnt, sollte aber von verantwortlichen Ämtern ausgeschlossen bleiben. Bischöfe dürften nur jene Weißen Geistlichen werden, die keine Frau haben. In anderer Hinsicht war man radikaler. Während die «Lebendige Kirche» das Schwergewicht von der Hierarchie auf die Weiße Pfarrgeistlichkeit verlegte, trat bei der «Kirchlichen Wiedergeburt» stärker die Bedeutung der Laien in fast autonomen Gemeinden hervor. Die orthodoxe Glaubenslehre wurde im wesentlichen aufgegeben und auf das Nicäno-konstantinopolitanische Glaubensbekenntnis beschränkt.

Der im Oktober 1922 gegründete «Bund der Gemeinden der Alten Apostolischen Kirche» erstrebte eine Wiederbelebung frühchristlicher Gemeindevorstellungen. Weitere Gruppierungen, wie die «Russische Volkskirche» in Wologda, die «Freie Arbeitskirche» in Pensa oder die «Arbeiter- und Bauernkirche» in Rjasan, blieben lokal begrenzt und von kurzer Lebensdauer. Schließlich schufen Angehörige der «Lebendigen Kirche» im Herbst 1922 in Saratow sogar eine «Puritanische Partei der revolutionären Geistlichen und Laien», die sich einen «christlichen Kommunismus» zum Ziel setzte und Christen aller Bekenntnisse umfassen wollte.

Die größeren Gruppierungen verfügten über Zeitschriften und theologische Ausbildungsstätten. Als einziges zentrales kirchliches Gremium konnte sich die Oberste Kirchenverwaltung vielerorts Anerkennung verschaffen. Besonders in den entlegeneren Gebieten fiel der größere Teil der Gemeinden zu den einzelnen Gruppierungen der «Erneuerer» ab. Im April 1923 hielten sie eine Synode ab, die sie als «Zweites allrussisches Lokalkonzil» bezeichneten. Die Vertreter der einzelnen Gruppierungen, unter denen die «Lebendige Kirche» die überwiegende Mehrheit besaß, gaben sich zwar die gemeinsame Bezeichnung «Kirche der Erneuerung», besiegelte aber die bestehende Zersplitterung. Man bildete eine nun als Oberster

Kirchenrat bezeichnete Kirchenleitung. Für das kirchliche Leben beschloß man einschneidende Neuerungen. Die Synode erklärte nicht nur Patriarch Tichon für abgesetzt und aller priesterlichen und mönchischen Würden entkleidet, sondern grundsätzlich das Patriarchat für wieder abgeschafft. Man beschloß die Aufhebung der Klöster, gestattete Bischöfen die Ehe, Priestern die Wiederverheiratung und die Übernahme des Gregorianischen Kalenders. Dagegen fand die von Wwedenski geforderte Revision der orthodoxen Lehre keinen Widerhall.

Die radikalen Beschlüsse dieser Synode ließen sich nicht verwirklichen. Als eine Delegation dem Patriarchen Tichon als dem Laien Wassili Belawin den Absetzungsbeschluß überbrachte, wies er ihn sofort als widerrechtlich zurück. Weite Teile der Kirche, Klerus und Laien, hielten weiter zu ihrem Patriarchen. Auch die übrigen Beschlüsse riefen in den Gemeinden lebhaften Widerspruch hervor. Der Besuch der «Erneuerer»-Gottesdienste ließ spürbar nach.

Einen schweren Schlag erlitten die «Erneuerer», als der angekündigte Prozeß gegen den Patriarchen ausgesetzt und Tichon am 25. 6. 1923 freigelassen wurde. Die Leitung der Patriarchatskirche konnte sich neu konstituieren. Um das widerstrebende Kirchenvolk nicht zu verlieren, beschloß im August 1923 der Oberste Kirchenrat der «Erneuerer», die Gesamtbezeichnung «Russische Orthodoxe Kirche» (Rossijskaja Prawoslawnaja Zerkow) anzunehmen und einen Heiligen Synod zu bilden, in den man nun wieder aus dem Mönchsstand gekommene Hierarchen unter Leitung des «Metropoliten von ganz Rußland» Jewdokim berief. Trotzdem erlangten die Anhänger des Patriarchen immer mehr das Übergewicht. Im April 1924 erklärte Tichon alle Weihehandlungen und Sakramente der «Erneuerer» für nichtig. Krasnizki unternahm sogar den allerdings gescheiterten Versuch einer gleichberechtigten Wiedervereinigung mit der Patriarchatskirche. Es zeichnete sich der Niedergang der «Erneuerer» ab, doch sollten sie noch längere Zeit beträchtlichen Einfluß ausüben.

Trotz mancher berechtigten Anliegen hat sich das «Erneuerertum» sowohl unter kirchlich-orthodoxem als unter gesellschaftlichem Gesichtspunkt als Fehlentwicklung erwiesen. Ausgehend von Reformanliegen, wie sie ursprünglich von verschiedenen kirchlichen Kreisen vertreten wurden, unternahmen einige der «Erneuerer» den Versuch, analog zur sich in der Gesellschaft vollziehenden Revolution auch die Kirche zu «revolutionieren». Dabei setzten sich die «Erneuerer» über die in der Orthodoxie als grundlegend geltenden ekklesiologischen, liturgischen und dogmatischen Prinzipien hinweg und verloren den Kontakt mit dem Kirchenvolk in den Gemeinden.

In ihrer gesellschaftlichen Haltung erkannten sie deutlicher als die damalige Mehrheit der zum Patriarchen haltenden Kirche die Notwendigkeit des Umdenkens, des Findens einer kirchlichen Position im und für den gesellschaftlichen Fortschritt. Aber hierbei gingen viele der «Erneuerer» über eine Proexistenz hinaus zu einem ideologischen Synkretismus, zu einer illegitimen Vermischung von christlichem Glauben und dialektischem und historischem Materialismus. Andere ließen sich in ihrer Überzeugung von persönlichen Interessen leiten oder trachteten für sich nach einer neuen Art von Privilegierung. Den Weg zu finden, blieb schließlich der von den «Erneuerern» so hart gebrandmarkten Patriarchatskirche vorbehalten.

7

Patriarch Tichons Wegweisung

Bereits in einem Rundschreiben vom 18. 6. 1922 hatte sich der von Patriarch Tichon als Stellvertreter benannte Metropolit Agafangel von Jaroslawl mit den «Erneuerern», die in der Kirche die Macht an sich gerissen hatten, auseinandergesetzt. Er warnte vor deren Absicht, «die Dogmen und Sittenlehren unseres orthodoxen Glaubens, die geheiligten Kanones der heiligen Ökumenischen Konzile und die orthodoxen Gottesdienstordnungen, die von den großen Betern und Eiferern (podwishniki) der christlichen Frömmigkeit stammen, einer Überprüfung zu unterziehen». Agafangel leugnete nicht die Notwendigkeit mancher Veränderungen, doch sei dies Sache eines Landeskonzils. Die geforderte Treue zur Kirche in ihrer überlieferten Gestalt verstand Agafangel in Zusammenhang mit einem loyalen Verhalten der Sowjetmacht gegenüber: «Leistet mit gutem Gewissen, das vom Lichte Christi erleuchtet ist, der Staatsmacht Gehorsam, erfüllt mit dem Geist des Friedens und der Liebe euere Bürgerpflichten, eingedenk des Gebotes Christi: Gebt dem Kaiser, was des Kaisers ist, und Gott, was Gottes ist.»

Mehrere Bischöfe und viele Geistliche hatten bereits zur Zeit des Bürgerkrieges eindeutig ihre Loyalität bekundet. Wie er es schon in seinem Hirtenbrief vom September 1919 gesagt hatte, wurde es Patriarch Tichon immer deutlicher, daß die Kirche in ihrem Verhältnis zu Staat und Gesellschaft einer Neuorientierung bedürfe, sie sich von dem sie belastenden Erbe distanzieren und unter Beweis stellen müsse, daß sie keine konterrevolutionären Absichten verfolge. Am 27. 6. 1923 veröffentlichte die Zeitung «Iswestija» eine vom Patriarchen unterzeichnete Erklärung, die als Grundlage zu seiner Freilassung gedient habe. Er bereue, heißt es darin, alle gegen die Staatsordnung gerichteten Handlungen, und er erkläre, kein Feind der Sowjetmacht sein zu wollen. «Ich distanziere mich endgültig und ausdrücklich sowohl von der ausländischen als auch von der inneren monarchistisch-weißgardistischen Konterrevolution.»

In gleicher Weise äußerte sich Tichon in seinem Sendschreiben vom 1. 7. 1923 an die Bischöfe, Geistlichen und Gläubigen. Nach einer Auseinandersetzung mit der Synode der «Erneuerer», mit dem Vorgehen der polnischen Katholiken gegen die dortigen Orthodoxen sowie mit Baptisten, Evangeliumschristen und anderen, die Orthodoxe für sich zu gewinnen trachteten, widmet sich das Schreiben dem Verhältnis zum Staat. Als eigene Verfehlungen bedauert der Patriarch speziell seine Stellungnahme gegen den Brester Frieden, das Anathema von 1918 und seinen Aufruf gegen die Herausgabe der kirchlichen Wertgegenstände. «... wir bedauern diese Dinge ... und beklagen die Opfer dieser sowjetfeindlichen Politik.» Zugleich versucht er die Hintergründe aufzuzeigen: «Im Grunde sind daran nicht nur wir schuldig, sondern auch das Milieu, das uns erzog, und jene törichten Menschen, die uns seit dem

Anfang der Sowjetmacht zu diesen Handlungen anstachelten.»
Und so mahnt er zu gleichem Schuldbekenntnis und zur Sinnesänderung all jene, die sich, ihre Hirtenpflicht vergessend, zusammen «mit den Feinden des werktätigen Volkes, den Monarchisten und Weißgardisten», gegen die Sowjetmacht gestellt hatten. Der Patriarch setzt sich besonders mit den Karlowitzern auseinander. Wenn sie nicht endlich von ihren Versuchen abließen, die russische Kirche für eine politische Auseinandersetzung mit der Sowjetmacht zu gewinnen, müsse er ihre Bischöfe auffordern, sich vor einem kirchlichen Gericht in Moskau zu verantworten. Die Kirche, erklärt Tichon, dürfe sich nicht politisch mißbrauchen lassen, sie dürfe «weder eine Rote noch eine Weiße Kirche», sondern müsse als die «eine, katholische und apostolische Kirche» «unpolitisch» sein. Die in diesem Sendschreiben vertretene Haltung erhielt in Tichons Erklärung vom 21. 8. 1923 eine positiv formulierte Tendenz: Indem sich die Kirche von der Konterrevolution distanziert, steht sie auf der Seite der Sowjetmacht.

Zur Buße forderte der Patriarch auch die «Erneuerer» auf. In seinem Sendschreiben vom 28. 7. 1923 brandmarkte er die Art und Weise, wie diese die kirchliche Macht an sich gerissen hatten, und bezeichnete deren Behauptung, von Tichon bevollmächtigt zu sein, als «Lug und Trug». Zahlreiche Bischöfe und Geistliche, die sich zeitweilig zur Obersten Kirchenverwaltung beziehungsweise zum Obersten Kirchenrat der «Erneuerer» gehalten hatten, leisteten öffentlich Abbitte und unterstellten sich wieder dem legitimen kirchlichen Oberhaupt. Immer mehr Gemeinden sagten sich von den «Erneuerern» los.

Diesen half auch nicht die zeitweilige Unterstützung durch das Ökumenische Patriarchat von Konstantinopel. Es entsandte sogar einen offiziellen Vertreter zur «Erneuerer»-Synode von 1923. Patriarch Meletios (1921–1923) hatte die «Lebendige Kirche» als rechtmäßig anerkannt. Sein Nachfolger, Gregorios VII. (1923–1924), versuchte zwischen der Patriarchatskirche und den «Erneuerern» zu vermitteln. Im Gegensatz zu deren Absetzung Tichons bezeichnete Gregorios VII. den Patriarchen zwar weiterhin als rechtmäßiges Haupt der russischen Kirche. Trotzdem empfahl er im Juni 1924, Tichon

möge zurücktreten und das Patriarchat wieder aufheben, weil
es der Wiederherstellung der Einheit der russischen Kirche im
Wege stehe. Tichon wies dies empört als Einmischung in die
inneren Angelegenheiten der autokephalen Russischen Orthodoxen Kirche zurück.

Zweifellos beruhten diese Stellungnahmen der Patriarchen
von Konstantinopel auf mangelnder Kenntnis der tatsächlichen
innerkirchlichen Verhältnisse in der Sowjetunion. Zugleich
spiegeln sich darin Spannungen wider, die sich gegenüber dem
Moskauer Patriarchat ergeben hatten. Im Jahre 1922 hatte
Konstantinopel den von Tichon zum Haupt der russischen Gemeinden in Westeuropa ernannten Metropoliten Jewlogi dazu
bewegen wollen, sich mit allem dortigen Kirchengut der Jurisdiktion von Konstantinopel zu unterstellen. Jewlogi hat
dies gegenüber Meletios und Gregorios VII. scharf zurückgewiesen. Mit Billigung des Moskauer Patriarchats hatten sich
die Orthodoxen in Finnland (1921), Estland und Polen (1923)
als autonome Kirchen konstituiert. Gleiches erfolgte 1926 in
Lettland. Aber im Jahre 1923 unterstellte sich die finnische
orthodoxe Kirche dem Ökumenischen Patriarchen von Konstantinopel, der außerdem der orthodoxen Kirche in Estland
(1923) und Polen (1924) den von Moskau nicht anerkannten
Status der Autokephalie, also der vollständigen Eigenständigkeit, verlieh.

Die sich beim Patriarchen Tichon selbst vollziehende Neu-
orientierung fand ihren prägnantesten Ausdruck in der an seine
Kirche gerichteten Wegweisung, dem Vermächtnis, das er noch
vor seinem Tode im April 1925 geschrieben hatte. In diesem
die Gesamtsituation und die Aufgabe der Kirche und ihrer
Glieder darlegenden Schriftstück heißt es unter anderem:
«Ohne uns gegen unseren Glauben und unsere Kirche zu ver-
sündigen und ohne etwas daran zu verändern, mit einem
Wort, ohne die geringsten Konzessionen auf dem Gebiet des
Glaubens zu machen, müssen wir als Staatsbürger gegenüber
der Sowjetmacht und dem Wirken der UdSSR für das Gemeinwohl aufrichtig sein, indem wir die ganze Ordnung des äußeren Lebens der Kirche und ihrer Tätigkeit mit der neuen
Staatsordnung in Übereinstimmung bringen und jegliche Ge-

meinschaft mit den Feinden der Sowjetmacht sowie jede offene oder versteckte Agitation gegen sie verurteilen.» «Die Tätigkeit der orthodoxen Gemeinden darf sich nicht auf ein Politisieren ausrichten, das der Kirche Gottes völlig fremd ist, sondern auf die Festigung des orthodoxen Glaubens.» Wohl aber soll sich die Kirche in der Erkenntnis, daß «die Sowjetmacht wahrhaftig die Macht des Volkes, der Arbeiter und Bauern» ist, «im inbrünstigen Gebet zum Allerhöchsten vereinigen, auf daß er der Arbeiter- und Bauernregierung in ihren Bemühungen um das allgemeine Wohl seine Hilfe gewähre». Besonders scharf wandte sich der Patriarch gegen die der Kirche schadende Tätigkeit der Karlowitzer und forderte diese erneut auf, «ihre politische Tätigkeit, die sie mit den Feinden unseres Volkes verbindet, einzustellen».

Und nochmals ermahnte der Patriarch die Russische Orthodoxe Kirche unter Bezug auf Röm. 13, 1 ff.: «Indem wir auf alle Oberhirten, Hirten und die uns treuen Kinder den Segen Gottes herabrufen, bitten wir euch, mit ruhigem Gewissen und ohne Furcht, dadurch gegen unseren heiligen Glauben zu verstoßen, euch der Sowjetmacht unterzuordnen, und zwar nicht aus Furcht, sondern um des Gewissens willen.» Wobei der Patriarch zugleich der Zuversicht Ausdruck gab, die Regierung werde der Kirche Vertrauen schenken und die Möglichkeit zur religiösen Unterweisung, zur theologischen Ausbildung der Priester sowie zur Herausgabe von Büchern und Zeitschriften gewähren.

Dieses Vermächtnis steht ganz in der Linie der bereits davor vom Patriarchen verfaßten Sendschreiben. Mit Recht hat die Russische Orthodoxe Kirche Patriarch Tichon ein ehrenvolles Gedenken bewahrt. Obwohl er sich stets darum bemühte, als Oberhirte der ihm anvertrauten Kirche und ihren Gliedern mit geistlicher Wegweisung zu dienen, stand er zunächst noch unter dem Einfluß des Vergangenen. Doch fand er die Kraft, eigene Fehlentscheidungen einzusehen, offen zu bekennen, sich, fest auf dem Boden orthodoxer Kirchlichkeit bleibend, zu neuen Erkenntnissen durchzuringen und der Russischen Orthodoxen Kirche jenen Weg zu weisen, der sich in ihrer heutigen Haltung realisiert. Doch war bis zu der von

Patriarch Tichon erhofften Normalisierung noch ein weiter Weg zu beschreiten.

8

Auf dem Weg zur Deklaration vom Jahre 1927

Bis zur Wahl eines neuen Patriarchen hatte Tichon für das Amt eines Patriarchatsverwesers die Metropoliten Kirill Smirnow von Kasan, Agafangel (Preobrashenski) von Jaroslawl und Peter (Poljanski) von Krutizy designiert. Unter den gegebenen Umständen entschieden sich die achtundfünfzig beim Begräbnis anwesenden Bischöfe für Metropolit Peter. Doch konnte er das Amt nur wenige Monate ausüben.

Tichons Tod gab den «Erneuerern» neue Hoffnungen. Mit der Behauptung, allein die Person des Patriarchen Tichon sei Anlaß der Spaltung gewesen, beriefen sie, unter Umgehung des Patriarchatsverwesers Peter, ein allrussisches Konzil zur «Wiederherstellung des Friedens in der Kirche» ein. Sie stießen vielerorts auf Ablehnung, besonders als Metropolit Peter in einem Aufruf vom Juli 1925 vor der Teilnahme am Pseudokonzil der illegitimen «Selbstgeweihten» warnte. Die «Erneuerer» sollten nicht von Vereinigung sprechen, denn sie könnten nur nach Buße und Widerruf ihrer Verirrungen wieder aufgenommen werden.

So stand die als «Drittes allrussisches Landeskonzil» bezeichnete Synode vom 1.—10. 10. 1925 im Zeichen erbitterter Polemik gegen die «Tichon-Anhänger». Deren Absage wurde als Ausdruck ihrer «staatspolitisch-reaktionären Sehnsüchte» diffamiert. Ein Beschluß der Synode erklärte jeden weiteren Aufruf an die «Tichon-Hierarchie» als fruchtlos, «solange sie sich nicht von ihrem politischen Wirken lossagt und zum christlichen Verständnis der kirchlichen Aufgabe zurückkehrt». Als auch noch die Karlowitzer im November Metropolit Peter ausdrücklich anerkannten und ihn die «Erneuerer» bezichtigten, deren Werkzeug zu sein, fiel der Metropolit im Dezember 1925 diesen gezielten Anschuldigungen zum Opfer.

Kurz vordem hatte Peter zu seinem Vertreter den Metropoliten Sergi Stragorodski von Nishni Nowgorod (Gorki), im Fall von dessen Verhinderung den Exarchen der Ukraine, Metropolit Michail, oder den Erzbischof Iossif von Rostow bestimmt.

Nun war es dem bereits mehrfach erwähnten Sergi Stragorodski beschieden, für mehr als achtzehn Jahre die Verantwortung für die Leitung der russischen Kirche zu tragen. Er hieß mit bürgerlichem Namen Iwan Stragorodski und wurde im Jahre 1867 als Sohn eines Priesters in der Stadt Arsamas im Gebiet von Nishni Nowgorod geboren. Vor Beendigung seines Studiums an der Petersburger Geistlichen Akademie trat er 1890 im Warlaam-Kloster in den Mönchsstand und erhielt nach einem Heiligen dieses Klosters aus dem 14. Jahrhundert den Namen Sergi. Nach dreijährigem Wirken in der Russischen Geistlichen Mission in Japan lehrte er seit 1893 an der Petersburger Akademie, verbrachte nochmals zwei Jahre in Japan und wurde 1901 Rektor der Akademie. Fast gleichzeitig erfolgte die Weihe zum Vikarbischof von Jamburg, 1905 die Ernennung zum Erzbischof von Finnland und Wyborg, 1911 zum Mitglied des Synod und 1917 zum Metropoliten von Nishni Nowgorod.

Während Sergi noch in Nishni Nowgorod weilte, bemächtigte sich eine Gruppe von zehn Bischöfen unter Führung des Erzbischofs Grigori (Jazkowski) von Jekaterinburg (Swerdlowsk) der Kirchenleitung im Moskauer Donskoi-Kloster. Sie erklärten, das Amt eines Stellvertreters des Patriarchatsverwesers entbehre der kanonischen Grundlage, und bildeten eine kollektive Kirchenleitung. Da sie für ihren Provisorischen Obersten Kirchenrat die staatliche Anerkennung, die Erlaubnis zum Eröffnen theologischer Schulen und zur Herausgabe theologischen Schrifttums erhielten, außerdem erklärten, die Leitung der Kirche nur bis zu Peters Rückkehr ausüben zu wollen, erlangten sie zeitweilig dessen Billigung. Obwohl dies Peter bald widerrief, konnten die «Grigorianer» als kleine Gruppe fast zehn Jahre lang ihren Einfluß ausüben. Eine weitere zeitweilige Abspaltung ergab sich, als Metropolit Agafangel (Preobrashenski) von Jaroslawl wieder amtierte und als einer der drei noch von Patriarch Tichon designierten Patriarchatsverweser die Leitung der Kirche beanspruchte.

Metropolit Sergi ließ sich von dieser verworrenen Situation nicht entmutigen. Als wichtigste Aufgabe zur Konsolidierung der Kirche erkannte er die Normalisierung des Verhältnisses zum Staat. Die Leitungsgremien der «Erneuerer» und der «Grigorianer» besaßen die staatliche Anerkennung. Noch fehlte sie aber für die eigentliche Patriarchatskirche. Deshalb verhielten sich Sergi gegenüber nicht wenige Orthodoxe, gerade auch Bischöfe, in abwartender Zurückhaltung.

Im Juni 1926 richtete Metropolit Sergi an das Volkskommissariat für innere Angelegenheiten ein Gesuch mit der Bitte um Legalisierung einer ihm unterstehenden Kirchenleitung und der Eparchialverwaltungen, um die Genehmigung zur Herausgabe einer Zeitschrift und die Eröffnung theologischer Lehranstalten.

Es war für Sergis Bemühungen von nicht geringer Bedeutung, daß sich in jener Zeit auch andere Hierarchen und Theologen sehr ernsthaft um die Orientierung der Patriarchatskirche bemühten.

Davon zeugt die an die Regierung gerichtete, ebenfalls im Juni 1926 verfaßte Denkschrift von auf der Solowezki-Kloster-Insel im Weißen Meer inhaftierten Bischöfen. Dieses umfangreiche Schriftstück befaßt sich mit allen wesentlichen Fragen der gegenwärtigen Lage der russischen Kirche. Es bittet um Vertrauen in das loyale Verhalten der Kirche und unternimmt den Versuch einer Klärung von Grundsatzfragen. Indem sie den illegitimen Synkretismus der «Erneuerer» brandmarkt, die erklärten, es gebe nur in der Methode, nicht aber im Wesen einen Unterschied zwischen kirchlicher Glaubenslehre und materialistischer Philosophie, lehnt die Denkschrift jeden weltanschaulichen Kompromiß ab. Ferner heißt es: «Im Gegensatz zu früheren politischen Theorien, denen die religiöse Einmütigkeit der Bürger für die innere Festigung der politischen Einheiten als unabdingbar galt, hält sie (das heißt die gegenwärtige Regierung) jene in dieser Beziehung für nicht wichtig, indem sie mit Entschiedenheit erklärt, daß sie einer Mitwirkung der Kirche bei der Verwirklichung der von ihr gestellten Aufgaben nicht bedarf und den Bürgern volle religiöse Freiheit gewährt.» Deshalb spricht sich dieses Schreiben für eine konsequente Verwirklichung der gesetzlich festgelegten Trennung von Kirche und Staat aus, «der entsprechend weder die Kirche die bürgerliche Regierung beim Schaffen des materiellen Wohls des Volkes noch der Staat die Kirche in ihrem religiös-ethischen Wirken beeinträchtigen.»

Sergis unbeirrbare Haltung zeitigte schließlich ihre Früchte. Im Mai 1927 konnte er eine Bischofskonferenz einberufen und einen provisorischen Heiligen Synod bilden. Mit der im Juni erfolgten behördlichen Registrierung besaß nun die Russische Orthodoxe Kirche eine staatlich anerkannte Kirchenleitung, die mit ihrer gewichtigen, von Metropolit Sergi als Stellvertreter des Patriarchatsverwesers und den acht Mitgliedern des provisorischen Heiligen Synods unterzeichneten Deklaration vom 29. Juli 1927 der Haltung der Kirche in Staat und Gesellschaft neu Ausdruck verlieh.

Ausgehend von den infolge seines plötzlichen Ablebens abgebrochenen Bemühungen des Patriarchen Tichon wird der Sowjetregierung der Dank für die Anerkennung der neuen Kirchenleitung bekundet und versichert, daß das damit bezeigte Vertrauen nicht enttäuscht werden solle. Nun habe die Kirche nicht nur eine kanonische, sondern auch eine den bürgerlichen Gesetzen entsprechende Zentralverwaltung. Es sei zu hoffen, daß sich die Legalisierung auch auf die Verwaltungen der Eparchien und der Kirchenkreise erstrecken werde.

Dann wendet sich die Deklaration an alle Glieder der Kirche: «Wir müssen», heißt es, «nicht mit Worten, sondern mit Taten beweisen, daß nicht nur solche, denen die Orthodoxie gleichgültig ist oder die von ihr abgefallen sind, der Sowjetmacht loyal dienen und getreue Staatsbürger der Sowjetunion sein können, sondern auch die eifrigsten Anhänger der Orthodoxie, denen diese mit all ihren Dogmen und Überlieferungen, mit all ihren kanonischen und gottesdienstlichen Bestimmungen ebenso teuer ist wie die Wahrheit und das Leben. Wir wollen Rechtgläubige sein und gleichzeitig die Sowjetunion als unsere bürgerliche Heimat anerkennen, deren Freuden und Erfolge unsere Freuden und Erfolge, deren Mißerfolge unsere

Mißerfolge sind.» «Rechtgläubig bleibend, sind wir uns unserer Pflicht bewußt, Staatsbürger der Union zu sein, ‹nicht allein um der Strafe willen, sondern auch um des Gewissens willen› (Röm. 13, 5), wie es uns der Apostel lehrt. Und wir hoffen, daß mit Gottes Hilfe und mit unser aller Mitarbeit und Unterstützung diese Aufgabe von uns gelöst wird.»

Die Deklaration befaßt sich weiter mit dem, «was in den ersten Jahren der Sowjetmacht den Aufbau des kirchlichen Lebens auf loyaler Basis gehindert hat. Es war die ungenügende Erkenntnis des ganzen Ernstes des in unserem Lande Geschehenen. Die Schaffung der Sowjetmacht erschien vielen als ein zufälliges und deshalb nicht von Dauer seiendes Mißverständnis.» Für Leute, welche die «Zeichen der Zeit» nicht erkannten, schien es, «man könne mit dem früheren Regime und sogar mit der Monarchie nicht brechen, ohne gleichzeitig mit der Orthodoxie zu brechen. Eine solche Haltung bekannter kirchlicher Kreise, die sich natürlich in Worten und Taten ausdrückte und den Verdacht der Sowjetregierung hervorrief, hemmte auch die Bemühungen des Heiligsten Patriarchen um die Herstellung friedlicher Beziehungen zwischen der Kirche und der Sowjetregierung.» Dabei wird besonders auf das «eindeutig antisowjetische Auftreten einiger unserer Oberhirten und Hirten im Ausland, das den Beziehungen zwischen Regierung und Kirche sehr geschadet hat» und das zur Spaltung in den Auslandsgemeinden führte, eingegangen. Schließlich verweist die Deklaration auf die Notwendigkeit zur Einberufung eines Zweiten allrussischen Landeskonzils zur Behandlung aller anstehenden Probleme.

9

Die kirchliche Entwicklung bis zum zweiten Weltkrieg

Man hätte erwarten können, daß die verschiedenen »Erneuerer»-Gruppen und die «Grigorianer», die bereits die staatliche Anerkennung genossen, Sergis Deklaration begrüßen würden.

Es wirft ein bezeichnendes Licht auf die wirkliche Einstellung der «Erneuerer», daß ihre Führer, die bisher die Patriarchatskirche der reaktionären Haltung bezichtigten, nun Sergis Deklaration als Ausdruck unwürdiger Unterwürfigkeit ablehnten. Tatsächlich fürchteten sie, ebenso wie die «Grigorianer», in erster Linie um ihren eigenen Einfluß. Denn immer mehr der progressiv denkenden Orthodoxen wandten ihnen nunmehr den Rücken und kehrten zur Patriarchatskirche zurück. Die letzte von den «Erneuerern» im Jahre 1927 gehaltene Synode stand bereits im Zeichen des Verfalls.

Nochmals glaubte das Ökumenische Patriarchat vermitteln zu sollen. Nach der Legalisierung des Heiligen Synods und der Herausgabe der Deklaration empfahl Patriarch Basileios III. von Konstantinopel (1925–1929) in der irrigen Annahme, alle Gegensätze seien aus dem Wege geräumt, in Schreiben an Metropolit Sergi und an die «Erneuerer», sich auf einer gemeinsamen Synode wiederzuvereinigen.

Dagegen reagierten die Karlowitzer scharf ablehnend auf die Deklaration. Eine im September 1927 von Metropolit Antoni (Chrapowizki) einberufene Bischofssynode erklärte es für unmöglich, die Sowjetregierung als legitime Macht anzuerkennen. «Wir beten zum Herrn», hieß es statt dessen, «er möge unsere Kirche und Rußland vom Joch dieser Regierung befreien.»

Widerspruch zeigte sich jedoch durchaus auch innerhalb der von Metropolit Sergi geleiteten Patriarchatskirche. Im ganzen Land diskutierte man über die Deklaration. Deren konservative Gegner sagten sich von Metropolit Sergi los und bildeten neue Spaltergruppen.

Größeren Einfluß besaß zunächst in Leningrad und Jaroslawl eine Gruppe, die nach dem Metropoliten Iossif (Petrowych) häufig als «Josefiten» («Iossifljane») bezeichnet wird. Jedoch vermochte Bischof Manuil (Lemeschewski) ihren Einfluß bald einzudämmen, nachdem Metropolit Sergi einige ihrer Bischöfe für abgesetzt erklärt hatte. In der Eparchie Wjatka opponierten die als «Viktorianer» bekannt gewordenen Anhänger des Bischofs Wiktor (Ostrowidow). Als «Fedorianer» oder «Danilovianer» bezeichnete man die Gruppe um den aus dem

Moskauer Danilow-Kloster gekommenen Bischof Feodor (Posdewski) von Wolokolamsk. In anderen Gegenden sagten sich einzelne Bischöfe von Metropolit Sergi los, ohne sich einer Gruppe anzuschließen. Sie lehnten zwar übereinstimmend die Deklaration der, wie sie sagten, «Sergianer» ab, ließen sich dabei aber von unterschiedlichen Gesichtspunkten leiten, schlossen sich nicht zusammen und bestanden nicht lange.

Wenn man überschaut, in wie viele sich ablehnende, sich vielfach gegenseitig mit Kirchenstrafen belegende und die geistlichen Handlungen der anderen für ungültig erklärende Gruppen und Richtungen die damalige Russische Orthodoxe Kirche zerfiel, läßt sich verstehen, in welchem Maße sie geschwächt war und dadurch in der Bevölkerung an Vertrauen verlor. Durch die ihnen oft unklar bleibenden Spaltungen verwirrt, hielten sich viele Gläubige mal zu diesem, mal zu jenem Geistlichen, ohne sicher zu erfahren, wer den überlieferten Glauben legitim weitergebe und wessen Amtshandlungen kanonische Gültigkeit beanspruchen konnten. Die Zahl jener Gemeindeglieder, die sich ganz von der Kirche und vom orthodoxen Glauben lossagten, wie auch der ihr geistliches Amt Niederlegenden, nahm unter diesen Umständen beträchtlich zu. Wieder andere suchten ihr Heil in nichtoffiziellen gemeindlichen Zusammenschlüssen. So sollten noch Jahre vergehen, bis sich die von Metropolit Sergi geleitete Russische Orthodoxe Kirche endgültig konsolidieren konnte.

Aber der Heilige Synod hatte seine Amtsgeschäfte aufgenommen. Schon im September 1927 konnte Metropolit Sergi von acht inzwischen eröffneten Eparchialtagungen berichten. Vakante Bischofsstühle wurden besetzt. Es ergaben sich zunehmend Kontakte zu Kirchen außerhalb der Sowjetunion, so zum Beispiel zum Ökumenischen Patriarchat von Konstantinopel. Hinsichtlich der Aufforderung des Patriarchen Basileios III. von Konstantinopel, in allen orthodoxen Kirchen den Gregorianischen Kalender einzuführen, verwies Sergi in seinem Antwortschreiben vom Oktober 1928 darauf, daß nur ein Ökumenisches Konzil einen für alle orthodoxen Kirchen verbindlichen Beschluß fassen könne. Im Jahre 1931 sah sich Metropolit Sergi zu einem scharfen Protest in Konstantinopel veranlaßt, als der Ökumenische Patriarch den bis dahin zum Moskauer Patriarchat gehörenden Teil der russischen Auslandsgemeinden in Westeuropa als Exarchat seiner eigenen Jurisdiktion unterstellte.

Während der ersten zehn Jahre nach der Oktoberrevolution regelten außer dem Dekret «Über die Trennung der Kirche vom Staat und der Schule von der Kirche» sowie der «Instruktion» von 1918 eine Fülle von der Sowjetregierung oder in den Unionsrepubliken erlassener gesetzlicher Einzelbestimmungen das Verhältnis von Staat und Religionsgemeinschaften.

Ihre wichtigsten Bestimmungen zusammenfassend oder ergänzend, erließen das Allrussische Zentralexekutivkomitee und der Rat der Volkskommissare der RSFSR am 8. 4. 1929 einen Gesetzesbeschluß «Über die religiösen Vereinigungen», der, mit geringen Veränderungen vom 1. 1. 1932, in achtundsechzig Artikeln Fragen der Organisation, die Möglichkeit und Grenzen der Tätigkeit religiöser Gemeinschaften regelt. «Eine religiöse Gesellschaft», so definiert es Art. 3, «ist eine örtliche Vereinigung gläubiger Bürger, die das 18. Lebensjahr erreicht haben, zu ein und demselben Kultus, zu einem Glaubensbekenntnis, einer Bewegung oder Richtung gehören, nicht weniger als zwanzig Personen sind und sich zur Befriedigung ihrer religiösen Bedürfnisse zusammengeschlossen haben. Gläubigen Bürgern, die wegen ihrer geringen Zahl keine religiöse Gesellschaft bilden können, wird das Recht eingeräumt, eine Gruppe von Gläubigen zu bilden. Religiöse Gesellschaften und Gruppen von Gläubigen besitzen nicht die Rechte einer juristischen Person.» Der Antrag zur Registrierung einer religiösen Gesellschaft ist von wenigstens zwanzig Personen, für eine religiöse Gruppe von deren Vertreter zu stellen (Art. 5 ff.). Sie können «besondere Gebetshäuser und Gegenstände, die ausschließlich für kultische Zwecke bestimmt sind, auf der Grundlage eines Vertrages zur unentgeltlichen Nutzung» oder andere Räumlichkeiten mietweise erhalten (Art. 10). Für alle geschäftlichen Fragen sind behördlich zu bestätigende Exekutivorgane und eine Revisionskommission zu wählen (Art. 13–15). Nicht gestattet sind literarische, handwerkliche, gesellige oder karitative Tätigkeiten sowie eine dem entsprechende Verwendung finanzieller Mittel (Art. 17). Eine religiöse Unterweisung kann nicht in öffentlichen Schulen, wohl aber in speziellen, behördlich genehmigten theologischen Kursen erteilt werden (Art. 18). Der Tätigkeitsbereich eines Geistlichen beschränkt sich auf die von ihm betreute religiöse Vereinigung (Art. 19). Alles kultische Gerät, auch neu erworbenes, gilt als nationalisiert (Art. 25). Es werden im einzelnen die Fragen der Nutzung, Instandhaltung, Versicherung, Schließung oder auch Neubau kirchlicher Gebäude samt gottesdienstlichem Gerät behandelt, der Besoldung von Geistlichen, Betreuung von Kranken, Durchführung von Prozessionen.

Etwa gleichzeitig richtete man bei der Regierung eine Ständige Kommission für Kultfragen ein. Und wenige Wochen später erhielt Artikel 4 der Verfassung der RSFSR vom Jahre 1925 eine Neufassung und lautete nun: «Zum Zwecke der Sicherung wirklicher Gewissensfreiheit für die Arbeiter wird die Kirche vom Staat getrennt und die Schule von der Kirche und wird die Freiheit des Bekenntnisses und der antireligiösen Propaganda allen Bürgern gewährleistet.»

Die genannten und zum Teil einschneidenden Bestimmungen entstanden in einer Zeit tiefgreifender gesellschaftlicher Umgestaltungen und Auseinandersetzungen. Der Niedergang der Wirtschaft in der Kriegs- und Bürgerkriegszeit hatte besondere Maßnahmen zur schnellen Steigerung der Produktion und des Warenaustauschs erfordert. Deshalb war man nach dem X. Parteitag vom März 1921 vom Kriegskommunismus zur Neuen Ökonomischen Politik (NÖP) übergegangen. Gewisse Förderungen für Handwerker und Kleingewerbetreibende dienten dem Aufschwung der sozialistischen Produktion und einer besseren Versorgung. So konnte zur Einleitung einer weiteren Etappe der XIV. Parteitag im Dezember 1925 eine umfassende Industrialisierung beschließen. Zwei Jahre später leitete der XV. Parteitag die Kollektivierung der Landwirtschaft ein. Im Jahre 1929 begann der erste Fünfjahrplan. Das führte zur Auseinandersetzung mit jenen, besonders kleinbürgerlichen Kreisen, die in der Periode der NÖP geglaubt hatten, ein Wiederaufleben alter gesellschaftlicher Verhältnisse sehen zu können. Und schließlich verband sich die Kollektivierung der Landwirtschaft seit Ende 1929 mit dem Ziel einer völligen Ausschaltung des Kulakentums.

Diese Prozesse verliefen nicht ohne Schwierigkeiten und hinterließen auch im Leben der Kirche ihre Spuren. Vielfach sah man in Kirche, Religion und Geistlichkeit die Bewahrer des Alten und Hemmschuhe für die voranschreitende Entwicklung. Das wird deutlich in der antireligiösen Polemik der seit Ende 1922 erscheinenden Zeitschrift «Der Gottlose» (Besboshnik) und einer Bewegung, die sich seit Herbst 1924 in der Gesellschaft der «Freunde der Zeitschrift Besboshnik» organisierte. Sie hielt im April 1925 ihren ersten Kongreß ab und konstituierte sich im Juni 1925 als «Bund kämpferischer Gottloser». Bereits im Jahre 1923 hatte I. I. Skworzow-Stepanow erklärt: die Patriarchenkirche hoffe weiter auf die Wiedererrichtung der bürgerlich-grundbesitzerlichen Ordnung, während die «Erneuerer» zusammen mit den NÖP-Leuten sich mit der Sowjetmacht versöhnten, dabei aber auf deren Rückfall in kapitalistische Verhältnisse spekulierten.

Besonders in der Phase der Kollektivierung der Landwirtschaft und des Kampfes gegen das Kulakentum wandte man sich gegen die Religion als ein Instrument der Ausbeuterklassen, wie es aus dem Aufruf des zweiten Unionskongresses des Bundes kämpferischer Gottloser von 1930 hervorgeht. Die Anzahl der antireligiösen Zeitschriften stieg beträchtlich. Tatsächlich erhob sich in vielen Gemeinden, von altem bürgerlichem Besitzverständnis her, ein beträchtlicher Widerstand gegen die Kollektivierung. Wirkten doch nicht wenige aus den einst besitzenden Schichten in den Kirchgemeinderäten mit oder hatten an der finanziellen Grundlage der Gemeindearbeit Anteil.

Gegen die bei dieser stürmischen Umgestaltung auftretenden Überspitzungen wandten sich im Jahre 1930 mehrere offizielle Beschlüsse und Stellungnahmen der Partei und der Regierung. Sie betrafen die Verletzung des Freiwilligkeitsprinzips bei der Bildung von Kollektivwirtschaften, zugleich aber auch die Auffassung mancher, man müsse deren Errichtung «mit dem Herunterholen der Glocken» beginnen, mit dem

Schließen der Kirchen verbinden. Dem entsprach ein Schreiben, mit dem sich Metropolit Sergi am 19. 2. 1930 an den Bevollmächtigten für Kultfragen bei der Regierung, Smidowitsch, wandte.

Staatlicherseits wurde durchaus auch anerkannt, daß Bischöfe und Geistliche die Kollektivierung tatkräftig unterstützten, einige Priester sogar selbst mit Stoßbrigaden auf die Felder gingen. Einer Bitte in Sergis Schreiben entsprechend, konnte ab 1931 das «Journal des Moskauer Patriarchats» herausgegeben werden, das noch nicht ganz regelmäßig als eine Art Amtsblatt zunächst bis 1935 erschien.

Von der Entwicklung in den dreißiger Jahren sei ferner die neue Verfassung der UdSSR vom Dezember 1936 hervorgehoben. Sie entsprach der veränderten sozialen Struktur und verankerte zum Beispiel das gesellschaftliche Eigentum an den Produktionsmitteln. Die erzielten gesellschaftlichen Fortschritte und die Haltung der Kirche ermöglichten den Fortfall jener Bestimmungen der Verfassung von 1918, die unter den Bedingungen des damaligen Kampfes mit der Gegenrevolution potentiellen Gegnern, unter ihnen auch Geistlichen und Mönchen, das Wahlrecht entzogen hatten. Über die Stellung der Kirche hieß es nunmehr in Artikel 124: «Zum Zwecke der Gewährleistung der Gewissensfreiheit für die Bürger sind in der UdSSR die Kirche vom Staat und die Schule von der Kirche getrennt. Die Freiheit zur Ausübung religiöser Kulthandlungen und die Freiheit antireligiöser Propaganda werden allen Bürgern zuerkannt.»

Es festigte die Stellung und Autorität des Metropoliten Sergi, der seit 1934 den Titel eines Seligsten (Blashennejschi) Metropoliten von Moskau und Kolomna trug, daß er als bisheriger Stellvertreter des Patriarchatsverwesers Peter Poljanski seit dessen Tod Ende 1936 selbst das Amt des Patriarchatsverwesers innehatte.

IX.

Die heutige Russische
Orthodoxe Kirche

1

Das kirchliche Engagement
im zweiten Weltkrieg

Mit dem Überfall Hitlerdeutschlands auf die Sowjetunion am
22. Juni 1941 und dem damit für sie beginnenden Großen
Vaterländischen Krieg waren die Bürger aller in ihr vereinten
Nationalitäten, unabhängig von ihrer Weltanschauung oder
ihrem religiösen Bekenntnis, zur Verteidigung der Heimat
aufgerufen. Dem widmete sich auch die Russische Orthodoxe
Kirche vom ersten Tage an vorbehaltlos in der ihr möglichen
Weise. Nunmehr bekundete sie durch die Tat ihre gegenüber
Staat und Gesellschaft eingenommene Haltung.

Noch am ersten Tage des Überfalls wandte sich Metropolit
Sergi mit einem Sendschreiben an alle orthodoxen Gläubigen
und segnete ihr Ringen um die Verteidigung des Vaterlandes.
«Unsere orthodoxe Kirche», heißt es darin unter Anführung
von Beispielen aus der russischen Geschichte, «hat stets das
Schicksal ihres Volkes geteilt. Mit ihm durchlitt sie seine Heim-
suchungen und freute sich seiner Erfolge. Sie wird auch jetzt
ihr Volk nicht im Stich lassen.» Das Wort aus dem Johannes-
evangelium (15, 13): «Niemand hat größere Liebe denn die,
daß er sein Leben dahingibt für seine Freunde», gelte nicht nur
für den, der im Kampfe fällt. «In einer Zeit, da das Vaterland
einen jeden zur Tat ruft, wäre es von uns, den Hirten der
Kirche, würdelos, blickten wir nur schweigend auf das, was
um uns herum geschieht, ohne die Kleingläubigen zu ermuti-
gen, die Bedrückten zu trösten, die Wankelmütigen an die

Pflicht und den Willen Gottes zu erinnern.» So wird ein jeder orthodoxe Christ auf seinem Platz und entsprechend seinen Möglichkeiten zu selbstlosem Einsatz aufgerufen und hierfür gesegnet.

Der Aufruf fand ein lebhaftes Echo. Die zahlreichen Hirtenbriefe, Predigten und Bittgottesdienste vermittelten geistlichen Rückhalt und Trost, mahnten zur Linderung der Not und Stärkung des Widerstandes. Das geschah teilweise auch durch Presse und Radio. In den sich überall füllenden Kirchen wurden alle, die ihr Leben einsetzten, ob gläubig oder ungläubig, in Gebet und Fürbitte eingeschlossen. Obwohl die Kirche ihre wichtigste Aufgabe im unablässigen Gebet wußte, zeigte sich ihre Mitwirkung auch in tatkräftigem Handeln.

Am heldenhaften Widerstand während der fast neunhundert Tage dauernden Belagerung von Leningrad, bei der etwa 650 000 Menschen den Tod fanden, hatten die dortigen orthodoxen Christen unter der geistlichen Leitung des Metropoliten Alexi (Simanski) von Leningrad und Nowgorod bedeutenden Anteil. «Der Krieg», erklärte Metropolit Alexi, «ist eine heilige Sache für alle, die ihn als notwendig zur Verteidigung der Wahrheit und des Vaterlandes auf sich nehmen. Wer aus solchem Grund zu den Waffen greift, verteidigt die Wahrheit und beschreitet, indem er für die Seinen und seine Heimat Leiden und Wunden auf sich nimmt oder sein Leben dahingibt, den Weg der Märtyrer, denen ein unverwelklicher, ewiger Kranz zuteil wird.» Zahllose andere Christen kämpften unmittelbar an der Front. Viele von ihnen, wie zum Beispiel Erzbischof Luka (Woino-Jasenezki), Erzbischof Leonid (Lobatschew) und der Erzbischof von Krasnodar und dem Kuban, Alexi, erhielten für ihre Verdienste hohe Auszeichnungen.

Besonders lebhaftes Echo fanden unter den Gläubigen und den Geistlichen die Aufrufe zur menschlichen und materiellen Hilfeleistung. In seiner Osterpredigt vom Jahre 1942 interpretierte Erzbischof Andrej von Saratow die Osterbotschaft im Blick auf die gegenwärtige Situation: «Sie lehrt uns die Liebe zu den Leidenden, besonders den Kindern, die die mütterliche Zärtlichkeit und die väterliche Fürsorge verloren haben.» Er verband dies mit dem Aufruf, sich der Kriegswaisen anzunehmen, ihre Versorgung in den Kinderheimen zu unterstützen oder sie in die eigene Familie aufzunehmen, damit sie «gesund und kräftig und ohne den Schmerz des Waise-Seins aufwachsen» können. In allen Gemeinden sammelte man warme Kleidung für die Soldaten. Landgemeinden spendeten zusätzliche Lebensmittel für die Lazarette. Nonnenklöster versorgten Lazarette und Flüchtlingslager mit Wäsche und Verbandmaterial, halfen bei der Pflege von Kranken und Verwundeten.

Schließlich zeitigten die Geldspenden für den Verteidigungsfonds außerordentliche Resultate. In den Gottesdiensten gab es zusätzliche Tellersammlungen für die Verteidigung und die Linderung der Kriegsnöte. Kirchgemeinderäte organisierten immer neue Sammlungen, Geistliche spendeten aus ihren persönlichen Mitteln. Bis Oktober 1944 erreichten die Spenden aus den Gemeinden in allen Teilen des Landes, Sachspenden nicht eingerechnet, eine Gesamtsumme von 150 Millionen Rubel. Ähnlichen Sammlungen im Lande entsprechend, rief Metropolit Sergi Ende Dezember 1942 die orthodoxen Gläubigen zu Spenden für den Bau einer Panzerkolonne auf. «Erneuern wir seitens unserer ganzen orthodoxen Kirche das Beispiel des heiligen Sergi von Radonesh», schrieb er unter Hinweis auf die Unterstützung, die dieser im 14. Jahrhundert dem Großfürsten Dmitri Donskoi beim Kampf gegen die Tataren bezeigt hatte, «und senden wir unserer Armee für den bevorstehenden Entscheidungskampf, zusammen mit unseren Gebeten und unserem Segen, einen greifbaren Erweis unserer Teilhabe an den gemeinsamen Mühen: Laßt uns mit unseren kirchlichen Opfergaben eine Panzerkolonne ausrüsten, die den Namen Dmitri Donskoi tragen soll.» Bereits nach vier Monaten waren acht Millionen Rubel gesammelt worden. Anfang März 1944 wurde die Panzerkolonne von Metropolit Nikolai (Jaruschewitsch) von Kiew und Galizien der Roten Armee übergeben.

Die oft mit dem Hinweis auf die traditionelle Heimat- und Volksverbundenheit der Kirche sowie das Leid der Menschen und die barbarischen, auch vor Kirchengebäuden nicht haltmachenden Zerstörungen verbundenen Predigten und Aufrufe widmeten sich auch dem Trost und der Stärkung der Christen in den besetzten Gebieten. Mehrere Aufrufe, Weihnachts- und

Osterbotschaften galten den Gläubigen in der Ukraine und in den baltischen Unionsrepubliken. Sie mahnten, in der Treue zum Glauben, zur Kirche und zum Vaterland fest zu bleiben. Wiederholt wurde dazu aufgerufen, den Widerstand zu unterstützen. So wandte sich bereits im Januar 1942 Metropolit Sergi an alle Hierarchen und Gläubigen in den besetzten Gebieten mit den Worten: «Denkt daran, daß jeder Dienst, den ihr den Partisanen erweist, ein Dienst an der Heimat ist und ein weiterer Schritt zu euerer eigenen Befreiung ...» Zugleich warnte er: «Es sei ferne von euch die verführerische Hoffnung, euch Wohlergehen zu erkaufen durch Verrat an Kirche und Vaterland ...»

Darüber hinaus bemühte sich das Moskauer Patriarchat in Aufrufen an die Soldaten der rumänischen Armee, an alle Christen in Jugoslawien, der Tschechoslowakei, Griechenlands und anderer besetzter Länder um den gemeinsamen Widerstand der christlichen Antifaschisten.

Die orthodoxen Kirchen im Vorderen Orient, zu denen sich die Kontakte verstärkten, unterstützten die Haltung des Moskauer Patriarchats. Die Kontakte zur Kirche von England konnten ausgebaut werden. In den USA wandte sich der dortige Exarch des Moskauer Patriarchen, Metropolit Benjamin, mit scharfen Worten gegen die Haltung weiter Kreise der russischen Emigration. In anderen Emigrantenkreisen zeichnete sich ein Sinneswandel ab.

Über all die unterschiedlichen Sammlungen und Hilfsmaßnahmen wie über das selbst erfahrene Kriegsleid erhielt die Patriarchatsverwaltung zahlreiche Briefe und Berichte. Eine Auswahl dieser von Gemeindegliedern, Geistlichen und Hierarchen verfaßten Schreiben veröffentlichte das Moskauer Patriarchat im Jahre 1942 in dem mehr als 450 Seiten umfassenden Sammelband «Die Wahrheit über die Religion in Rußland» (Prawda o religii w Rossii). Das Buch behandelt darüber hinaus in einem Einleitungsteil die Stellung der Russischen Orthodoxen Kirche in der Sowjetunion und die wichtigsten Momente der Entwicklung der Kirche in Geschichte und Gegenwart, Schmerzliches und Tröstliches.

Allerdings nahmen nicht alle Orthodoxen die hier aufge-

255

zeige Haltung ein. In den besetzten Gebieten kam es zu Abspaltungen, fanden sich manche zur Kollaboration bereit. Die Leitung des Moskauer Patriarchats, die sich vom Herbst 1941, als sich die Front Moskau genähert hatte, bis zum Herbst 1943 in der Stadt Uljanowsk an der Wolga befand, nahm leidenschaftlich dazu Stellung.

In der Ukraine entstand eine Autonome Ukrainische Kirche unter dem Metropoliten Alexi (Gromadski), der zwar die jurisdiktionelle Bindung an das Moskauer Patriarchat beibehielt, jedoch eine antikommunistische Haltung einnahm. Daneben konstituierte sich erneut die in den dreißiger Jahren aufgehobene Autokephale Ukrainische Kirche unter Leitung von Bischof Polikarp (Sikorski). Anfang der zwanziger Jahre war er unter Petljura in der Ukraine Minister für Volksbildung, floh dann nach Polen und wurde vom Haupt der Polnischen Orthodoxen Kirche in den nach dem ersten Weltkrieg zu Polen gehörenden Teilen der Ukraine und Weißrußlands zum Bischof von Luzk geweiht. Nach Eingliederung dieser Gebiete in die Sowjetunion Ende 1939 hatte er sich dem Moskauer Patriarchat unterstellt und war in seinem Amt belassen worden. Unter deutscher Besetzung machte er sich zum Haupt der erneuerten Autokephalen Ukrainischen Kirche. Diesem Problem galt der einzige Beschluß der am 28. 3. 1942 in Uljanowsk tagenden Synode von elf Bischöfen: Bischof Polikarp habe sich binnen zwei Monaten zu rechtfertigen, andernfalls gelte er seiner geistlichen Würden verlustig.

In den nach dem ersten Weltkrieg entstandenen baltischen Staaten hatten nur die Orthodoxen in Litauen die kanonische Bindung an das Moskauer Patriarchat beibehalten. Dieses setzte nach der Wiedereingliederung im Jahre 1940 Sergi (Woskressenski) als Metropoliten von Litauen und Exarchen für Lettland und Estland ein. Doch auch mit ihm sowie drei weiteren baltischen Bischöfen hatte sich wegen ihrer fragwürdigen Haltung eine Bischofsversammlung vom 22. 9. 1942 in Uljanowsk zu befassen.

Staatlicherseits fand der vorbehaltlose, tatkräftige Einsatz der Russischen Orthodoxen Kirche für die Landesverteidigung und die Linderung der Kriegsnöte hohe Anerkennung. Zum ersten Osterfest während des Krieges, im Jahre 1942, hob man das nächtliche Ausgehverbot auf, um die Teilnahme an den Osternachtgottesdiensten zu ermöglichen. Die antireligiöse Arbeit wurde eingestellt. Das Leben in den Gemeinden intensivierte sich. Viele Kirchen wurden instand gesetzt, eine Reihe von gottesdienstlichen Gebäuden neu errichtet.

Wenige Tage nach Rückverlegung der Kirchenleitung von Uljanowsk nach Moskau, bei der dem Patriarchatsverweser eine neue Residenz zur Verfügung gestellt wurde, fand jene gewichtige Begegnung statt, die das Neue im Verhältnis von Kirche und Staat besonders markant zum Ausdruck brachte. Am 4. 9. 1943 empfing der Vorsitzende des Rates der Volkskommissare, J. W. Stalin, den Patriarchatsverweser Metropolit Sergi (Stragorodski) von Moskau und Kolomna sowie die beiden ranghöchsten Bischöfe, Metropolit Alexi (Simanski) von Leningrad und den Exarchen der Ukraine, Metropolit Nikolai (Jaruschewitsch) von Kiew und Galizien, der bereits vordem in die staatliche Kommission zur Untersuchung faschistischer Verbrechen berufen worden war. Im Verlauf der Aussprache wurde ihnen gesagt, seitens der Regierung bestünden keine Einwände gegen den Wunsch der Kirche, auf einer Bischofssynode einen Patriarchen zu wählen und einen Synod zu konstituieren.

Bereits vier Tage danach tagte in Moskau eine aus drei Metropoliten, elf Erzbischöfen und fünf Bischöfen bestehende Synode. Nach seinem Bericht über das patriotische Wirken der Kirche im Kriege wurde der 76jährige Metropolit Sergi (Stragorodski), der die Russische Orthodoxe Kirche bereits seit siebzehn Jahren leitete, zum zwölften Patriarchen von Moskau und ganz Rußland gewählt. In einer Ansprache appellierte er an die Christen der ganzen Welt, sich für die endgültige Überwindung des Feindes einzusetzen. Tiefen Eindruck hinterließ schließlich das Sendschreiben des Patriarchen, in dem er die Gläubigen zu einer klaren kirchlichen Haltung aufrief, die Heilsbedeutung der Sakramente sowie die Notwendigkeit und Möglichkeit betonte, das kirchliche Leben auf der Grundlage der traditionellen Glaubenslehre und der kirchlichen Kanones zu entfalten. Staatlicherseits wurde zur Regelung aller Fragen im Oktober 1943 der Rat für die Angelegenheiten der Russischen Orthodoxen Kirche eingerichtet, dessen erster Vorsitzender, Georgi Karpow, dieses Amt bis zum Februar 1960 bekleidete.

Gleichzeitig mit dem erneuten Ausbau der Beziehungen zu den orthodoxen Kirchen im Ausland, die Sergis Wahl lebhaft begrüßten, stellte der Patriarch noch im Jahre 1943 die Gemeinschaft mit der Georgischen (grusinischen) Kirche wieder her, indem er deren nach der Februarrevolution von 1917 wiedergewonnene Eigenständigkeit und selbst proklamierte Autokephalie offiziell anerkannte. Mit dem noch im September 1943 erfolgten Besuch einer Delegation der Kirche von England unter Leitung des Erzbischofs von York, C. F. Garbett, begann eine neue Phase zwischenkirchlicher Beziehungen.

Große Anstrengungen verwandte der Patriarch auf die Beseitigung der innerkirchlichen Spaltungen. Die seit Mitte der zwanziger Jahre erfolgende Rückkehr zahlreicher Geistlicher und Laien von den «Erneuerern» zur Patriarchatskirche beschleunigte sich nach Kriegsausbruch. Nun ließ sich keine Beschuldigung staatsfeindlicher Haltung mehr aufrechterhalten. Die «Erneuerer» betonten jetzt ihre kanonische Übereinstimmung mit der Patriarchatskirche, entschuldigten bisherige Abweichungen als «Kinderkrankheiten», hielten allerdings am ihre eigenen Ämter begründenden Prinzip des verheirateten Episkopats fest. Als dann die Wahl Sergis zum Patriarchen erfolgte, baten fast alle «Erneuerer» um Wiederaufnahme in die Patriarchatskirche. Dabei wurden zumeist jene Weihestufen, die sie vor dem Abfall besaßen, als gültig anerkannt. Die letzten der sich noch zum «Erneuerer» Alexander Wwedenski haltenden Gemeinden kehrten 1948 nach dessen Tod in den Schoß der Patriarchatskirche zurück. In gleicher Weise schmolzen auch die weniger bedeutenden Spaltergruppen wie die «Grigorianer» dahin.

Ab September 1943 konnte das «Journal des Moskauer Patriarchats» in vermehrtem Umfang wieder erscheinen. Besondere Aufmerksamkeit widmete Patriarch Sergi der Besetzung vakanter Bischofssitze und dem großen Bedarf an Gemeindegeistlichen. Angesichts des Mangels an theologisch Gebildeten intensivierte der Patriarch seine schon Ende 1942 unternommenen Bemühungen zur Eröffnung theologischer Lehranstalten.

Sergi (Stragorodski) war es nur für wenige Monate beschieden, als Patriarch zu wirken. Er verstarb am 15. Mai 1944. Ihm bleibt jedoch das große Verdienst, zur inneren Festigung der Russischen Orthodoxen Kirche und zu einer von tiefer Gläubigkeit getragenen, bewußten Neuorientierung in Staat und Gesellschaft entscheidend beigetragen zu haben. Dieser Weg ist von seinen Nachfolgern, den Patriarchen Alexi (1945 bis 1970) und Pimen (seit 1971), weiter beschritten worden.

Entsprechend dem vom Landeskonzil 1917/18 beschlossenen Designationsrecht, hatte Sergi in seinem bereits in den kritischsten Tagen des Krieges, im Oktober 1941, verfaßten Testament, das nach seinem Tode geöffnet und vom Heiligen Synod bestätigt wurde, den Metropoliten Alexi (Simanski) von Leningrad zum Patriarchatsverweser bestimmt.

Alexi, mit bürgerlichem Namen Sergej Simanski, wurde im Jahre 1877 in einer aristokratischen Familie in Moskau geboren. Nachdem er die Juristische Fakultät der Moskauer Universität mit dem Kandidatengrad absolviert hatte, studierte er von 1900—1904 an der Moskauer Geistlichen Akademie. Stark geprägt vom damaligen Rektor, Bischof Arseni (Stadnizki), trat er Anfang 1902 in den Mönchsstand und erhielt den Namen Alexi, jenes bedeutenden Metropoliten, der unter der Tatarenherrschaft von 1354 bis 1378 an der Spitze der russischen Kirche stand. Nach Jahren der Lehrtätigkeit als Rektor der Geistlichen Seminare in Tula und Nowgorod erfolgte 1913 seine Weihe zum Vikarbischof von Tichwin. In Petrograd, wo er seit 1921 mit dem Titel eines Bischofs von Jamburg amtierte, entfalteten sich in der Auseinandersetzung mit den «Erneuerern» die Prinzipien seines weiteren Wirkens: treues Festhalten an der überlieferten orthodoxen Kirchlichkeit und Loyalität gegenüber der Sowjetmacht. Seit 1926 leitete er als Erzbischof die Eparchie Nowgorod, und von 1933 an bis zu seiner Wahl zum Patriarchen amtierte er als Metropolit von Leningrad. Während der neunhunderttägigen Belagerung Leningrads während des zweiten Weltkrieges verwandte er alle

Kraft darauf, daß die Gottesdienste fortgeführt, geistlicher Trost und Rückhalt gespendet und die Verteidigung der Stadt in jeder erdenklichen Weise unterstützt werde. Hierfür wie auch für sein späteres Wirken ist er von der Regierung viermal mit dem Rotbannerorden der Arbeit ausgezeichnet worden.

«Mein Werk», erklärte er in seinem ersten Sendschreiben als Patriarchatsverweser am 28. 5. 1944, «wird dadurch erleichtert, daß der hochheilige Patriarch (Sergi) klar den Weg vorgezeichnet hat ... Das ist der Weg der strengen Befolgung der kirchlichen Kanones, der Treue zur Heimat, einer aufrichtigen, von den Aposteln vorgezeichneten Ergebenheit gegenüber der Obrigkeit, die, wie der Apostel sagt, von Gott verordnet ist (Röm. 13, 1). Ich bitte alle Mitbrüder und alle Priester, diesen richtigen Weg zu gehen und ihn ihre Gemeinde gehen zu lehren ...»

Auf einer Bischofssynode, die im November 1944 in Moskau tagte, um ein Landeskonzil zur Wahl des Patriarchen vorzubereiten, konnte Alexi von der Wiedereröffnung zahlreicher Kirchen, dem Neubeginn der theologischen Ausbildung und einer erneuerten Verlagstätigkeit berichten. All dies müsse jedoch «nicht nur darauf gerichtet sein, den Aufgabenkreis der Kirche zu verbreitern, sondern diese Tätigkeit auch fruchtbar zu gestalten und sie allein auf jenes Ziel auszurichten, zu dem die Kirche streben muß, nämlich die Gläubigen geistlich zu bilden und ihnen den Geist wahrer Frömmigkeit zu vermitteln.»

Am Ende der Synode betonte der Vorsitzende des Rates für die Angelegenheiten der Russischen Orthodoxen Kirche, G. Karpow, auf einem Empfang den Bezug zwischen dem Engagement der Kirche und ihrer jetzigen Stellung in der Gesellschaft: «Jene Erscheinungen, die jetzt im Leben der Kirche und in den gegenseitigen Beziehungen zwischen Staat und Kirche auftreten, tragen keinen zufälligen, unerwarteten oder gar vorübergehenden Charakter, auch sind sie keine taktischen Manöver, wie das manchmal Übelwollende hinzustellen versuchen oder wie das manchmal in Gesprächen des Volkes zum Ausdruck kommt. Diesen Maßnahmen liegt eine Tendenz zugrunde, die sich schon vor dem Kriege abzeichnete und die sich während des Krieges weiterentwickelt hatte. Diese Maßnahmen der Sowjetregierung, die das Leben der Russischen Orthodoxen Kirche betreffen, stehen in vollem Einklang mit der Verfassung der UdSSR und tragen den Charakter der Billigung jener Position, welche die Kirche gegenüber dem Sowjetstaat im letzten Jahrzehnt vor dem Kriege und insbesondere während des Krieges mit dem Ziel eines möglichst schnellen Sieges über den Feind eingenommen hat.»

Das erste Landeskonzil nach der Oktoberrevolution tagte vom 31. 1. bis 4. 2. 1945 in der Auferstehungskirche in Moskau-Sokolniki mit 171 stimmberechtigten Teilnehmern, Hierarchen, Geistlichen, Mönchen und Laien. Besondere Bedeutung verlieh ihm die Anwesenheit der Patriarchen von Alexandrien und Antiochien, des Katholikos von Georgien sowie Vertretern der Patriarchen von Konstantinopel, Jerusalem, der serbischen und rumänischen Kiche.

Das Konzil beschloß ein «Statut (Poloshenije) über die Verwaltung der Russischen Orthodoxen Kirche», das mit seinen strukturellen Festlegungen für die verschiedenen Ebenen des kirchlichen Lebens eine größere Gemeinsamkeit von Hirten und Herde erstrebt und den Laien eine verantwortungsvolle Teilhabe gewährleistet. Den Höhepunkt bildete die in offener Abstimmung einmütig erfolgte Wahl des Metropoliten Alexi (Simanski) zum dreizehnten Patriarchen.

Bereits in seiner Eröffnungsansprache hatte der Vorsitzende des Rates für die Angelegenheiten der Russischen Orthodoxen Kirche, G. Karpow, die positive Rolle der russischen Orthodoxie in Geschichte und Gegenwart, ihre Bedeutung für die Bildungs- und Erziehungsarbeit, ihre Verbundenheit mit dem Schicksal des Volkes in den Nöten der Vergangenheit sowie des gegenwärtigen Krieges hervorgehoben, die Verdienste ihrer Hierarchen unterstrichen und auf die Bedeutung dieses Konzils für die Festigung der Kirche hingewiesen. Patriarch Alexi betonte bei seiner Inthronisation: «Die Kraft der Kirche liegt nicht in äußerer Schönheit und Größe. Die Kirche schmückt sich wie mit einem Purpur mit dem Blute der Märtyrer, den Taten der Heiligen, den großen Werken der Erz-

priester und anderer Diener Gottes. Deshalb rufe ich auch alle
treuen Kinder der Kirche auf, ein christliches Leben zu führen,
damit sich unsere Orthodoxe Kirche mit der Schönheit christlicher Tugenden schmücken kann.»

2
Die jüngste Zeit

Der zweite Weltkrieg ging zu Ende. Nun galt es nicht nur die
geschlagenen Wunden zu heilen. Patriarch Alexi rief im September 1945 die Gläubigen auf: «Eine neue Ära hat im Leben
der Völker begonnen. Eine neue Seite ist in unserer Weltgeschichte aufgeschlagen worden: die neue Epoche der Bruderschaft unter den Nationen und des Friedens in der ganzen
Welt. Wir wollen uns mit neuem Eifer und mit neuer Tatkraft
an die friedliche Arbeit begeben und unser großes Vaterland
in Frieden wieder aufbauen.»

Große Aufmerksamkeit widmete das Patriarchat der Entfaltung des geistlichen Lebens in den Gemeinden und in eins
damit der Zurüstung und theologischen Bildung der Geistlichkeit. Unter Aufbringung bedeutender Mittel — die finanzielle
Grundlage dieser Kirche beruht auf freiwilligen Spenden sowie dem Verkauf von Kerzen, Prosphoren (Abendmahlsbroten) und verschiedenen kultischen Gegenständen — erfolgte
die Restaurierung zahlreicher Kirchen und Klöster, darunter
der Bauten der Troize-Sergi-Lawra in Sagorsk, der Mariä-
Himmelfahrts-Lawra von Potschajew, des Pskower Höhlenklosters, der berühmten Kathedralen in Wladimir, Kiew,
Leningrad, Kischinjow, Shitomir, Rostow am Don, Tschebok-
sary und in vielen anderen Orten. Die Troize-Sergi-Lawra in
Sagorsk konnte im April 1946 wieder zu einer Stätte geistlichen Wirkens werden und entwickelte sich zum heutigen
Zentrum russisch-orthodoxer Frömmigkeit und einem Mittelpunkt geistlicher Bildung. Als eines der markantesten Kirchengebäude konnte im Jahre 1957 die Dreifaltigkeits-Kathedrale
des ehemaligen Alexander-Newski-Klosters in Leningrad für

die gottesdienstliche Benutzung geweiht werden. Schließlich erfolgte seit August 1944 der Aufbau des theologischen Bildungswesens.

Eine wesentliche Aufgabe bestand in der Beseitigung noch bestehender restlicher Abspaltungen sowie jener, die sich in den während des Krieges besetzten westlichen Gebieten der Sowjetunion ergeben hatten. Darüber hinaus erstreckte sich das Bemühen um kirchliche Einheit auf die Christen jener Gebiete, die seit 1945 zur Sowjetunion gehören. Im Oktober wurde die bis dahin unter der Jurisdiktion des serbischen Patriarchats stehende Eparchie Mukatschewo in der Karpato-Ukraine Teil der Russischen Orthodoxen Kirche. Wenig später erfolgte der Anschluß derer, die seit der Brester Union von 1596 mit Rom uniert waren. Nachdem sich zunächst im Februar 1946 eine Gruppe der westukrainischen Unierten der Russischen Orthodoxen Kirche anschloß, erklärte im Monat darauf eine Synode in Lwow die Union für endgültig aufgehoben. Im August 1949 vereinigten sich schließlich die seit der Union von Ushgorod im Jahre 1646 mit Rom Unierten mit dem Moskauer Patriarchat.

Mit dem vom Landeskonzil am 31. 1. 1945 verabschiedeten Statut erweist sich die Kirche als geschlossener, hierarchisch ausgerichteter und in seinen verschiedenen Ebenen aufeinander bezogener Organismus. Die oberste Gewalt gehört dem aus Bischöfen, Geistlichen und Laien bestehenden Landeskonzil, das der Patriarch, «sofern die Stimme des Klerus und der Gemeinde gehört werden muß und die äußere Möglichkeit zur Einberufung» gegeben ist, einberuft und auf dem er den Vorsitz führt.

Der Patriarch von Moskau und ganz Rußland leitet die Kirche gemeinsam mit dem Heiligen Synod. Als ständige Mitglieder gehören ihm die Metropoliten von Kiew, Leningrad und Krutizy an, als nichtständige Mitglieder werden zur Sommer- beziehungsweise Wintersession drei periodisch wechselnde Eparchialbischöfe berufen. Damit für kurzfristig notwendige Beschlüsse stets drei ständige Mitglieder in Moskau verfügbar sind, beschloß eine Bischofssynode von 18. 7. 1961, deren Zahl durch Einbeziehung des Präsidenten des Kirchlichen Außenamts und des Leiters der Verwaltung des Moskauer Patriarchats auf fünf zu erhöhen.

Außer den beiden eben genannten entstanden noch weitere Einrichtungen des Heiligen Synods. Dem Unterrichtskomitee unterstehen die geistlichen Lehranstalten. Die Verlagsabteilung besorgt die Herausgabe von Zeitschriften, Bibeln, liturgischen und theologischen Werken. Die Wirtschaftsabteilung befaßt sich mit den Finanzen und gewährleistet die Instandhaltung der kirchlichen Gebäude. Sie verfügt über Werkstätten zur Herstellung von Kerzen, kirchlichem Gerät, geistlicher Gewandung, Ikonen und Weihrauch. Das seit 1948 bestehende Pensionskomitee sichert die Versorgung der in den Ruhestand getretenen Geistlichen und kirchlichen Angestellten sowie deren nichtarbeitsfähigen Hinterbliebenen. Die veränderten Bestimmungen von 1970 ermöglichten finanzielle Verbesserungen.

Die Eparchien, deren Grenzen mit den staatlichen Verwaltungseinheiten übereinstimmen, werden von Bischöfen geleitet, die der Patriarch ernennt. Zu ihrer Unterstützung können Vikarbischöfe eingesetzt werden. Außer seiner Kanzlei kann dem Eparchialbischof ein aus drei bis fünf Priestern bestehender Eparchialrat zur Seite stehen. Die Eparchie ist in Propsteien (Kirchenkreise) unterteilt, an deren Spitze der vom Bischof ernannte Propst (blagotschinny) steht. Mit behördlicher Genehmigung können in den Eparchien pastoraltheologische Lehrgänge eingerichtet sowie Werkstätten für die Herstellung von Kerzen und anderem kirchlichen Bedarf unterhalten werden. Die in der Eparchie befindlichen Klöster werden nach einer vom Patriarchen bestätigten Ordnung verwaltet.

Ein weiterer Teil des Statuts behandelt die Bestimmungen über das Bilden und Registrieren von Gemeinden und die Zuweisung von Kirchengebäuden entsprechend der staatlichen Gesetzgebung. Der vom Eparchialbischof zur seelsorgerlichen Betreuung der Gläubigen und zur Leitung von Klerus und Gemeinde eingesetzte erste Geistliche der Pfarrkirche, heißt es hier, ist von Amts wegen ordentliches Mitglied der Kirchengemeinde und Vorsitzender ihres Exekutivorgans, des Kirchgemeinderats, dem noch der Kirchenälteste (starosta), sein Gehilfe und der Kassenwart (kasnatschej) angehören. Kirchgemeinderat und die aus drei Personen bestehende Revisionskommission werden von der Gemeindeversammlung gewählt, sind für die Verwaltung und Verwendung der auf freiwilligen Beiträgen beruhenden finanziellen Mittel verantwortlich und achten auf die Einhaltung der gesetzlichen Vorschriften.

Dieser Statutteil «Über die Gemeinden» hat durch einen Beschluß des Patriarchen und des Heiligen Synods vom 16. 3. 1961, der von der Bischofssynode am 18. 7. 1961 bestätigt und letztgültig vom Landeskonzil am 1. 6. 1971 bekräftigt wurde, eine Neufassung erhalten. Patriarch Alexi begründete dies mit mancherorts aufgetretenen Kompetenzproblemen zwischen Klerus und Exekutivorganen sowie Hinweisen der Regierung auf Abweichungen von gesetzlichen Bestimmungen. Die nunmehr eindeutige Verteilung und Abgrenzung der Kompetenzen befreie den ersten Geistlichen von der Verantwortung und Wahrnehmung von Finanz- und Verwaltungsaufgaben, so daß er sich ausschließlich und umfassender seinen geistlichen Aufgaben widmen könne und dadurch seine moralische Autorität in der Gemeinde gefestigt werde.

Während der erste Priester und, soweit vorhanden, die übrigen Geistlichen der Gemeinde in ihrem geistlichen Wirken vor Gott und ihrem Bischof verantwortlich sind, betont die Neufassung den selbständigen, nunmehr auch von der bischöflichen Aufsicht unabhängigen Charakter der Gemeinde in der Wirtschafts- und Finanzverwaltung. Die Verwaltung der Gemeindeangelegenheiten liegt in der Hand von zwei aus Laien bestehenden Organen: der Kirchgemeindeversammlung, das heißt der Versammlung der registrierten Zwanzigergruppe (dwadzatka), und als Exekutivorgan dem von der Pfarrgemeinde gewählten Kirchgemeinderat, der aus dem Kirchenältesten, seinem Gehilfen und dem Kassenwart besteht. Die Kontrolle übernimmt eine aus ebenfalls drei Personen bestehende Revisionskommission. Die erhöhte Mitverantwortung der Gemeinde findet ferner darin Ausdruck, daß der Bischof die Geistlichen nicht mehr einsetzt, sondern nach ihrer Wahl durch die Gemeinde zu ihrem Dienst segnet.

Ein größeres Mitspracherecht der Laien war bereits durch

das Pfarrstatut von 1918 vorgesehen, demzufolge der Bischof bei der Besetzung der Pfarrstellen die von der Gemeinde vorgeschlagenen Kandidaten wenigstens berücksichtigen sollte. Die Neufassung vom Jahre 1961 erneuerte das einst in Rußland bestehende Recht der Gläubigen zur Wahl ihrer Geistlichen, das durch das Statut der geistlichen Konsistorien von 1841 abgeschafft worden war.

Die weitere Entfaltung des kirchlichen Lebens sowie die zunehmende Bedeutung der russischen Kirche innerhalb der Gesamtorthodoxie und schließlich der Weltchristenheit spiegelt sich in den herausragenden Ereignissen seit dem Landeskonzil von 1945 wider.

Im Juli 1948 feierte die russische Kirche in Moskau den 500. Jahrestag ihrer Autokephalie. Obwohl seinerzeit erst die Errichtung des Moskauer Patriarchats im Jahre 1589 die Anerkennung der vier Patriarchen des Ostens gefunden hatte, nahmen an den Feierlichkeiten die Vertreter fast aller orthodoxen Kirchen sowie der Armenischen Apostolischen Kirche teil. Dabei kam es, wenn auch ohne Mitwirkung der Vertreter des Patriarchats von Konstantinopel und der Kirche von Griechenland, zu einer gleichsam gesamtorthodoxen Beratung über das Verhältnis zum römischen Katholizismus und zur Ökumenischen Bewegung, über die Annahme des Gregorianischen Kalenders, die Anerkennung der anglikanischen Weihen sowie die Situation der slawischen Mönche auf dem Athos. Die hier bezeigte kritische Zurückhaltung hatte unter anderem zur Folge, daß die meisten orthodoxen Kirchen keine Vertreter zur ersten Weltkirchenkonferenz in Amsterdam 1948 entsandten. Ein von den Anwesenden verabschiedeter Appell an die Christen der ganzen Welt wurde der erste von der Mehrheit der orthodoxen Kirchen gemeinsam vertretene Friedensappell.

Die Vertreter fast aller orthodoxen Kirchen fanden sich erneut anläßlich des vierzigsten Jahrestages der Wiedererrichtung des Moskauer Patriarchats im Mai 1958 in Moskau zusammen. Auf der bereits erwähnten Bischofssynode vom Juli 1961, die sich mit der Erhöhung der Zahl der ständigen Mitglieder des Heiligen Synods, der Neufassung des Statutteils

«Über die Gemeinden» und der Beteiligung an der ersten Prager Allchristlichen Friedensversammlung befaßte, berichtete
Patriarch Alexi über die veränderten Beziehungen zur Ökumenischen Bewegung und den Beschluß des Heiligen Synods über
den Beitritt zum Weltkirchenrat. So erhielten die Festlichkei-
ten im Juli 1963 anläßlich des fünfzigsten Jahrestages der
Bischofsweihe von Patriarch Alexi und im Jahre 1968 zum
fünfzigsten Jahrestag der Wiedererrichtung des Moskauer Patriarchats durch die Teilnahme von Vertretern der verschiedensten ökumenischen Gremien und vieler Kirchen fast aller Konfessionen gewissermaßen ökumenische Bedeutung.

Das galt vor allem für das Landeskonzil vom 30. 5. 1971
bis 2. 6. 1971 in der Troize-Sergi-Lawra in Sagorsk. Hier
wurde als Nachfolger des am 17. 4. 1970 verstorbenen Patriarchen Alexi, der fünfundzwanzig Jahre lang die Russische
Orthodoxe Kirche geleitet hatte, der bisherige Metropolit von
Krutizy und Kolomna, Pimen (Iswekow), zum vierzehnten
Patriarchen gewählt. Die Schwerpunkte des Wirkens der heutigen russischen Orthodoxie zeichneten sich deutlich in den
drei hier gehaltenen Hauptreferaten ab: Neben dem von Metropolit Pimen gegebenen Rechenschaftsbericht über die Entwicklung der russischen Kirche seit dem Landeskonzil von
1945 sprachen Metropolit Nikodim (Rotow) von Leningrad
und Nowgorod über «Die ökumenische Arbeit der Russischen
Orthodoxen Kirche» und Metropolit Alexi (Ridiger) von Tallin und Estland über «Die Friedensarbeit der Russischen
Orthodoxen Kirche».

Der derzeitige Patriarch Pimen, mit bürgerlichem Namen
Sergej Iswekow, wurde am 23. 7. 1910 in der Stadt Bogorodsk
im Moskauer Gebiet als Sohn eines Angestellten geboren.
1927 mit dem Namen Pimen zum Mönch geweiht, amtierte er
seit Anfang der dreißiger Jahre als Mönchspriester an der Epiphanias-Kathedrale in Moskau, seit Kriegsende in Murom,
Odessa und Rostow am Don. Seit 1949 leitete er das Pskower
Höhlenkloster, seit 1954 die Troize-Sergi-Lawra. Nach der Bischofsweihe im November 1957 wirkte er als Vikarbischof in
den Eparchien Odessa und Moskau. 1960 wurde er zum Leiter
der Verwaltung des Moskauer Patriarchats sowie zum Erz-

bischof ernannt und in dieser Tätigkeit ständiges Mitglied des Heiligen Synods. Außerdem übertrug man ihm 1961 die Eparchie von Tula und Belewsk, zusätzlich auch die zeitweilige Verwaltung der Eparchien Lugansk, Smolensk und Kostroma. 1961 zum Metropoliten von Leningrad ernannt, amtierte er seit 1963 als Metropolit von Krutizy und Kolomna. Im selben Jahr berief man ihn zum Mitglied des Weltfriedensrates, des Sowjetischen Komitees zur Verteidigung des Friedens und des Sowjetischen Komitees für kulturelle Verbindungen mit den Landsleuten im Ausland. Er ist Ehrenmitglied der Moskauer und Leningrader Geistlichen Akademien und Doktor der Theologie honoris causa. Als Patriarch leitet er die Russische Orthodoxe Kirche getreu dem Vermächtnis seiner Vorgänger, in ökumenischer Verbundenheit und tatkräftigem Einsatz für eine friedliche, auf das Wohl der Menschen gerichtete Entwicklung.

Und in entsprechender Weise wirken heute in den 76 Eparchien (Bistümern) dieser Kirche über ihre eigentlichen geistlichen Aufgaben hinaus Hierarchen, Geistliche und Laien in den verschiedensten Bereichen des gesellschaftlichen Lebens im Lande mit, wie beispielsweise für den sowjetischen Friedensfonds, in der Gesellschaft für Denkmalspflege oder in den Freundschaftsgesellschaften für verschiedene Länder.

Die in den letzten Jahrzehnten im Verhältnis von Kirche und Staat entwickelte Praxis wurde in einem Erlaß (Ukas) des Präsidiums des Obersten Sowjets der RSFSR vom 23. Juni 1975, der eine überarbeitete Fassung des Gesetzes «Über die religiösen Vereinigungen» vom 8. April 1929 darstellt, rechtlich präzisiert. Darüber hinaus wies der Vorsitzende des Rates für religiöse Angelegenheiten beim Ministerrat der UdSSR, W. A. Kurojedow, in einem Aufsatz über «Sowjetische Gesetzlichkeit und Gewissensfreiheit» («Iswestija» vom 31. 1. 1976) darauf hin, daß in der Sowjetunion heute mehr als 20 000 orthodoxe, römisch-katholische, lutherische und Altgläubigen-Kirchen, Synagogen, Moscheen, buddhistische Gebetsstätten sowie Gebetshäuser der Evangeliumschristen-Baptisten, Siebenten-Tags-Adventisten und andere für Gottesdienste genutzt werden.

3

Die russische Orthodoxie
im Ausland

Seit dem Ende des zweiten Weltkrieges unternahm das Moskauer Patriarchat bedeutende Anstrengungen, um die Verbindung der in den verschiedenen Teilen der Welt lebenden russischen Orthodoxen zur Mutterkirche wiederherzustellen. Wie zuvor schon die Patriarchen Tichon und Sergi wandte sich im August 1945 Patriarch Alexi an die Angehörigen der Karlowitzer Richtung, der «Russischen Orthodoxen Kirche im Ausland», mit dem Aufruf, Buße zu tun und zur Mutterkirche zurückzukehren. Obwohl dies vom damaligen Vorsitzenden des Karlowitzer Synod, Metropolit Anastassi (Gribanowski), schroff zurückgewiesen wurde, ist seitdem eine beträchtliche Anzahl von Geistlichen und Gemeinden zum Moskauer Patriarchat zurückgekehrt.

In der zweiten Hälfte des Jahres 1945 reisten kirchliche Delegationen nach Frankreich, Finnland, Österreich, der Tschechoslowakei und Deutschland, um die Verbindung zu den dortigen Gemeinden zu erneuern. In Frankreich und anderen westeuropäischen Ländern schlossen sich fünfundsiebzig Gemeinden unter dem Metropoliten Jewlogi (Georgijewski), der schon Ende 1944 den Wunsch dazu geäußert hatte, sowie einige bisher zu den Karlowitzern gehörende Gemeinden unter Metropolit Serafim (Lukjanow) dem Moskauer Patriarchat an, und es entstand dessen Westeuropäisches Exarchat. Allerdings sonderte sich ein Teil von ihnen in den Auseinandersetzungen um die Nachfolge des im August 1946 verstorbenen Jewlogi wieder ab und bildete das Westeuropäische russisch-orthodoxe Exarchat unter der Jurisdiktion des Patriarchen von Konstantinopel. Obwohl dieses nach Einspruch des Moskauer Patriarchats im Jahre 1965 offiziell aufgehoben wurde, unterstellte der Patriarch von Konstantinopel diese Gemeinden im Januar 1971 erneut seiner Jurisdiktion.

Erzbischof Alexander (Nemolowski) von Brüssel und Belgien, der 1940 von der Gestapo festgenommen und in Berlin inhaftiert worden war, stand nach seiner Befreiung durch die Sowjetarmee den russischen Gemeinden in Berlin vor. Nach seinem Wiederanschluß an das Moskauer Patriarchat erhielt er im September 1945 als Vikar des Metropoliten Jewlogi die Leitung der russischen Gemeinden in Deutschland innerhalb des Westeuropäischen Exarchats des Moskauer Patriarchats. Als Jewlogi 1946 starb und ihm Metropolit Serafim (Lukjanow) als Exarch für Westeuropa folgte, wurde die deutsche Eparchie selbständig. Zeitweilig nahm der 1951–1954 in Berlin amtierende Erzbischof Boris (Wik) von Berlin und Deutschland die Geschäfte eines Exarchen für Westeuropa wahr. Danach gehörten die deutschen Gemeinden des Moskauer Patriarchats als Propstei zum Westeuropäischen Exarchat und bildeten erst 1959 wieder eine eigene Eparchie. 1960 entstand das Mitteleuropäische Exarchat mit Erzbischof Ioann (Wendland) als erstem Exarchen. Dem Exarchen für Berlin und Mitteleuropa mit Sitz in Berlin-Karlshorst unterstehen weitere Bischofssitze in Wien, München und Düsseldorf. Das Mitteleuropäische Exarchat leitet seit 1973 der damalige Erzbischof und jetzige (seit 1975) Metropolit von Berlin und Mitteleuropa Filaret (Wachromejew).

Als im Jahre 1974 der in London amtierende Exarch für Westeuropa, Metropolit Antony (Bloom) von Surosh, um seine Ablösung bat, erhielt Metropolit Nikodim (Rotow) von Leningrad und Nowgorod zusätzlich die Funktion des Exarchen für Westeuropa. Weitere Bischöfe befinden sich in Brüssel, Paris, Den Haag und Zürich.

Anfang 1946 bat eine nach Moskau gereiste Delegation der Orthodoxen in der Tschechoslowakei um Aufnahme in das Moskauer Patriarchat. Die Kirche hatte während des Krieges Schweres erduldet. So war ihr Bischof Gorazd (Pavlík) im Jahre 1942 hingerichtet worden, nachdem in der Prager Kyrill-und-Method-Kathedrale die Heydrich-Attentäter entdeckt worden waren. Im November 1951 gewährte das Moskauer Patriarchat der Tschechoslowakischen Orthodoxen Kirche die Autokephalie.

Noch im Jahre 1945 erfolgte die Wiedervereinigung der Gemeinden des Metropoliten Meleti (Saborowski) von Charbin und der Mandschurei sowie der Russischen Geistlichen Mission in China, und es entstand zeitweilig ein Ostasiatisches Exarchat.

Das Konsistorium der Japanischen Orthodoxen Kirche bat zwar bereits im März 1946 um Anschluß an das Moskauer Patriarchat. Zur Zeit der amerikanischen Besetzung erfolgte jedoch eine Unterstellung unter die von Moskau getrennte Russische Orthodoxe Griechisch-Katholische Kirche von Nordamerika. 1957 konnte eine zum Moskauer Patriarchat gehörende Propstei gebildet werden. In Zusammenhang mit der veränderten Haltung der russischen Kirche in Amerika beschloß eine außerordentliche Synode der Japanischen Orthodoxen Kirche im Dezember 1969, sich dem Moskauer Patriarchat zu unterstellen und von diesem die Autonomie zu erbitten. Dem wurde am 10. 4. 1970 von Patriarch Alexi stattgegeben.

In der seit den zwanziger Jahren abgefallenen Russischen Orthodoxen Griechisch-Katholischen Kirche von Nordamerika zeichnete sich im Verlauf des zweiten Weltkriegs eine Neuorientierung ab. Sergi (Stragorodski) wurde nach seiner Wahl zum Patriarchen von Moskau und ganz Rußland in die Fürbitten aufgenommen, zwei Vertreter zum Moskauer Landeskonzil 1945 entsandt. Der auf der Synode von Cleveland im November 1946 mit großer Mehrheit gefaßte Beschluß, sich mit der Mutterkirche wiederzuvereinigen und von dieser die Bestätigung der Autonomie zu erbitten, fand zugleich die prinzipielle Zustimmung von Patriarch Alexi. Zu den geplanten Verhandlungen, bei denen man sich auch über die japanische Orthodoxie einigte, kam es jedoch erst unter dem seit 1965 amtierenden Metropoliten von ganz Amerika und Kanada Irinej (Bekisch). Patriarch und Heiliger Synod gewährten am 10. 4. 1970 dieser Kirche die volle Eigenständigkeit unter der neuen Bezeichnung Autokephale Orthodoxe Kirche in Amerika. Zu ihr gehören mehr als 350 Gemeinden mit etwa vier Millionen Orthodoxen in den USA, Kanada, Argentinien, Brasilien, Peru und Venezuela. Diese Gewährung der Autokephalie blieb nicht unumstritten. Zu den vom Patriarchen von Konstantinopel vorgebrachten Argumenten gehört die Meinung, die Gewährung der Autokephalie falle in die Kompetenz der Gesamtorthodoxie oder bedürfe zumindest einer Bestätigung seitens des Ökumenischen Patriarchats. Darüber wird möglicherweise die geplante Große und Heilige Synode der Heiligen Orthodoxen Kirche einheitliche Grundsätze für alle orthodoxen Kirchen erarbeiten.

Die in den USA und Kanada befindlichen Gemeinden des bis dahin bestehenden Exarchats von Nord- und Südamerika des Moskauer Patriarchats erhielten die Möglichkeit, sich der Autokephalen Orthodoxen Kirche in Amerika anzuschließen. Für die beim Moskauer Patriarchat verbleibenden Gemeinden dieser Länder bestehen Bischofssitze in New York und in Edmonton (Kanada), die zeitweilige Leitung obliegt Bischof Irinej (Seredni) von Ufa und Sterlitamak.

Für die Gemeinden des Moskauer Patriarchats in Argentinien, Mexiko und Kuba wurde das Exarchat von Mittel- und Südamerika mit dem Zentrum in Buenos Aires gebildet. Die Funktion des Exarchen nimmt kommissarisch Erzbischof Nikodim (Rusnak) von Charkow und Bogoduchow wahr.

Zum Moskauer Patriarchat gehören außerdem je eine Propstei (blagotschinije) in Finnland und Ungarn, die Russische Geistliche Mission in Jerusalem, Vertretungen und Kirchen beim Antiochenischen Patriarchen in Damaskus, in Beirut, in Alexandrien, in Belgrad und in Sofia, die Vertreter beim Ökumenischen Rat der Kirchen in Genf und bei der Christlichen Friedenskonferenz in Prag sowie einzelne Gemeinden in verschiedenen Teilen der Welt. Entsprechend befinden sich bei der Russischen Orthodoxen Kirche Vertretungen des Patriarchen von Alexandrien in Odessa, der Patriarchen von Antiochien und Bulgarien in Moskau. Schließlich wurde im Jahre 1975 in Peredelkino bei Moskau eine Vertretung (podworje) des russischen Pantelejmon-Klosters vom Athos eingerichtet.

Das Moskauer Patriarchat trägt den unterschiedlichen Lebens- und Arbeitsbedingungen der Russisch-Orthodoxen im Ausland Rechnung und übernahm Anregungen auch für die Mutterkirche. So entsprach der Heilige Synod im Juni 1967, gestützt auf die in den russisch-orthodoxen Gemeinden in Holland und in der Orthodoxen Kirche Finnlands gemachten

Erfahrungen, auf Anfrage des Exarchen für Westeuropa der Bitte der Christi-Auferstehungs-Gemeinde in Zürich, die Festtage des beweglichen und des unbeweglichen Kirchenjahreszyklus wie in der nichtorthodoxen Umwelt nach dem Gregorianischen statt, wie sonst in der Russischen Orthodoxen Kirche, nach dem Julianischen Kalender zu feiern.

Ferner billigte der Heilige Synod im November 1968 die Bitte der Exarchen von Westeuropa sowie von Nord- und Südamerika, die Liturgie der vorgeweihten Gaben, um auch Berufstätigen die Teilnahme zu ermöglichen, statt wie bisher nur morgens, auch am Abend zelebrieren zu können. Es handelt sich um eine Liturgie für die Wochentage der Fastenzeit, in der für die Eucharistie Abendmahlsgaben verwandt werden, die bereits zuvor, in einem Sonntagsgottesdienst, konsekriert worden sind. Auf Grund theologischer Gutachten, vor allem des Professors der Leningrader Geistlichen Akademie N. D. Uspenski, der die geschichtliche Entwicklung der liturgischen Praxis aufzeigte und darauf hinwies, daß die Liturgie der vorgeweihten Gaben ursprünglich abends gefeiert wurde, faßte der Heilige Synod den grundsätzlichen Beschluß: In allen Kirchen des Moskauer Patriarchats kann diese Liturgie abends gefeiert werden, wenn es der zuständige Bischof für angebracht hält. Die Kommunizierenden haben sich mindestens sechs Stunden davor der Speise und des Tranks zu enthalten.

4

Das Mönchtum

Dem monastischen Weg orthodoxer Frömmigkeit widmen sich auch in heutiger Zeit zahlreiche Männer und Frauen der russischen Orthodoxie. Als Zentren geistlichen Lebens werden die Klöster besonders an Festtagen zugleich Wallfahrtsorte großer Pilgerscharen. Neben der geistlichen Besinnung und dem Gebet widmen sich die Mönche und Nonnen einiger Klöster der Ikonenmalerei sowie der Herstellung geistlicher Gewänder und gottesdienstlichen Geräts. Die Klöster unterstehen dem jeweiligen Eparchialbischof. Er ist zumeist ihr Vorsteher und überträgt die eigentliche Leitung einem Vertreter (namestnik). Innerhalb der Sowjetunion verfügt die heutige russische Orthodoxie über folgende Mönchsklöster:

1. Troize (Dreifaltigkeits)-Sergi-Lawra in Sagorsk unter dem Patriarchen als Bischof der Moskauer Eparchie
2. Mariä-Himmelfahrts-Lawra von Potschajew (Eparchie Lwow)
3. Pskower Höhlenkloster (Eparchie Pskow)
4. Mariä-Himmelfahrts-Kloster von Shirowizy (Eparchie Minsk)
5. Mariä-Himmelfahrts-Kloster in Odessa (Eparchie Odessa)
6. Heilig-Geist-Kloster in Vilnius (Eparchie Vilnius)

Dazu die Nonnenklöster:

7. Mariä-Fürbitt-Kloster in Kiew (Eparchie Kiew)
8. Heiliger-Florus-Kloster in Kiew (Eparchie Kiew)
9. Krasnogorsker Mariä-Fürbitt-Kloster im Gebiet Tscherkassy (Eparchie Kiew)
10. Christi-Himmelfahrts-Kloster von Shab (Eparchie Kischinjow)
11. Heiliger-Nikolaus-Kloster von Mukatschewo (Eparchie Mukatschewo)
12. Christi-Himmelfahrts-Kloster beim Dorf Tschumalewo (Eparchie Mukatschewo)
13. Mariä-Geburts-(Heiliger-Michael-)Kloster beim Dorf Alexandrowo (Eparchie Odessa)
14. Troize(Dreifaltigkeits)-Sergi-Kloster in Riga (Eparchie Riga)
15. Mariä-Himmelfahrts-Kloster von Pjuchtiza (Eparchie Tallin)
16. Dreifaltigkeits-Kloster in der Stadt Korez (Eparchie Wolhynien)

Außerhalb der Sowjetunion besitzt die Russische Orthodoxe Kirche das «Hohe Kloster» (Gornenski monastyr, Gornjaja obitel) nahe Jerusalem. Das auf dem Athos gelegene russische Pantelejmon-Kloster befindet sich wie alle dortigen Klöster unter der Jurisdiktion des Patriarchen von Konstantinopel.

Über die in den Klöstern lebenden Bruder- und Schwestern-schaften hinaus widmen sich zahlreiche Nonnen und Mönche, letztere zumeist als Geistliche, dem Dienst in den Bischofssitzen, in vielen Kathedralen und anderen Kirchen. Da ein beträchtlicher Prozentsatz der an den Geistlichen Akademien Studierenden bereits während des Studiums in den Mönchsstand tritt, verfügt die heutige russische Orthodoxie über eine größere Zahl junger und befähigter Nachwuchskräfte für verantwortliche kirchliche Aufgaben und eine eventuelle spätere Weihe zum Bischof.

5

Die theologische Ausbildung

Nach der Oktoberrevolution ergaben sich tiefgreifende Veränderungen in der theologischen Ausbildung. So wurde zum Beispiel im damaligen Petrograd Ende 1918 anstelle der Akademie und des Seminars eine Pastorenschule mit dreijähriger Ausbildung eingerichtet. Im April 1920 schuf die Kommission für Geistliche Lehranstalten dieser Eparchie das Petrograder Theologische Institut, in dem sich die bedeutendsten der damaligen Theologieprofessoren der Ausbildung des Priesternachwuchses und der Vermittlung theologischer Kenntnisse an Laien widmeten. Außerdem richtete man in mehreren Propsteien theologische Kurse ein. Als die Ausbildungsstätten in die Hände der «Erneuerer» übergingen, organisierte man in einigen Propsteien Höhere theologische Kurse, aus denen eine Reihe von Kandidaten und Magistern der Theologie hervorgingen.

Dem Problem der theologischen Ausbildung widmete sich mit großer Intensität der Metropolit und spätere Patriarch Sergi. Doch hat er die Verwirklichung der von der Synode im Jahre 1943 gefaßten Beschlüsse nicht mehr erlebt. Im August 1944 wurden im Moskauer Nowo-Dewitschi-Kloster und im November 1945 in Leningrad Lehrstätten für zwei Ausbildungswege eröffnet. Die Theologischen Priesterkurse sollten in zwei Jahren den verkürzten Lehrstoff der einstigen Seminare und die Theologischen Institute in drei Jahren das verkürzte Lehrprogramm der alten Akademien bieten. Von vornherein widmete man sich der Einheit von theologischem Wissen und der Persönlichkeitsbildung als Voraussetzung für den Dienst im kirchlichen Amt.

Die Erfahrungen der Anfangszeit und die Notwendigkeit einer möglichst umfassenden theologischen Bildung erforderten schon 1946 eine Umbildung. Seitdem erfolgt die Ausbildung wieder in Seminaren, die in vier Jahren auf das Priesteramt vorbereiten, und in den beiden Akademien, in denen Absolventen der Seminare eine vierjährige akademisch-theologische Ausbildung für den Dienst im Priesteramt oder in anderen verantwortlichen kirchlichen Funktionen erhalten können. Neben den Moskauer und Leningrader Geistlichen Akademien entstanden bis 1948 das Moskauer, Leningrader, Kiewer, Minsker (in Shirowizy), Odessaer, Saratower, Stawropoler und Wolhynische Seminar (in Luzk). Die zunächst im Nowo-Dewitschi-Kloster eröffnete Moskauer Geistliche Akademie und das Geistliche Seminar befinden sich seit 1948 in der Troize-Sergi-Lawra in Sagorsk.

Für die Aufnahme in die heutigen Geistlichen Seminare, das Moskauer (in Sagorsk), Leningrader und Odessaer Seminar, können sich männliche Absolventen der Zehnklassenschule im Alter von 18 bis 35 Jahren bewerben. Außer Beibringung der Personalpapiere, zu denen eine Taufbescheinigung und eine Empfehlung des Eparchialbischofs oder eines Gemeindepriesters gehört, haben die Bewerber in einer Aufnahmeprüfung nachzuweisen, daß sie das Glaubensbekenntnis, die Gebote, die Seligpreisungen, einige Psalmen sowie eine Anzahl liturgischer Texte der verschiedenen Gottesdienste auswendig beherrschen und das Kirchenslawische gut zu lesen verstehen.

Die Ausbildung der beiden ersten Seminarklassen dient der Vermittlung vorbereitender Kenntnisse und konzentriert sich deshalb auf Fächer wie Biblische Geschichte des Alten und Neuen Testaments, Katechismus und Gottesdienstordnungen, bereits ergänzt durch Allgemeine Kirchengeschichte, Geschichte der Russischen Kirche, Kirchenslawisch und den während der ganzen Ausbildung gepflegten Kirchengesang. Nach Abschluß der zweiten Klasse kann die Einführung in das Amt des Psalmenlesers oder die Weihe zum Diakon erfolgen. Als unmittelbare Vorbereitung auf das Priesteramt folgt in der dritten und vierten Klasse das theologische Fachstudium in Heilige Schrift Alten Testaments, Heilige Schrift Neuen Testaments, Dogmatik, Christliche Ethik, Fundamentaltheologie, Vergleichende Theologie (kurze Darstellung anderer Konfessionen), Liturgik, Homiletik, Praktische Anleitungen für Priester, Sektenkunde, Verfassung der UdSSR, Geschichte der UdSSR, Griechisch, Latein und wahlweise eine moderne Fremdsprache.

In die beiden Geistlichen Akademien werden Bewerber mit guten Kenntnissen des im Seminar gebotenen Stoffs im Alter von 18 bis 50 Jahren aufgenommen. Zu den Fächern des Seminars, die weitergeführt und akademisch vertieft werden, treten noch hinzu: Logik, Patristik, Kirchenrecht, Geschichte des Kirchengesangs, Kirchliche Archäologie, Geschichte der Alten Kirche, Byzantinistik (Geschichte und Wirken der griechischsprachigen Orthodoxie), Geschichte der Kirchen auf dem Balkan, Geschichte der westlichen Bekenntnisse und seit 1972 Geschichte der orientalischen (nichtchalkedonischen) Kirchen. Zu den Sprachen tritt noch Hebräisch hinzu.

Zur Erweiterung der Kenntnisse werden den Studierenden Abendvorträge über literarische, allgemein wissenschaftliche und gesellschaftliche Themen geboten. Neben verschiedenen Zirkeln können die Studierenden seit 1969 an einem dreijährigen Kurs für Chorleiter teilnehmen. Einer Bereicherung der Ausbildung dienen die 1950 an der Moskauer Geistlichen Akademie und 1967 am Odessaer Seminar eröffneten Kabinette für christliche Archäologie und kirchliche Kunst. Den Studierenden stehen bedeutende Bibliotheken (in Leningrad mit mehr als 200 000 Bänden) und ein reichhaltiges Angebot theologischer Zeitschriften aus vielen Ländern zur Verfügung.

An beiden Akademien erfolgt eine zusätzliche Ausbildung des für eine Lehrtätigkeit vorgesehenen wissenschaftlichen Nachwuchses in Gestalt der sogenannten Professoren-Stipendiaten. Außerdem besteht an der Moskauer Geistlichen Akademie die Möglichkeit zum Absolvieren einer dreijährigen

Aspirantur, nach deren erfolgreichem Abschluß zumeist eine Verwendung in der ökumenischen Arbeit oder in den kirchlichen Vertretungen im Ausland erfolgt. An den Geistlichen Akademien können die akademischen Grade eines Kandidaten, eines Magisters und schließlich der wegen der hohen Anforderungen nur selten vergebene Grad eines Doktors erworben werden.

In den Eparchien machen die Bischöfe von ihrem herkömmlichen Recht Gebrauch, Laien zum Diakon oder Priester zu weihen. Diese erhalten, ohne ihren Dienst in der Gemeinde zu unterbrechen, die Möglichkeit zu einem Fernstudium sowohl im Seminar als auch in der Akademie. Das 1950 zunächst in Leningrad eingerichtete Fernstudium wird seit 1964 von den Moskauer geistlichen Schulen durchgeführt.

Die Ausbildung erhält zunehmend eine ökumenische Orientierung. Zahlreiche Angehörige des Lehrkörpers nehmen intensiv an der ökumenischen und zwischenkirchlichen Arbeit teil. An den Ausbildungsstätten der Russischen Orthodoxen Kirche studieren Angehörige fast aller orthodoxen Kirchen, aber auch verschiedener nichtchalkedonischer Kirchen. Nachdem an der Leningrader Geistlichen Akademie von 1965 bis 1969 eine eigene Fakultät der christlichen Jugend Afrikas bestand, werden seitdem die Studenten aus Indien, Kenia, Tansania, Uganda und vor allem aus Äthiopien in das normale Studium integriert. Die Geistlichen Akademien und Seminare der Russischen Orthodoxen Kirche sind seit 1971 Mitglied des Weltbundes orthodoxer Jugendorganisationen «Syndesmos».

Wie Patriarch Pimen in seinem Rechenschaftsbericht beim Landeskonzil von 1971 mitteilte, waren aus den geistlichen Schulen seit 1945 bis dahin 50 Bischöfe, 13 Doktoren, 53 Magister, 811 Kandidaten, Dutzende von Professoren und Dozenten und Tausende Gemeindegeistliche hervorgegangen.

6

Die Publikationstätigkeit

Für die Herausgabe geistlichen Schrifttums besteht beim Heiligen Synod eine Verlagsabteilung des Moskauer Patriarchats. 1956 erschien eine Ausgabe der Bibel und des Neuen Testaments mit Psalter, eine weitere Bibelausgabe folgte 1970, der Psalter 1974. 1976 erschien eine Ausgabe des Neuen Testaments in einer Auflage von 75 000 Exemplaren. Dazu kommen neue Auflagen der verschiedenen gottesdienstlichen Texte und Gebetsbücher. Als liturgisches Lehrbuch für die Geistlichen Seminare erschien 1951 das Werk von A. I. Georgijewski, Die Ordnung der Göttlichen Liturgie. Die Predigten, Ansprachen und Sendschreiben des Patriarchen Alexi sind in fünf Bänden veröffentlicht worden. Erwähnt seien ferner die Sammelbände: Die Wahrheit über die Religion in Rußland, 1942; Patriarch Sergi und sein geistliches Erbe, 1947. Als Dokumentensammlungen erschienen: Die Russische Orthodoxe Kirche und der Große Vaterländische Krieg, 1943; Die Russische Orthodoxe Kirche im Kampf für den Frieden, 1950. Von letzterem gibt es Ausgaben in mehreren Sprachen, ebenso von dem instruktiven Werk: Die Russische Orthodoxe Kirche, ihre Einrichtungen, ihre Stellung, ihre Tätigkeit, 1958. Von einigen bedeutenden kirchlichen Zusammenkünften wurden Protokollbände herausgegeben.

Es gibt mehrere Zeitschriften der Russischen Orthodoxen Kirche. Das monatliche «Shurnal Moskowskoi Patriarchii» (Journal des Moskauer Patriarchats) erscheint seit 1972 auch in englischer Sprache. Im Ukrainischen Exarchat gibt es den «Prawoslawny wisnik». In Berlin erschien zunächst von 1952 bis 1954 die russische «Golos Prawoslawija» als Organ der Orthodoxen Deutschen Eparchie des Moskauer Patriarchats, seit 1961 gibt das Mitteleuropäische Exarchat die deutschsprachige «Stimme der Orthodoxie» heraus. Erwähnt seien ferner: «Messager de l'Exarchat du Patriarche Russe en Europe Occidentale» mit Aufsätzen in französischer und russischer Sprache im Westeuropäischen Exarchat, «Egyházi Krónika» in der

ungarischen Propstei und «One Church» für die Gemeinden
in den USA.

Über die aktuellen Beschlüsse und Ereignisse informiert ferner ein periodisches Bulletin des Moskauer Patriarchats. Die
jährlichen Kirchenkalender gibt es in russischen und anders-
sprachigen Ausgaben. Besonders hervorzuheben sind die seit
1959 erscheinenden «Bogoslowskije trudy» (Theologische Arbeiten), in denen neben Aufsätzen russischer Hierarchen und
Theologen auch die Vorträge der Lehrgespräche mit lutherischen Kirchen publiziert worden sind. Bis 1976 erschienen fünfzehn Ausgaben im Umfang von jeweils mehr als zweihundert
Seiten. Darüber hinaus werden in den verschiedenen Exarcha-
ten und Propsteien außerhalb der Sowjetunion liturgische und
theologische Werke in den dort vorherrschenden Sprachen herausgegeben.

7

Die zwischenkirchlichen und ökumenischen Beziehungen

An einstige Beziehungen anknüpfend, hat die Russische Orthodoxe Kirche seit dem Ende des zweiten Weltkriegs, ohne die
konfessionellen Unterschiede zu verwischen, intensiv und in
vielfältiger Weise zum Ausbau brüderlicher Gemeinsamkeit
zwischen den Kirchen beigetragen. Für die Beziehungen zu den
nichtorthodoxen Kirchen und ökumenischen Institutionen besteht beim Heiligen Synod seit April 1946 das Kirchliche
Außenamt und seit 1963 die Kommission für Fragen der
christlichen Einheit. Letztere führt, ihrer erweiterten Aufgabenstellung entsprechend, seit 1972 die Bezeichnung: Kommission für die Fragen der christlichen Einheit und die zwischenkirchlichen Beziehungen. Diese ergaben sich auf verschiedenen Ebenen. Einerseits entfalteten sich bilaterale
Beziehungen zu einzelnen Kirchen und Konfessionen sowie
die Mitarbeit im Ökumenischen Rat der Kirchen und der Konferenz Europäischer Kirchen, andererseits eine neue Gemein-

samkeit der einzelnen orthodoxen Kirchen untereinander und ihr gemeinsamer Bezug zur nichtorthodoxen Christenheit.

7.1. Die Gemeinschaft
der orthodoxen Landeskirchen

Obwohl die einzelnen orthodoxen Kirchen bewußt an der Einheit des Glaubens und der Sakramentsgemeinschaft festhielten, ermöglichte die geschichtliche Entwicklung der zurückliegenden Jahrhunderte oft nur sporadische Beziehungen, die nicht frei von Differenzen blieben. Die erneute gesamtorthodoxe Gemeinschaft im 20. Jahrhundert steht im Zusammenhang mit dem Entstehen der Ökumenischen Bewegung sowie dem Verlangen und der Notwendigkeit gemeinsamen Bewältigens der sich auch für die orthodoxe Christenheit unter den sich wandelnden Verhältnissen der Gegenwart ergebenden Probleme und Aufgaben. Seit Ende des zweiten Weltkrieges hat die Russische Orthodoxe Kirche daran tatkräftig Anteil genommen.

Seit 1945 tauschten Patriarch Alexi und andere russische Kirchendelegationen zahlreiche Besuche mit fast allen orthodoxen Kirchen aus und trugen somit zur Festigung der traditionellen Beziehungen bei. Dem dienen ferner die bereits erwähnten ständigen kirchlichen Vertretungen und Missionen.

Ihren bisher prägnantesten Ausdruck fand die Gemeinschaft der orthodoxen Landeskirchen in den Panorthodoxen Konferenzen seit Beginn der sechziger Jahre, die von einer zweifachen Zielstellung gekennzeichnet sind: 1. Vorbereitung eines gesamtorthodoxen Konzils zur vertieften und bestehende Unterschiede überwindenden Neubesinnung auf orthodoxes Kirche-Sein in heutiger Zeit; 2. gemeinsames Vorgehen beim Ausbau der ökumenischen Kontakte zu nichtorthodoxen Kirchen.

Die ersten drei Panorthodoxen Konferenzen fanden auf der Insel Rhodos statt. Auf der ersten, die im September 1961 zusammentrat, befaßte man sich mit einem Themenkatalog zur Vorbereitung einer gesamtorthodoxen Synode zu Fragen der orthodoxen Lehre und Praxis, der Kirchenordnung (zum Bei-

spiel einheitliche Bestimmungen für die Gewährung der Autokephalie und der Autonomie), des Mönchtums, der Priesterausbildung, der Laienmitarbeit, des Kalenders, der Stellung
zu sozialen Problemen, zu zwischenkirchlichen Beziehungen
und so weiter.

Die zweite Konferenz vom September 1963 befaßte sich mit
Fragen des Verhältnisses zum römischen Katholizismus. Sie
stellte es den einzelnen orthodoxen Kirchen frei, Vertreter zum
II. Vatikanischen Konzil zu entsenden, und erklärte die grundsätzliche Bereitschaft zum theologischen Dialog mit der Römisch-katholischen Kirche auf der Basis voller Gleichberech-
tigung.

Die dritte Konferenz im Januar 1964 diente der Konkretisierung bisheriger Beschlüsse. Trotz des etwa gleichzeitigen
Treffens von Patriarch Athenagoras von Konstantinopel mit
Papst Paul VI. in Jerusalem ergab sich keine einhellige Meinung über einen Dialog mit der Römisch-katholischen Kirche,
er wurde zunächst den einzelnen orthodoxen Kirchen überlassen. Man beschloß aber die Bildung gesamtorthodoxer Kommissionen für den Dialog mit Anglikanern und Altkatholiken und sprach sich für engere Beziehungen zu den alten
nichtchalkedonischen Kirchen des Orients (Orientalische Orthodoxie) aus.

Seitens der Russischen Orthodoxen Kirche war nach der
ersten Konferenz eine spezielle Kommission von Hierarchen,
Geistlichen und Fachtheologen gebildet worden, die in vier-
einhalbjähriger Arbeit Materialien und Lösungsvorschläge für
jeden der vorgesehenen Themenkreise erarbeitete. Dies bedeutete einen wesentlichen Beitrag für die vierte Panorthodoxe
Konferenz, die im Juni 1968 in Chambésy (Genf) tagte. Sie
befaßte sich mit drei Themenkomplexen: 1. Man einigte sich —
der ursprünglich benutzte Begriff «Prosynode» wurde fallen-
gelassen — grundsätzlich auf die Einberufung einer «Heiligen
und Großen Synode der Heiligen Orthodoxen Kirche des
Ostens», die durch vorkonziliare gesamtorthodoxe Beratungen vorzubereiten sei. Die Bearbeitung von sechs Themen-
kreisen wurde auf die einzelnen Kirchen verteilt: Quellen der
Göttlichen Offenbarung, Mitarbeit der Laien, Überarbeitung

der Fastenvorschriften, Ehehindernisse, das Kalenderproblem und schließlich die Behandlung der Begriffe «oikonomía» und «akríbeia» als Richtschnur kanonischen Handelns. 2. Die Bemühungen um ein Gespräch mit dem römischen Katholizismus sollen weiterhin von einzelnen orthodoxen Kirchen fortgesetzt werden. Die Kommissionen für den Dialog mit Anglikanern und Altkatholiken sollen nach Abschluß der Vorbereitungen das Gespräch mit den Vertretern dieser Kirchen beginnen. Eine weitere gesamtorthodoxe Kommission ist für das Gespräch mit den nichtchalkedonischen Kirchen zu bilden. Gespräche mit einzelnen lutherischen Kirchen sollen zu einem späteren gesamtorthodoxen Dialog mit dem Lutherischen Weltbund führen. 3. Hinsichtlich der Mitarbeit im Ökumenischen Rat der Kirchen befaßte man sich mit der Vorbereitung der vierten Vollversammlung in Upsala.

An der konkreten Durchführung der von der Gesamtorthodoxie beschlossenen Arbeit ist die Russische Orthodoxe Kirche maßgeblich beteiligt, führt aber außerdem die eigenen bilateralen Beziehungen weiter.

7.2. Das Verhältnis zu den Altgläubigen

In jüngster Zeit befaßte sich das Moskauer Patriarchat mit einem spezifisch russischen Problem orthodoxer Gemeinsamkeit, dem Überwinden oder zumindest Abbauen der Gegensätze zu den verschiedenen Richtungen der Altgläubigen, die aus dem Raskol, der russischen Kirchenspaltung des 17. Jahrhunderts, hervorgegangen sind. In der Zeit nach dem zweiten Weltkrieg nahmen Vertreter der Altgläubigen gemeinsam mit denen der Russischen Orthodoxen Kirche an den Friedenskonferenzen der Kirchen und Religionsgemeinschaften in der Troize-Sergi-Lawra in Sagorsk sowie in anderem Rahmen teil. Darüber hinaus hat das Moskauer Patriarchat inzwischen Schritte zur Annäherung unternommen, die insbesondere den priesterlosen Altgläubigen der Pomorje-Richtung gelten.

Auf Grund der Anfang des 20. Jahrhunderts gewährten Erleichterungen hatten die Altgläubigen der Pomorje-Richtung im Jahre 1909 in Moskau eine erste Allrussische Synode abgehalten, einen Synodalrat und ein Geistliches Gericht geschaffen. Auf ihrer zweiten Synode im Jahre 1912 gaben sie sich ein neues zentrales Leitungsorgan in Gestalt des Obersten Geistlichen Rates der Altrituellen Pomorje-Kirche. Diese Einheit währte jedoch nur bis zur Verselbständigung Polens und der baltischen Staaten nach dem ersten Weltkrieg. Die Gemeinden innerhalb der Sowjetunion leitete ein Allrussischer Synodalrat, seit 1923 ein Oberster Geistlicher Rat. In Lettland wählten die Gemeinden im Jahre 1920 einen Zentralrat, von dem sich einige im Jahre 1929 abspalteten. Eine eigene Leitung gaben sich auch die Gemeinden in Estland und Litauen. Im damals zu Polen gehörenden Gebiet gründeten die Pomorje-Gemeinden im Jahre 1925 die «Östliche Altrituelle Kirche ohne geistliche Hierarchie» mit dem Zentrum in Vilnius.

Seit dem Wiederanschluß dieser Gebiete an die Sowjetunion fanden sich die einzelnen Teile wieder zusammen als relativ autonome Gemeinden, deren Wirken vom Obersten Altgläubigenrat in der Litauischen SSR sowie dem Geistlichen Gericht in Vilnius koordiniert und geregelt wird. Dieser Rat gibt gemeinsam mit der größten der Gemeinden, der Grebenstschikow-Gemeinde in Riga, sowie der Moskauer Pomorje- und der Moskauer Preobrashenski-Gemeinde den jährlichen «Altrituellen Kirchenkalender» sowie gottesdienstliche Bücher heraus.

Als herausragendes Ereignis erwies sich für diese Kirche die 300-Jahr-Feier des Altgläubigentums in Gestalt eines am 14. 10. 1966 in Vilnius abgehaltenen Altgläubigenkongresses. Außer den Gemeinden der baltischen Unionsrepubliken, der Belorussischen SSR, aus Moskau und Leningrad waren auch so entfernte Gemeinden wie aus der an den Ausläufern des Kaukasus gelegenen Stadt Majkop, der sibirischen Stadt Barnaul und aus Frunse (Kirgisische SSR) vertreten. Es hatten sich fast viertausend Altgläubige versammelt.

Wenige Jahre danach fand im Juli 1970 ein erstes offizielles Treffen von Vertretern der Russischen Orthodoxen Kirche und der altgläubigen Pomorje-Kirche in der Residenz des Metropoliten von Leningrad, Nikodim (Rotow), statt. Erstmals nach dreihundertjähriger Trennung fand man sich zusammen, wie es hieß, nicht, um gegeneinander zu polemisieren, sondern um im Geiste der Brüderlichkeit Möglichkeiten einer Verbesserung der gegenseitigen Beziehungen zu erörtern. «Wir unterscheiden uns nur in den Riten», betonte Metropolit Nikodim. «Der heilige orthodoxe Glaube wird sowohl von euch als auch von uns unverfälscht (nepowreshdenno) bewahrt.» Beide Seiten sprachen sich für eine Fortführung der Kontakte aus.

Entgegenkommen bezeigte das Moskauer Patriarchat auch den priesterlichen Altgläubigen. So befanden sich unter den Gästen des Landeskonzils von 1971 der Vorsitzende des Obersten Altgläubigenrates in der Litauischen SSR, I. I. Jegorow, zwei Geistliche des altgläubigen Erzbistums der altorthodoxen Christen und der altgläubige Erzbischof von Nowosybkow, Moskau und ganz Rußland, Pawel.

Im Dezember 1969 verabschiedete der Heilige Synod einen Beschluß, demzufolge sowohl Altgläubigen als auch Angehörigen der Römisch-katholischen Kirche, falls ein eigener Geistlicher nicht erreichbar ist, von Priestern der Russischen Orthodoxen Kirche die Sakramente gespendet werden können.

Hauptgegensatz blieben aber noch immer die Bannflüche der Moskauer Synoden von 1656 und 1667. Ihre Aufhebung wurde seit dem Ende des 18. Jahrhunderts wiederholt erörtert und gegenüber den «Eingläubigen» zwar faktisch, nicht aber formell vollzogen, auch nicht durch das Landeskonzil von 1917/18, dem ein entsprechender Beschluß vorgelegen hat.

Einen solchen offiziellen Beschluß faßte erst am 23. April 1929 der Heilige Synod unter Metropolit Sergi. Er erhielt durch das Landeskonzil von 1971 verbindliche Geltung. Demzufolge werden die alten russischen Riten als mit den neuen gleichwertig anerkannt. Die Bannflüche der Moskauer Synode von 1656 und des Großen Moskauer Konzils von 1667 gelten als von Anfang an ungültig, ebenso alle gegen die alten Riten, besonders das Zweifingerkreuz, gerichteten Polemiken, wann und von wem auch immer sie geäußert wurden. Der Beschluß wurde im November 1971 dem altgläubigen Erzbischof von Nowosybkow, Moskau und ganz Rußland, dem Vorsitzenden des Obersten Altgläubigenrates in der Litauischen SSR sowie den Vorstehern der Rigaer Grebenstschikow-Gemeinde, der

Moskauer Pomorje- und Preobrashenski-Gemeinde schriftlich übermittelt. «Die Liebe Gottes», heißt es darin, «verlangt von uns das Heilen der zwar alten, aber noch immer krankheitsbringenden Wunden, deren Entstehen, unserer Meinung nach, in hohem Maße auf der Anmaßung der weltlichen Gewalt beruhte, die sich einst in das einmischte, bei dem nur der barmherzige Gott Richter sein kann.»

Der Beschluß hat im Altgläubigenkalender des Jahres 1972 sowie auf der Synode der Pomorje-Kirche in Vilnius im Juli 1974 ausdrückliche Anerkennung gefunden. Noch bleibt abzuwarten, in welchem Maße sich eine Wiederannäherung verwirklichen wird.

7.3. Das Verhältnis zu den Anglikanern

Die auf die Zeit Peters I. zurückgehenden, im 19. Jahrhundert erneuerten Kontakte hatten Anfang 1912 in Petersburg zur Gründung einer Gesellschaft zur Förderung der anglikanisch-orthodoxen Annäherung und 1914 zur Bildung einer Kommission beim Heiligen Synod zum Studium von Fragen gegenseitiger Beziehungen geführt, deren Arbeit das Landeskonzil von 1917/18 billigte, die danach aber nicht fortgesetzt worden war. Im Rahmen eines erneuten Austauschs von Delegationen, die die Reise des Erzbischofs von York, Cyrill F. Garbett, im September 1943 in die Sowjetunion einleitete, besuchten sich erstmals auch die Oberhäupter beider Kirchen. Seit Juli 1946 fanden wiederholt Theologengespräche statt.

Als besonderes Problem erwies es sich, daß sich in den Jahren 1922—1936 einige orthodoxe Kirchen für eine Anerkennung der anglikanischen Weihen ausgesprochen hatten. Demgegenüber erklärte das Moskauer Patriarchat beim Treffen der Oberhäupter und Repräsentanten der orthodoxen Kirchen in Moskau 1948: «Wenn durch die Kirchen von Konstantinopel, Rumänien, Jerusalem und andere autokephale Kirchen zugunsten einer Anerkennung der anglikanischen Cheirotonie (Handauflegung, Akt der Priesterweihe — Anm. H.-D. D.) entschieden wurde, so hat man uns unterrichtet, daß dies nur bedingt gelte ... Wir bestimmen daher, daß die heutige anglikanische

Hierarchie seitens der Orthodoxen Kirche nur dann die Anerkennung der Gnadenfülle des Priestertums erhalten kann,
wenn zwischen der Orthodoxen und der Anglikanischen Kirche
auch formell die Einheit des Glaubens und des Bekenntnisses
hergestellt wird.»

Diese Frage stand nicht nur im Mittelpunkt der anglika-
nisch-russischen Theologengespräche im Dezember 1956 in
Moskau und im November 1966 in London. Sie führte auch zu
heftigen Diskussionen auf der ersten Sitzung der nach der
dritten Panorthodoxen Konferenz gebildeten gesamtorthodoxen Theologenkommission für den Dialog mit der Anglikanischen Kirche im September 1966 in Belgrad. Dabei geht es um
das im Verhältnis der Orthodoxen zu allen nichtorthodoxen
Kirchen letztlich entscheidende Problem, dessen verbindliche
Lösung man von der Heiligen und Großen Synode erwartet,
ob und in welchem Maße die kanonischen Grundlagen mit
strenger Exaktheit (akríbeia) zu befolgen oder auf Grund der
von Gott der Kirche übertragenen Haushalterschaft (oikonomía) in brüderlicher Nachsicht anzuwenden sind. Darüber hinaus befaßte sich die Belgrader Tagung mit einem umfangrei-
chen Themenkatalog und Fragen seiner Behandlung. Nach
weiterem Voranschreiten der Arbeit kam es inzwischen zu Begegnungen einer gemischten anglikanisch-orthodoxen theologischen Kommission.

7.4. Das Verhältnis zu den Altkatholiken

Wie im Verhältnis zu den Anglikanern, konnte die russische
Orthodoxie gegenüber den Altkatholiken bei der Wiederaufnahme der beiderseitigen Kontakte im Jahre 1948 an die engen
Beziehungen seit der zweiten Hälfte des 19. Jahrhunderts anknüpfen und sie für die Arbeit der gesamtorthodoxen Kommission für den Dialog mit den Altkatholiken fruchtbar werden lassen.

Man stellte fest, daß der Altkatholizismus der Orthodoxie
nahesteht und in vieler Hinsicht eine gewisse Übereinstimmung besteht, obwohl zum Beispiel hinsichtlich des filioque,
des Sakraments- und Gottesdienstverständnisses noch manche

Fragen zu klären sind. Probleme sieht die Orthodoxie in einer Differenz zwischen den im Jahre 1970 überreichten offiziellen Erklärungen der Altkatholischen Kirche und der davon abweichenden theologischen Position vieler ihrer Vertreter. Als nicht akzeptabel gilt die auch bei den Anglikanern vertretene «Zweigtheorie», derzufolge sich jede Kirche vom gemeinsamen Ursprung her als Trägerin der Wahrheit verstehen kann und von der her sich altkatholisches wie anglikanisches Verständnis und Praktizierung der Interkommunion auch mit jenen ergeben, denen in orthodoxer Sicht wesentliche Elemente des Kirche-Seins fehlen. Trotzdem kam die gemischte orthodox-altkatholische Kommission auf ihrer Tagung vom Juli 1973 im Kloster Pendeli bei Athen zu dem Ergebnis, daß die Voraussetzungen geschaffen sind, um den offiziellen Dialog beider Kirchen zu beginnen.

7.5. Das Verhältnis
zur Römisch-katholischen Kirche

Bis ins 20. Jahrhundert hinein hatten die Haltung des Papsttums und die von ihm betriebene Unionspolitik bei den Orthodoxen im allgemeinen und der Russischen Orthodoxen Kirche im besonderen scharfe Ablehnung hervorgerufen, wie sie auch in der Erklärung der Oberhäupter und Vertreter der orthodoxen Kirchen von 1948 in Moskau zum Ausdruck kam. Erst das von Papst Johannes XXIII. (1959–1963) den nichtkatholischen Kirchen bezeigte Entgegenkommen sowie dessen Erklärungen für eine friedliche Lebensgestaltung leiteten Veränderungen in den gegenseitigen Beziehungen ein. So entsandte die Russische Orthodoxe Kirche Beobachter zu allen Sessionen des II. Vatikanischen Konzils (1962–1965), und die zweite Panorthodoxe Konferenz beschloß, jede orthodoxe Kirche könne selbständig über die Entsendung von Konzilsbeobachtern entscheiden. Damals erklärte man sich auch grundsätzlich zu einem theologischen Dialog auf gleicher Ebene und unter gleichen Bedingungen bereit. Die Aufnahme von Beziehungen bleibt nach den Beschlüssen der dritten und vierten Panorthodoxen Konferenz zunächst den einzelnen orthodoxen Landeskirchen überlassen.

Außer der beiderseitigen Teilnahme von Repräsentanten zu verschiedenen Anlässen hat die Russische Orthodoxe Kirche bilaterale theologische Gespräche mit der Römisch-katholischen Kirche aufgenommen. Dabei behandelte man 1967 in Leningrad die katholische Soziallehre seit der Enzyklika «Rerum novarum» Leos XIII. von 1891. Im Jahre 1970 sprach man in Bari in Süditalien über die Rolle des Christen in der sich entwickelnden Gesellschaft. Beim dritten Gespräch in Sagorsk 1973 ging es um das Thema: Kirche in einer sich verändernden Welt. Das vierte Gespräch 1975 im norditalienischen Trento befaßte sich mit der Thematik: Die christliche Heilsverkündigung in einer sich ändernden Welt. Darüber hinaus behandelte ein Treffen mit Vertretern der katholischen Bischofskonferenz der USA im Oktober 1970 in Sagorsk den christlichen Beitrag zur Errichtung des Friedens.

Als einen Schritt auf dem Wege zu brüderlichen Beziehungen versteht die russische Orthodoxie auch den Beschluß des Heiligen Synods vom Dezember 1969, im Notfall Altgläubigen und Katholiken die Sakramente zu spenden, wobei man berücksichtigt, wie es Metropolit Nikodim von Leningrad und Nowgorod erläuterte, «daß die Orthodoxe und die Römisch-katholische Kirche die gleiche Lehre von den heiligen Sakramenten besitzen und gegenseitig die Wirksamkeit dieser von ihnen vollzogenen Sakramente anerkennen.» Freilich erweist sich besonders das katholische Verständnis des Papsttums als bisher unüberwindliches Hindernis.

7.6. Das Verhältnis
zu den nichtchalkedonischen orientalischen Kirchen

Den Kirchen der orientalischen, nichtchalkedonischen Orthodoxie, welche im Gegensatz zur Lehre des vierten Ökumenischen Konzils von Chalkedon im Jahre 451 von den zwei Naturen in Christus an der Formel von der einen Natur (Monophysiten) des Kyrill von Alexandrien (gest. 444) festhalten, war schon im 19. Jahrhundert von Hierarchen und Theologen der russischen Orthodoxie zunehmend Interesse entgegengebracht worden. In den Materialien der Konferenz der Oberhäupter und Vertreter der orthodoxen Kirchen in Moskau 1948 wurde deutlich auf die nahe Verwandtschaft hingewiesen und der Wunsch zur Überwindung der Spaltung und zur Wiederherstellung der vollen kirchlichen Gemeinschaft zum Ausdruck gebracht. Innerhalb der Sowjetunion wissen sich die Russische und die Georgische Orthodoxe Kirche eng verbunden mit der nichtchalkedonischen Armenischen Apostolischen Kirche und dem in Etschmiadsin (Armenische SSR) residierenden Obersten Patriarch-Katholikos aller Armenier. Sie stehen zu dieser Kirche in einem ähnlichen Verhältnis wie zu den autokephalen orthodoxen Kirchen.

Freundschaftliche Beziehungen vielfältiger Art bestehen ferner zu anderen nichtchalkedonischen Kirchen: zur Koptischen Kirche in Ägypten, zur Äthiopischen Kirche, zum Syrischorthodoxen Patriarchat in Antiochien (sogenannte Jakobitische Kirche) und der Syrisch-orthodoxen Kirche des Ostens (Malabar-Kirche) in Indien. Angehörige dieser Kirchen studieren an den Geistlichen Akademien der Russischen Orthodoxen Kirche. Zur weiteren Förderung der gegenseitigen Beziehungen wurde auf Beschluß des Heiligen Synod im Jahre 1972 das neue Fach Geschichte der orientalischen (nichtchalkedonischen) Kirchen in den Lehrplan der Geistlichen Akademien aufgenommen.

Theologen des Moskauer Patriarchats beteiligten sich an den nichtoffiziellen Konsultationen orthodoxer und nichtchalkedonischer Vertreter im Rahmen des Ökumenischen Rates der Kirchen (1964 in Aarhus, 1967 in Bristol, 1970 in Genf), bei denen man sich bemühte, das Übereinstimmende der Christologie von Chalkedon und der des Kyrill von Alexandrien zu erarbeiten.

Die von der vierten Panorthodoxen Konferenz gebildete Kommission für den Dialog mit diesen Kirchen hat im August 1973 im Kloster Pendeli bei Athen das Gespräch mit deren Vertretern aufgenommen. Von dem bereits erreichten Grad der Zusammenarbeit zeugten die gemeinsamen Konsultationen der Jahre 1974 und 1975 zur Vorbereitung der fünften Vollversammlung des Ökumenischen Rates der Kirchen in Nairobi.

7.7. Das Verhältnis
zu den protestantischen Kirchen

Als auf der vierten Panorthodoxen Konferenz die Vorbereitung von Gesprächen zwischen der Orthodoxie und den lutherischen Kirchen beschlossen wurde, konnte die russische Orthodoxie auf ihre bereits bestehenden vielfältigen Beziehungen zu Lutheranern, Reformierten, Methodisten und Baptisten hinweisen. Brüderliche Beziehungen bestehen besonders zu den lutherischen Kirchen und dem Bund der Evangeliumschristen-Baptisten in der Sowjetunion.

Mit den evangelischen Kirchen in der damaligen Sowjetischen Besatzungszone, der heutigen Deutschen Demokratischen Republik, begannen die Kontakte bereits unmittelbar nach dem Ende des zweiten Weltkrieges. Seitdem in Berlin-Karlshorst ein russisch-orthodoxer Bischof residiert, Berlin zum Sitz des Exarchen des Moskauer Patriarchen für Mitteleuropa wurde und hier die Zeitschrift «Stimme der Orthodoxie» in deutscher Sprache erscheint, hat sich in zahllosen Begegnungen ein immer enger werdendes Verhältnis entwickelt. Mit einer Delegation des Bundes der Evangelischen Kirchen in der DDR fand im Juli 1974 in Sagorsk ein erstes theologisches Gespräch statt. In seinem Mittelpunkt standen Grundfragen des evangelisch-orthodoxen Dialogs, eine Besinnung auf das Wesen der Wortverkündigung, nämlich zu helfen, das Alltagsleben unter Gottes Verheißung und Gebot zu leben, sowie theologische Probleme und Erfahrungen des kirchlichen Lebens in der sozialistischen Gesellschaft. Das zweite Gespräch, «Sagorsk II», fand im September 1976 in Erfurt statt und befaßte sich mit dem Thema: «Das Reich Gottes als gegenwärtige und zukünftige Wirklichkeit».

Seit Beginn der fünfziger Jahre bestehen die Kontakte des Moskauer Patriarchats zur Evangelischen Kirche in Deutschland (BRD). Von 1959 bis 1976 ergaben sich sieben theologische Gespräche, die nach dem ersten Begegnungsort als Arnoldshainer Gespräche bezeichnet werden. Gegenstand theologischer Diskussion waren dabei unter anderem Fragen der Rechtfertigung, Schrift und Tradition, Wirken des Heiligen

Geistes, die Bedeutung der ökumenischen und lokalen Konzile, Lehre und Verwirklichung der Versöhnung durch Christus, Taufe und Dienst der Getauften, Wirklichkeit und Wirkung von Kreuz und Auferstehung sowie die zentrale Bedeutung der Eucharistie.

In ähnlicher Weise verlaufen die 1970 begonnenen theologischen Gespräche mit der Lutherischen Kirche Finnlands, ferner die bisherigen Begegnungen mit dem Nationalrat der Kirchen Christi in den USA, der Brüderkirche in den USA und der Reformierten Kirche in Ungarn, wobei besonders auch die Probleme des Friedens und der sozialen Gerechtigkeit Berücksichtigung fanden.

7.8. Das Verhältnis
zur Ökumenischen Bewegung

Die bilateralen Beziehungen der Russischen Orthodoxen Kirche haben einen bedeutenden Umfang angenommen. Kontakte ergaben sich zum Lutherischen Weltbund, zum Reformierten Weltbund, zum Methodistischen Weltrat, zum Weltbund der Baptisten, zum Christlichen Weltstudentenbund, zur Panafrikanischen Konferenz, zur Ostasiatischen Kirchenkonferenz, zu nationalen und regionalen Räten in den verschiedensten Teilen der Welt. Die Russische Orthodoxe Kirche gehört zu den Mitbegründern der seit 1959 bestehenden Konferenz Europäischer Kirchen und nimmt an ihrer Arbeit intensiv Anteil.

Der Entwicklung der Ökumenischen Bewegung hat die russische Orthodoxie von Anfang an Interesse entgegengebracht. Auf der ersten Weltkonferenz von Faith and Order in Lausanne 1927 gehörten auch Angehörige der russischen Orthodoxie zu den Verfassern der von den Vertretern orthodoxer Kirchen abgegebenen Erklärung, in der betont wurde, «daß eine Wiedervereinigung nur auf der Grundlage des gemeinsamen Glaubens und Bekenntnisses der alten ungeteilten Kirche der sieben Ökumenischen Konzile in den ersten acht Jahrhunderten erfolgen kann». Ferner wurde darauf hingewiesen: «...nach der Lehre der Orthodoxen Kirche kann es dort keine communio in sacris geben, wo die Totalität des Glaubens fehlt.»

Die Einladung zur ersten Vollversammlung des Ökumenischen Rates der Kirchen in Amsterdam 1948 wurde von der Mehrzahl der im Juli desselben Jahres in Moskau zusammengekommenen Oberhäupter und Vertreter der orthodoxen Kirchen vorerst abschlägig beantwortet. Es gab dafür, wie es Metropolit Nikodim von Leningrad und Nowgorod auf dem Landeskonzil von 1971 noch einmal unterstrich, mehrere Gründe. Man widersetzte sich der Vorstellung, alle bestehenden christlichen Kirchen und Gemeinschaften als Teile der *einen* Kirche Christi zu betrachten, eine allgemeine Sakramentsgemeinschaft herzustellen und eine Art ökumenischer «Überkirche» zu bilden. In der vorgesehenen Basis des Weltrates vermißte man den trinitarischen Bezug. Und schließlich befürchtete man, die Ökumene werde zu einem Werkzeug des «kalten Krieges» und des Antisowjetismus.

Die weitere Entwicklung der Ökumenischen Bewegung wurde aufmerksam verfolgt und zur Kenntnis genommen, so die Erklärung des Zentralausschusses in Toronto 1950 über die ekklesiologische Bedeutung des Ökumenischen Rates der Kirchen, die unterstreicht, daß dieser keine «Überkirche» ist und niemals werden darf, daß keine der Gliedkirchen ihre Ekklesiologie um der Mitgliedschaft willen zu ändern brauche.

Seit 1958 entsandte die Russische Orthodoxe Kirche Beobachter zu ökumenischen Tagungen und trat, ebenso wie weitere orthodoxe Kirchen, auf der vierten Vollversammlung in Neu-Delhi 1961 dem Ökumenischen Rat der Kirchen bei. Darin stellen seitdem die Orthodoxen die zahlenmäßig stärkste konfessionelle Gruppe dar.

Von der bei aller Engagiertheit keineswegs vorbehaltlosen Mitarbeit zeugt unter anderem die Stellungnahme des Moskauer Patriarchats — in ähnlicher Weise geschah dies auch seitens des Ökumenischen Patriarchen von Konstantinopel — zu den Ergebnissen der Konferenz, die von der Kommission für Weltmission und Evangelisation des Ökumenischen Rates der Kirchen unter der Thematik «Das Heil der Welt heute» vom 29. 12. 1972 bis zum 8. 1. 1973 in Bangkok (Thailand) durchgeführt worden war. Man begrüßte seitens des Moskauer Patriarchats die positiven Ergebnisse, «die die Verwirklichung des Heils unter den unterschiedlichen Bedingungen der heutigen Wirklichkeit betreffen», daß nämlich Heil nicht «als Sorge ausschließlich um das persönliche geistliche Wohl unter Vernachlässigung einer tätigen Erfüllung des Gebotes der Nächstenliebe» verstanden wird, sondern im Bewußtsein, daß das von Jesus Christus vollbrachte Heilswerk der Grund ist, der die Menschen eins werden läßt zum Schaffen brüderlicher Beziehungen, zur bereitwilligen Zusammenarbeit mit anderen in der Behebung menschlicher Not, in der Verwirklichung sozialer Gerechtigkeit und im Kampf für den Frieden.

Für die russische Orthodoxie fehlte jedoch eine Aussage über «das ewige Leben in Gott» als «letztes Ziel des Heils» und daß nicht genügend eingegangen wurde auf «die sittliche Besserung und Vervollkommnung als eine unerläßliche Bedingung zum Erreichen dieses Ziels». Dabei wandte sich das Moskauer Patriarchat besonders gegen einen einseitigen «Horizontalismus», der die «vertikale» Komponente, die lebendige Gemeinschaft mit Gott, als Ausgangspunkt christlichen Handelns und damit auch christlichen Gesellschaftsengagements nicht genügend berücksichtigt und die kirchliche Tradition aus dem Blick verliert. Die einseitige Betonung des «Horizontalismus» erwecke den Eindruck, als schäme man sich in der gegenwärtigen Ökumenischen Bewegung, «den gekreuzigten und auferstandenen Christus und Gottes Macht und Weisheit zu verkündigen ..., aus Furcht, als nicht zeitgemäß zu erscheinen und an Popularität zu verlieren».

Demgegenüber charakterisierte Patriarch Pimen in einem Vortrag vom Mai 1974 das Ziel ökumenischer Arbeit in orthodoxer Sicht als auf zwei Hauptziele gerichtet: das Bemühen um die Wiederherstellung der Einheit aller Christen in der Einen, heiligen, allgemeinen und apostolischen Kirche und gleichzeitig die aktive Mitarbeit im Dienst für den Weltfrieden, soziale Gerechtigkeit und Brüderlichkeit zwischen allen Völkern und Menschen. «Jedes dieser Ziele ist für unsere Kirche gleich wichtig. Sie sind beide miteinander verflochten und bedingen einander.»

294

Es spricht für die hohe Wertung des ökumenischen Engagements der Russischen Orthodoxen Kirche, daß auf der fünften Vollversammlung im Dezember 1975 in Nairobi (Kenia) Metropolit Nikodim (Rotow) von Leningrad und Nowgorod zu einem der Präsidenten des Ökumenischen Rates der Kirchen gewählt wurde.

8

Das Friedenswirken der Russischen Orthodoxen Kirche

Im Vorwort des im Jahre 1950 vom Verlag des Moskauer Patriarchats herausgebrachten Bandes: «Die Russische Orthodoxe Kirche im Kampf für den Frieden», einer Zusammenstellung von Entschließungen, Botschaften, Appellen, Aufrufen, Reden und Aufsätzen aus den Jahren 1948–1950, heißt es: «Die Russische Orthodoxe Kirche predigt und pflanzt unter den Menschen Liebe und Frieden, die unser Herr Jesus Christus auf die Erde gebracht hat. Sie leiht feinfühlig ihr Ohr den sittlichen Anforderungen der heutigen Menschheit und betrachtet es als ihre unmittelbare Pflicht, deren beste Bestrebungen zu fördern.» Sie reihte sich mit ihren Hierarchen, Geistlichen und Gemeindegliedern «in die erste Reihe der Friedensbewegung» ein, in dem Bewußtsein, «daß die Kirche Christi ihre Erlösungsmission auf Erden in dem Maße verwirklicht, wie sie am historischen Leben der Menschheit teilnimmt, indem sie das Reich Gottes predigt und aufbaut in seiner ganzen Herrlichkeit.»

Welchen Stellenwert dieses Wirken in der heutigen russischen Orthodoxie besitzt, ist nicht zuletzt auf dem Landeskonzil von 1971 zum Ausdruck gebracht worden. Nicht nur, daß ein vom Metropoliten Alexi (Ridiger) von Tallin und Estland gehaltenes Referat speziell der «Friedensarbeit der Russischen Orthodoxen Kirche» gewidmet war. Auch in allen übrigen Referaten nahm dieses Anliegen einen bedeutenden Platz ein. Und wenn Metropolit Pimen, der auf diesem Landeskonzil zum Patriarchen gewählt wurde, in seinem Rechenschaftsbericht feststellte: «Klerus und Laien wissen sich im Geist des Glaubens und durch die Absicht verbunden, die reine Lehre der Orthodoxie zu bewahren und die Gebote des Evangeliums mit Leben zu erfüllen», so sieht die russische Orthodoxie gerade in ihrem Friedensdienst ein entscheidendes Moment des vom Evangelium her gebotenen Wirkens.

Schon anläßlich der Moskauer Konferenz zum 500. Jahrestag der Autokephalie der Russischen Orthodoxen Kirche im Juli 1948 wandten sich die dort versammelten Oberhäupter und Vertreter der russischen, antiochenischen, alexandrinischen, georgischen, serbischen, bulgarischen, rumänischen, albanischen und polnischen Kirche in einem leidenschaftlichen Appell «an alle Christen der Welt, an alle Menschen, die nach Wahrheit und Frieden dürsten».

Im darauffolgenden Jahr appellierte Patriarch Alexi an die übrigen orthodoxen Kirchen, die Vorbereitungen und die Arbeit der entstehenden Weltfriedensbewegung zu unterstützen. Nach dem ersten Weltfriedenskongreß in Paris, auf dem die Russische Orthodoxe Kirche durch Metropolit Nikolai (Jaruschewitsch) von Krutizy und Kolomna vertreten war, legte es der Patriarch in seiner Osterbotschaft vom Jahre 1949 allen Bischöfen seiner Kirche ans Herz, die Materialien des Kongresses «den Priestern und ihren Gemeinden weitgehend bekanntzumachen und ihrerseits der Geistlichkeit und den Laien die ganze Bedeutung des Friedenskampfes zu erläutern, damit jeder nach Kräften und Möglichkeit entschlossen und beherzt die Idee des Friedens und des Kampfes gegen die Anhänger eines neuen Krieges verfechte».

Auf dem Landeskonzil von 1971 nannte Metropolit Alexi von Tallin und Estland als Grundlage das Gebot der Gottes- und Nächstenliebe in Verbindung mit jenem Wort der Bergpredigt, das Gebot und Verheißung zugleich darstellt: «Selig sind die Friedensstifter, denn sie werden Gottes Kinder heißen» (Matth. 5, 9). Die vom orthodoxen Gottesdienstverständnis her gegebene Offenheit für die Probleme dieser Welt zeigt sich in dem Bewußtsein, daß Gottesdienst und Dienst am Menschen untrennbar miteinander verbunden sind. Dazu verhilft gerade der biblische Bezug ihres gottesdienstlichen Handelns. Denn bei aller Betonung der Gegenwart des Auferstandenen in seiner Kirche konzentriert sich orthodoxes Denken zugleich auf das Moment der Menschwerdung. Und das bedeutet: Das Heil ist mit Christi Kommen in diese Welt, zu den Menschen in dieser Welt gekommen, die Neuwerdung nimmt in dieser Welt ihren Anfang und nicht erst am Ende der Zeiten. Dieses Heil gilt dem ganzen Menschen, nicht nur seinem Geiste, sondern auch seinem Leibe in vollem Sinne. Und so beziehen sich zum Beispiel die seit alters her in jedem Gottesdienst mehrfach wiederholten Friedensfürbitten auf beides: auf den Frieden, der von oben kommt, sowie auf den Frieden und das Wohlergehen dieser Welt. So betonte auch Metropolit Alexi das Zusammengehörige des inneren, des Seelenfriedens, mit dem äußeren, dem «Frieden unter den Menschen: innerhalb der Familie, innerhalb einer Nation und zwischen den Völkern». Im Streben danach weiß die Orthodoxie um eine positive Tradition ihrer besten Vertreter.

In der heutigen russischen Orthodoxie ist man sich sehr bewußt, daß, über das Friedensgebet hinaus, schon vom Neuen Testament her ein aktives Handeln gefordert wird, das zielgerichtet dem Erlangen und Sichern wirklichen Friedens in der menschlichen Gesellschaft zu dienen hat. «Der hohe Dienst der Friedfertigkeit», erklärte Metropolit Nikodim von Leningrad und Nowgorod auf der IV. Allchristlichen Friedensversammlung, «muß, damit er nicht zur einfachen Verkündigung einer abstrakten, wenn auch unbezweifelbaren Wahrheit wird, im Einklang mit einem guten Verstehen der Gründe für das Fehlen des Friedens auf Erden stehen.» Da eine der Hauptursachen in der sozialen Ungerechtigkeit besteht, genüge nicht mehr die traditionelle Karitas, das Bemühen, «auf den Wegen der individuellen, wenn auch gut organisierten, kollektiven christlichen Wohltätigkeit die wachsenden und wirklich dringenden Nöte der modernen Menschheit zu befriedigen». Sondern es bedarf auch grundsätzlicher gesellschaftlicher Veränderungen. Daran teilzuhaben, darauf hinzuwirken, sieht auch die orthodoxe Kirche als Aufgabe. Denn, betonte es der damalige Erzbischof und Rektor der Moskauer Geistlichen Akademie, der jetzige Metropolit und Exarch des Moskauer Patriarchen für Mitteleuropa, Filaret (Wachromejew): Das Wirken der Kirche unter menschlichen Bedingungen kann nicht anders, als allmählich die Welt umgestalten. Obwohl das Christentum in den Augen vieler zur abstrakten Doktrin geworden sei, fordere der Glaube vom Christen als «Licht der Welt» (Matth. 5, 14) und «Salz der Erde» (Matth. 5, 13) ein unaufhörliches persönliches und gesellschaftliches Wirken. Es wäre eine große Sünde, erklärte er, zu behaupten, zur Rettung vor den Schrecken des Krieges genüge das Appellieren an die sittliche und geistige Wiedergeburt des Menschen. Es bedürfe auch tatkräftiger Veränderung der sozialen Verhältnisse, denn, verweist er auf Jak. 5, 4: «Siehe der Lohn der Arbeiter, die euere Felder abgemäht haben, welcher von euch zurückbehalten ist, schreit laut ...»

Daß zu diesem Zweck der Christ, der sich von Liebe, Demut, Geduld und Frieden bestimmt sein läßt, auch revolutionären Veränderungen zustimmen kann, erläuterte Professor Nikolai Sabolotski von der Leningrader Geistlichen Akademie mit der Feststellung: «Das Kriterium für die Beteiligung des Christen an der Revolution kann und muß die Liebe sein. Er ist damit in der Lage, die Revolution als Mittel zur Wiederherstellung einer früher zerstörten Liebe zu verstehen.»

In diesem Wirken kann es keine konfessionellen, keine kirchlichen Grenzen geben. Infolge der gemeinsamen Herkunft von Christen und Nichtchristen, erklärte Metropolit Nikodim von Leningrad und Nowgorod, «besonders aber deswegen, weil der Herr das menschliche Fleisch angenommen und auf diese Weise die ganze Menschheit mit sich vereinigt hat, sehen die Christen ihre im Menschlichen wurzelnde Einheit mit allen, die auf dieser Erde leben, und empfinden ihre Verantwortung vor dem Gott des Friedens.» Aus Joh. 3, 8: «Der Geist weht, wo er will», folgerte der Metropolit: Die «Sphäre der Wahrheit und des Guten» kann nicht von der Kirche für sich allein in Anspruch genommen werden, sondern umfaßt die «vielgestaltigen Erscheinungen im Leben der Menschheit». So dürfe sich die Kirche nicht isolieren, sondern habe an der Seite jener zu stehen, die danach trachten, «ihren Mitmenschen bei der Verwirklichung einer allgemeinen Bru-

derschaft, bei der Erlangung des Friedens und des Guten bei-
zustehen».

Diese Haltung ist zu einem entscheidenden Moment im Wirken der Russischen Orthodoxen Kirche geworden. Sie spiegelt
sich in offiziellen Erklärungen und Botschaften, in Gemeinde-
predigten und kirchlichen Publikationen wider, zeigt sich in
der aktiven Teilnahme des Episkopats, der Priester und Laien
in der Ökumene sowie in der Friedens- und Freundschafts-
arbeit der verschiedenen Gremien im In- und Ausland. Das
erweist sich auch auf Friedenskonferenzen aller Kirchen und
Religionsgemeinschaften in der UdSSR, die auf Initiative des
Moskauer Patriarchats wiederholt in Sagorsk stattgefunden
haben. Schon auf der ersten, im Jahre 1952, fanden sich hier
mit der Russischen Orthodoxen Kirche die Vertreter der Georgischen und Armenischen Kirche, der verschiedenen Richtungen der Altgläubigen, der Evangelisch-lutherischen Kirchen
in der Lettischen und Estnischen SSR, der Reformierten des
Transkarpatengebietes, Evangeliumschristen-Baptisten, Methodisten, Siebenten-Tags-Adventisten und Molokanen, Vertreter der jüdischen Glaubensgemeinschaft, Mohammedaner
und Buddhisten zusammen.

Besonders aktiven Anteil nimmt die Russische Orthodoxe
Kirche an der Arbeit der Christlichen Friedenskonferenz, zu
deren Gründung in Prag im Juni 1958 sie in hohem Maße beigetragen hat. Ihre intensive und konstruktive Mitarbeit fand
nicht zuletzt darin Ausdruck, daß im Jahre 1971 Metropolit
Nikodim von Leningrad und Nowgorod zum Präsidenten der
Friedenskonferenz gewählt worden ist.

Die Palette der Möglichkeiten, welche die Russische Orthodoxe Kirche in ihrem Friedenswirken wahrnimmt, ist außer-
ordentlich breit und hat auch staatlicherseits immer wieder
hohe Anerkennung erfahren. Das zeigt sich auch in der materiellen Hilfsbereitschaft der russischen Orthodoxie. Seit Jahrzehnten spendet diese Kirche bedeutende Summen für den sowjetischen Friedensfonds. Ein finanzieller Beitrag wurde auch
für den Moskauer Weltkongreß der Friedenskräfte im Oktober
1973 gegeben, an dessen Vorbereitung und Durchführung sich
die Russische Orthodoxe Kirche tatkräftig beteiligte. Schon die

mehr als dreihundert Kongreßteilnehmer der verschiedensten Kirchen und Religionen erklärten in einer Begegnung in Sagorsk, daß sie «es für ihre Pflicht ebenso wie für die Pflicht aller realistisch denkenden religiös Tätigen halten, maximale Anstrengungen zu unternehmen, um die Ergebnisse des Kongresses mit Leben zu erfüllen und in das Bewußtsein breiter Kreise der gläubigen Menschen zu tragen». Inzwischen hat Patriarch Pimen zur Fortführung und Konkretisierung dieser Arbeit die Einberufung eines Friedenskongresses aller Konfessionen und Religionen vorgeschlagen.

Es gehe, sagte Metropolit Nikodim von Leningrad und Nowgorod auf der IV. Allchristlichen Friedensversammlung, um das Schaffen eines Friedens auf Erden, der «einen normalen Zustand der menschlichen Gesellschaft darstellt, in dem ihre materiellen Mittel und geistige Energie nicht in Brudermord und Krieg vergeudet, sondern vernünftig genutzt und zielstrebig von den Menschen guten Willens zur Schaffung einer immer gerechteren Lebensordnung verwandt werden, einer Ordnung, die allmählich in sich selbst, mit einer in der irdischen Situation möglichen Fülle die evangelische Idee des Reiches Gottes realisiert». «Wenn wir vom christlichen Dienst im Engagement für den Frieden sprechen», erklärte der Metropolit im Jahre 1975, «und von der Solidarität in diesem Dienst mit allen Menschen guten Willens, dann meinen wir damit, daß ein Christ stets Christ bleibt im persönlichen und Familienleben und in seiner gesellschaftlichen Tätigkeit. Unser Dienst kann sich nicht in eine rein säkulare Sache wandeln.» Doch das erfordert zugleich: «Christen, die von der Wahrhaftigkeit und der Kraft der den Menschen zuteil gewordenen göttlichen Offenbarung überzeugt sind, haben Anteil an der Sorge aller um das Schaffen eines friedlichen Lebens. Sie vertreten die Auffassung, daß, je stärker das christliche Ferment in der Friedensbewegung wirksam wird, desto eher die gesegnete, vom Propheten verkündete Zeit anbricht, in der die Menschen ‹ihre Schwerter zu Pflugscharen schmieden und ihre Spieße zu Sicheln. Kein Volk wird wider das andere das Schwert erheben, und sie werden hinfort nicht mehr lernen, Krieg zu führen› (Micha 4, 3; Jes. 2, 4).»

In der Moskauer Epiphanias-Patriarchenkathedrale
beglückwünscht Patriarch Benedikt von Jerusalem (3. v. l.)
den Patriarchen von Moskau und ganz Rußland, Alexi (Mitte),
anläßlich des fünfzigsten Jahrestages (1968) der Wiedererrichtung
des Patriarchats der Russischen Orthodoxen Kirche

Beim Gottesdienst in der Epiphanias-Kathedrale in Moskau

*Das Landeskonzil vom Jahre 1971 in der Refektoriumskirche
der Dreifaltigkeits-(Troize)-Sergi-Lawra in Sagorsk*

*Nach dem Gottesdienst vor der Dreifaltigkeitskirche
der Dreifaltigkeits-Sergi-Lawra*

Patriarch Pimen mit Patriarch Nikolaos VI. von Alexandrien
und Angehörigen des russischen Episkopats
in der Dreifaltigkeits-Sergi-Lawra

Empfang der Gäste des Landeskonzils 1971
in der Dreifaltigkeits-Sergi-Lawra

In der Dreifaltigkeits-Sergi-Lawra

*Am Tage der Heiligen Dreifaltigkeit (Pfingsten)
in der Dreifaltigkeits-Sergi-Lawra*

Prozession vor der Kathedrale in Lwow (1971)

*Bischof German beim Verlassen der Kirche von Kaljasin
in der Eparchie Kalinin (1974)*

Metropolit Iossif von Alma-Ata und Kasachstan
in einer Gemeinde der Eparchie Alma-Ata

Entzünden der Kerzen im Gottesdienst

Metropolit Ioann von Pskow und Porchow
bei der Lesung des Evangeliums

Am Tage der Wasserweihe (Epiphanias) holen Gläubige
im Gotteshaus geweihtes Wasser

Erzbischof (jetzt Metropolit) Filaret (Wachromejew) am Gründonnerstag beim Ritus der Fußwaschung nach Joh. 13, 4 ff.

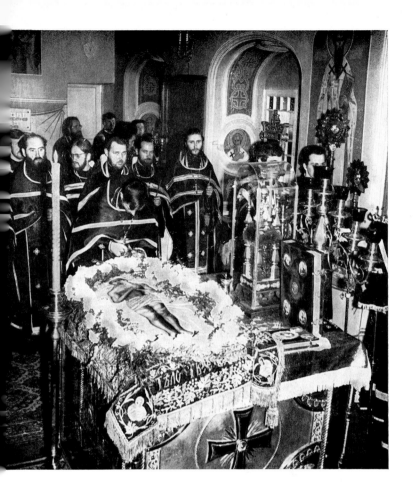

Am Karfreitag wird durch Niederlegen des Grabtuches (plastschaniza)
mit der Darstellung des Leichnams Christi auf dem Altar
der Kreuzesabnahme gedacht

Prozession in der Osternacht

Ein Priester segnet am Ostersonnabend das Ostergebäck

*In der Uspenski-Kathedrale von Odessa vollzieht Patriarch Pimen
die Salbung mit dem heiligen Öl*

Geistliche geben dem verunglückten Erzpriester P. Sokolowski das letzte Geleit

Das Gebäude der Moskauer Geistlichen Schulen
in der Dreifaltigkeits-Sergi-Lawra in Sagorsk

Während des kirchlichen Trauungsritus

Metropolit Juwenali von Tula und Belew
bei einer Trauung in Tula

Erzbischof (jetzt Metropolit) Filaret als Rektor
der Moskauer Geistlichen Akademie vor seinen Studenten

Prüfung von Fernstudenten

*Im Kabinett für christliche Archäologie und kirchliche Kunst
der Moskauer Geistlichen Schulen*

Ein Chor von Studenten und Mitarbeitern
der Moskauer Geistlichen Akademie

*Metropolit Sergi von Cherson und Odessa
beim «Scheren» von Studierenden des Odessaer Geistlichen Seminars
zum Amt des Lektors*

Junge Priester

Metropolit Alexi (Ridiger) von Tallin und Estland bei der Weihe
des Archimandriten Simon (Nowikow) zum Bischof von Rjasan und Kassimo
in der Mariä-Fürbitt-Kirche der Moskauer Geistlichen Schulen (1972)

Diakonsweihe durch den Rektor der Moskauer geistlichen Schulen,
Erzbischof Wladimir von Dmitrow

*Metropolit Nikodim von Leningrad und Nowgorod vollzieht
den Ritus des «Scherens» bei der Mönchsweihe*

*Weihe von Nonnen im Mariä-Geburts-(Hl.-Michael-)Kloster
beim Dorf Alexandrowo (Eparchie Odessa)*

Prozession am Ostertag in der Dreifaltigkeits-Sergi-Lawra in Sagorsk

Ein Schimnik (Mönch nach der zweiten Mönchsweihe)
im Kloster des Entschlafens der Gottesmutter in Odessa

Totenmesse für einen Mönch
der Dreifaltigkeits-Sergi-Lawra

*Ein Mönch der Dreifaltigkeits-Sergi-Lawra
wird zu Grabe getragen*

*Am Gedenktag des heiligen Sergi von Radonesh an der Brunnenkapelle
in der Dreifaltigkeits-Sergi-Lawra*

Beim Festmahl in der Dreifaltigkeits-Sergi-Lawra

*Patriarch Pimen am Sarkophag des heiligen Sergi von Radonesh
in der Dreifaltigkeitskirche der Dreifaltigkeits-Sergi-Lawra*

Osterprozession in der Dreifaltigkeits-Sergi-Lawra in Sagorsk

Prozession in der Osternacht

Metropolit Nikodim von Leningrad und Nowgorod
beim Empfang durch Papst Paul VI. im Dezember 1970

Patriarch Pimen zusammen mit Dr. Potter
im Zentrum des Ökumenischen Rates der Kirchen in Genf
im September 1973

Patriarch Pimen als Gast des Patriarch-Katholikos
Dawid V. von Georgien im November 1972

Literaturhinweise

Aus Raumgründen kann nur eine begrenzte Auswahl der benutzten Literatur geboten werden.

Abkürzungen:

BT   Bogoslovskie trudy, Izdanie Moskovskoj Patriarchii
KiO Kirche im Osten, Bd. 1–5 Stuttgart, ab Bd. 6 Göttingen
OS   Ostkirchliche Studien, Würzburg
StO Stimme der Orthodoxie, Berlin
ŽMP Žurnal Moskovskoj Patriarchii

Afanas'ev, N.: Das Konzil in der Russisch-orthodoxen Theologie. In: KiO 7 (1964), S. 33–52.

Ambarcumov, E.: Princip sovremennosti v cerkovnoj propovedi. Leningrad 1969 (Masch.) (Der Grundsatz des Gegenwartsbezugs in der Predigt der Kirche).

Ammann, A.: Abriß der ostslawischen Kirchengeschichte, Wien 1950.

Appel, K.: Die Auseinandersetzung um die kirchliche Gerichtsbarkeit im Moskauer Rußland 1649–1701. Phil. Diss. Berlin 1966 (Masch.).

Archangel'skij, A.: Duchovnoe obrazovanie i duchovnaja literatura v Rossii pri Petre Velikom, Kazan' 1883 (Geistliche Bildung und geistliche Literatur in Rußland unter Peter d. Gr.).

(Barsukov, N.): Istočniki russkoj agiografii. St. Petersburg 1882, Nachdruck Leipzig 1970 (Quellen der russischen Hagiographie).

(Belevcev, I.) Belewzew, J.: Patriarch Sergius und sein Beitrag zum interkonfessionellen Gespräch mit Altkatholiken und Anglikanern. In: StO 1974, 4, S. 53–64.

Beneševič, V. N.: Sbornik pamjatnikov po istorii cerkovnago prava, Petrograd, Teil I: 1915, Teil 2: 1914 (Sammlung von Quellen zur Geschichte des Kirchenrechts).

Benz, E. (Hrsg.): Die Ostkirche und die russische Christenheit. Tübingen (1949).

Benz, E.: Die Ostkirche im Lichte der protestantischen Geschichtsschreibung von der Reformation bis zur Gegenwart. Freiburg/ München (1952).

Benz, E. (Hrsg.): Russische Heiligenlegenden. Zürich (1953).

349

Benz, E., Zander, L. A. (Hrsg.): Evangelisches und orthodoxes Christentum in Begegnung und Auseinandersetzung, Hamburg (1952).

Blagovidov, F. V.: Oberprokurory svjatejšago sinoda v XVIII i v pervoj polovine XIX stoletija, Kazan' 1900 (Die Oberprokuroren des Heiligsten Synod im 18. und in der ersten Hälfte des 19. Jh.).

Bronzov, A. A.: Nravstvennoe bogoslovie v Rossii v tečenie XIX-go stoletija. St. Petersburg 1901 (Die Moraltheologie in Rußland im 19. Jh.).

Bubnoff, N. v. (Hrsg.): Russische Religionsphilosophen, Dokumente. Heidelberg 1956.

Budovnic, I. U.: Obščestvenno-političeskaja mysl' drevnej Rusi (XI–XIV vv.). Moskau 1960 (Gesellschaftspolitisches Denken im alten Rußland [11.–14. Jh.]).

Buevskij, A.: Russkaja pravoslavnaja cerkov' za granicej, I. Missii. In: ŽMP 1950, 10, S. 28–33 (Die Russische Orthodoxe Kirche im Ausland, I. Missionen).

Buevskij, A.: Pravoslavnyj vostok i russkaja pravoslavnaja cerkov' v I-j polovine XX stoletija. Moskauer Geistliche Akademie 1951 (Masch.) (Der orthodoxe Osten und die Russische Orthodoxe Kirche in der 1. Hälfte des 20. Jh.).

Burakov, B.: Russkaja Pravoslavnaja Cerkov' na nemeckom zemle. In: ŽMP 1966, 3, S. 74–75 (Die Russische Orthodoxe Kirche im deutschen Gebiet).

Cerkov' v istorii Rossii (IX v. – 1917 g.). Moskau 1967 (Die Kirche in der Geschichte Rußlands [9. Jh.–1917]).

Chrysostomus, J.: Kirchengeschichte Rußlands der neuesten Zeit, 3 Bde. München/Salzburg (1965–1968).

Chrysostomus, J.: Die Lage der Altgläubigen in Rußland vor dem ersten Weltkrieg. In: OS 18 (1969), H. 1, S. 3–15.

Čistovič, I.: Feofan Prokopovič i ego vremja. St. Petersburg 1868 (Feofan Prokopovič und seine Zeit).

Curtiss, J. S.: Church and State in Russia. The Last Years of the Empire. 1900–1917, New York 1940.

Curtiss, J. S.: Die Kirche in der Sowjetunion (1917–1956). München 1957.

Dejanija Archierejskogo Sobora Russkoj Pravoslavnoj Cerkvi (1961). In: ŽMP 1961, 8, S. 5–29 (Materialien der Bischofssynode der Russischen Orthodoxen Kirche [1961]).

Dejanija Soveščanij Glav i Predstavitelej Avtokefal'nych Pravoslavnych Cerkvej 8–18 julja 1948 goda, 2 Bde. Moskau 1949 (Materialien der Beratung der Häupter und Vorsteher der autokephalen orthodoxen Kirchen, 8.–18. Juli 1948).

Literaturhinweise

Dekrety sovetskoj vlasti, Bd. 1–5. Moskau 1957–1971 (Dekrete der Sowjetmacht).

Delius, W.: Der Protestantismus und die russisch-orthodoxe Kirche. Berlin (1950).

Delius, W.: Antonio Possevino SJ und Ivan Groznyj. Ein Beitrag zur Geschichte der kirchlichen Union und der Gegenreformation des 16. Jahrhunderts. Stuttgart (1962).

Donnert, E.: Rußland an der Schwelle der Neuzeit. Der Moskauer Staat im 16. Jahrhundert. Berlin 1972.

Döpmann, H.-D.: Der Einfluß der Kirche auf die moskowitische Staatsidee. Staats- und Gesellschaftsdenken bei Josif Volockij, Nil Sorskij und Vassian Patrikeev. Berlin (1967).

Ehrenberg, H., Bubnoff, N. v. (Hrsg.): Östliches Christentum. Dokumente, 2 Bde. München (1923–1925).

Evgenij (Bolchovitinov): Slovar' istoričeskij o byvšich v Rossii pisatel'jach duchovnago čina greko-rossijskoj cerkvi. ²1827, Nachdruck Leipzig 1971.

Faensen, H., Iwanow, W.: Altrussische Baukunst, Berlin (1972).

Felmy, K. C.: Predigt im orthodoxen Rußland. Untersuchungen zu Inhalt und Eigenart der russischen Predigt in der zweiten Hälfte des 19. Jahrhunderts. Göttingen (1972).

(Filaret Drozdov): Ausführlicher christlicher Catechismus der rechtgläubigen, kath., morgenländischen Kirche (Verfaßt von Philaret, weiland Metropoliten zu Moscau). In: Geschichte der Kirche Rußlands von Philaret, weiland Erzb. von Tschernigow, II, nebst dem Russ. Catechismus. Frankfurt a. M. 1872.

(Filaret [Gumilevskij]): Geschichte der Kirche Rußlands von Philaret, weiland Erzb. von Tschernigow, I–II. Frankfurt a. M. 1872.

Filaret (Gumilevskij): Obzor russkoj duchovnoj literatury, 862 bis 1863, 2 Bde. St. Petersburg, 3. Aufl. 1884 (Überblick über die russische geistliche Literatur, 862–1863).

Filaret (Gumilevskij): Žitija svjatych, 12 Bde. St. Petersburg 1900 (Heiligenleben).

(Filaret [Vachromeev]): Erzbischof Philaret von Berlin und Mitteleuropa, Exarch des Moskauer Patriarchen: Patriarch Pimen. Berlin (1975).

Florovskij, G.: Puti russkago bogoslovija. Paris 1937 (Wege der russischen Theologie).

Gaede, K.: Das Schriftverständnis Lev Tolstojs und Fragen seines gesellschaftlichen Bezuges. Theol. Diss. Berlin 1974 (Masch.).

Das Geistliche Reglement Peters d. Großen, 3. Aufl. Danzig 1725.

(Georgievskij, A. I.) Georgijewski, A. I.: Drei Dezennien im Dien-

351

ste kirchlicher Erziehung. Die Moskauer geistlichen Hochschulen begingen ihr Jubiläum. In: StO 1974, 11, S. 26–33.

Giduljanov, P. V.: Otdelenie cerkvi ot gosudarstva v SSSR, 3. Aufl. Moskau 1926; Dopolnenie pervoe. Moskau 1928 (Trennung von Kirche und Staat in der UdSSR [Gesetzessammlung] und Erste Ergänzung).

Glazik, J.: Die russisch-orthodoxe Heidenmission seit Peter dem Großen. Münster 1954.

Glazik, J.: Die Islammission der Russisch-Orthodoxen Kirche. Münster 1959.

Glubokovskij, N. N.: Russkaja bogoslovskaja nauka v eja istoričeskom razvitii i novejšem sostojanii. Warschau 1928 (Die russische theologische Wissenschaft in ihrer historischen Entwicklung und ihrem neuesten Stand).

Goetz, L. K.: Staat und Kirche in Altrußland (Kiever Periode 988 bis 1240). Berlin 1908.

Gogol', N.: Betrachtungen über die Göttliche Liturgie, 2. Aufl. Freiburg (1954).

Golubinskij, E.: Istorija russkoj cerkvi, 2 Bde. Moskau 1901–1911, Nachdruck The Hague/Paris 1969 (Geschichte der russischen Kirche).

Golubinskij, E. E.: Istorija kanonizacii svjatych v russkoj cerkvi. Moskau 1903 (Geschichte der Heiligsprechungen in der russischen Kirche).

Gorskij, A. V.: Istorija Cerkvi Russkoj. In: ŽMP 1976, H. 1–4 (Geschichte der Russischen Kirche. Gekürzter Erstdruck einer Vorlesung von 1842).

Günther, W.: Die Russisch-orthodoxe Kirche in Deutschland am Vorabend des ersten Weltkrieges. In: KiO 6 (1963), S. 55–64.

Harder, J.: Kleine Geschichte der Orthodoxen Kirche, Berlin (1963).

Hauptmann, P.: Die «Narren um Christi willen» in der Ostkirche. In: KiO 2 (1959), S. 27–49.

Hauptmann, P.: Altrussischer Glaube. Der Kampf des Protopopen Avvakum gegen die Kirchenreformen des 17. Jahrhunderts. Göttingen (1963).

Hauptmann, P.: Die Katechismen der Russisch-orthodoxen Kirche. Entstehungsgeschichte und Lehrgehalt. Göttingen (1971).

Heise, C. U.: Die Gesetzessammlung (Uloženie) von 1649 und ihre Auswirkungen auf die Kirche in der Ära Nikons. Phil. Diss. Heidelberg 1972 (Masch.).

Ioann (Snyčev): Cerkovnye raskoly v russkoj cerkvi 20-ch i 30-ch godov XX stoletija — «grigorianskij», «jaroslavskij», «Iosifljanskij», «viktorianskij» i drugie, ich osobennost' i istorija. Kujbyšev 1966. Leningrader Geistliche Akademie (Masch.) (Die Kirchenspaltungen in der russischen Kirche in den 20er und 30er Jahren des 20. Jh.: «Grigorianer», «Jaroslavler», «Iosifiten», «Viktorianer» und andere, ihre Eigenart und Geschichte).

Ivanov, A.: Žizn' i dejatel'nost' Russkoj Pravoslavnoj Cerkvi za 1917–1957 gody. Leningrader Geistliche Akademie 1958 (Masch.) (Leben und Wirken der Russischen Orthodoxen Kirche in den Jahren 1917–1957).

Jacobi, E.: Staat und Kirche in der Sowjetunion. In: Wissensch. Zeitschr. der Karl-Marx-Universität Leipzig, 4. Jg. 1954/55, Gesellschafts- u. sprachwiss. Reihe, H. 3/4, S. 325–344.

Jockwig, F.: Der Weg der Laien auf das Landeskonzil der Russischen Orthodoxen Kirche Moskau 1917/18. Würzburg 1971.

(Juvenalij [Pojarkov]) Metropolit Juwenali: Unser orthodox-protestantischer Dialog. Zur ersten Gesprächsrunde zwischen dem Moskauer Patriarchat und dem Bund der Evangelischen Kirchen in der DDR. In: StO 1974, 10, S. 39–49, anschließend Kommunique und eine Zusammenfassung der Referate.

Karcov, V. G.: Religioznyj raskol kak forma antifeodal'nogo protesta v istorii Rossii. Kalinin 1971 (Das religiöse Schisma als Form des antifeudalen Protestes in der Geschichte Rußlands).

Kartašev, A. V.: Očerki po istorii russkoj cerkvi, 2 Bde. Paris (1959) (Abriß der Geschichte der russischen Kirche).

Kazakova, N. A., Lur'e, Ja. S.: Antifeodal'nye eretičeskie dviženija na Rusi XIV – načala XVI veka. Moskau–Leningrad 1955 (Antifeudale häretische Bewegungen in Rußland, 14. bis Anfang 16. Jh.).

Kazanskij, P.: Istorija pravoslavnago russkago monašestva. Moskau 1885 (Geschichte des russisch-orthodoxen Mönchtums).

(Kazem-Bek, A.) Kasem-Beck, A.: Das Konzil der Bischöfe der Russischen Orthodoxen Kirche in der Troize-Sergiewa Lawra am 18. Juli 1961. In: StO 1961, 4, S. 7–19.

(Kazem-Bek, A.) Kasem-Beck, A.: Patriarch Tichon – Primas an einer Zeitenwende. In: StO 1967, 9, S. 47–54.

Kirche und Staat in der Sowjetunion. Gesetze und Verordnungen, hrsg. v. R. Stupperich, Witten (1962).

Klibanov, A. I.: Reformacionnye dviženija v Rossii v XIV – pervoj polovine XVI vv. Moskau 1960 (Reformatorische Bewegungen in Rußland im 14. bis zur ersten Hälfte des 16. Jh.).

Klibanov, A. I.: Istorija religioznogo sektantstva v Rossii (60-e gody XIX v. – 1917 g.). Moskau 1965 (Geschichte des religiösen Sektierertums in Rußland (60er Jahre des 19. Jh. bis 1917).

Klimenko, M.: Ausbreitung des Christentums in Rußland seit Vladimir dem Heiligen bis zum 17. Jahrhundert. Berlin/Hamburg 1969.

Kotljarov, V.: Kritičeskij obzor istočnikov i literatury po istorii duchovnogo obrazovanija v Rossii za sinodal'nyj period. Leningrader Geistliche Akademie 1959 (Masch.) (Kritischer Überblick über Quellen und Literatur zur Geschichte der geistlichen Bildung in Rußland während der Synodalperiode).

Kozlov, O. F.: Cerkovnaja reforma pervoj četverti XVIII veka. Diss. Kandidat d. Histor. Wiss. Moskauer Universität 1969 (Masch.) (Die Kirchenreform im ersten Viertel des 18. Jh.).

Krause, W.: Die Bibel in Rußland. In: KiO 1 (1958), S. 11–23.

Kulikov, F.: Učastie russkogo pravoslavnogo duchovenstva v osvoboditel'noj bor'be russkogo naroda v period Otečestvennoj vojny 1812 goda. Astrachan' 1965. Leningrader Geistliche Akademie (Masch.) (Die Teilnahme der russischen orthodoxen Geistlichkeit am Befreiungskampf des russischen Volkes zur Zeit des Vaterländischen Krieges von 1812).

Laskovaja, M. P.: Bogoiskatel'stvo i bogostroitel'stvo prežde i teper'. Moskau 1972 («Bogoiskatel'stvo» und «Bogostroitel'stvo» einst und heute).

Lilienfeld, F. v.: Nil Sorskij und seine Schriften. Die Krise der Tradition im Rußland Ivans III. Berlin (1963).

Lilienfeld, F. v. (Hrsg.): Hierarchen und Starzen der Russischen Orthodoxen Kirche, Berlin (1966).

(Logačev, K.) Logatschow, K.: Aus der Geschichte der Leningrader Geistlichen Akademie. In: StO 1972, H. 2, 3.

(Logačeva, L.) Logatschowa, L.: Russische Orthodoxie und Anglikanische Kirche. In: StO 1973, 8, 25–30.

Losskij, Vl.: Očerk mističeskogo bogoslovija Vostočnoj Cerkvi. In: BT 8 (1972), S. 7–128. Dasselbe deutsch:
Lossky, Vl.: Die mystische Theologie der morgenländischen Kirche. Graz/Wien/Köln (1961).

Mainka, R.: Die erste Auseinandersetzung der russischen Theologie mit dem Protestantismus. In: OS 11 (1962), S. 131–159.

Makarij (Bulgakov): Istorija russkoj cerkvi, 12 Bde., 3. Aufl. St. Petersburg 1866–1883, Nachdruck Düsseldorf 1968/69 (Geschichte der russischen Kirche).

(Makarij [Bulgakov]) Macarius: Handbuch der orthodox-dogmatischen Theologie. Moskau 1875.

Makarovskij, A. I.: Kurs istorii Russkoj Cerkvi, domongol'skij period. Leningrader Geistliche Akademie 1951 (Masch.) (Lehrgang der Geschichte der Russischen Kirche, die vormongolische Periode).

Moščenko, B.: Pastyrskoe dušepopečenie optinskich starcev po ich pis'mam. Leningrader Geistliche Akademie 1962 (Masch.) (Die pastorale Seelsorge der Optina-Starzen nach ihren Briefen).

Müller, L.: Russischer Geist und Evangelisches Christentum. Die Kritik des Protestantismus in der russischen religiösen Philosophie und Dichtung im 19. und 20. Jahrhundert. Witten (1951).

Müller, L.: Die Kritik des Protestantismus in der russischen Theologie vom 16. bis zum 18. Jh. Mainz/Wiesbaden 1951. Akademie d. Wiss. u. d. Lit., Abhandl. d. Geistes- u. sozialwiss. Klasse 1951, 1.

Müller, L.: Zum Problem des hierarchischen Status und der jurisdiktionellen Abhängigkeit der russischen Kirche vor 1039. Köln 1959.

Müller, L.: Der Einfluß des liberalen Protestantismus auf die russische Laientheologie des 19. Jh. In: KiO 3 (1960), S. 21–32.

Nikodim (Rotov), Metropolit: Die Russische Orthodoxe Kirche und die Ökumenische Bewegung. In: StO 1968, 10, S. 43–58.

Nikodim (Rotov), Metropolit: Die Aufgaben der Theologie in der Gegenwart. In: StO 1969, 2, S. 55–61.

Nikodim (Rotov), Metropolit: Ioann XXIII, papa Rimski, Magisterdiss. Moskauer Geistliche Akademie 1969 (Masch.) (Der römische Papst Johannes XXIII.).

Nikodim (Rotov), Metropolit: Sbornik sočinenij, 5 Bde. Leningrad 1974 (Masch.) (Gesammelte Aufsätze).

Nikodim (Rotov), Metropolit: Zur theologischen Begründung der christlichen Friedensarbeit. In: StO 1975, 3, S. 32–40.

Nikodim (Rotov), Metropolit: Welt im Wandel (Analyse gegenwärtiger theologischer und seelsorgerlicher Tendenzen in der Kirche). In: StO 1975, 11, S. 36–46.

Nikolaj (Eremin): Pričt i prichožane v ich vzaimnych otnošenijach. In: Golos Pravoslavija 1952, H. 12, 1953, H. 1, 2 (Das gegenseitige Verhältnis von Pfarrgeistlichkeit und Gemeindegliedern).

Nikolaj (Jaruševič) Metropolit: Die russische orthodoxe Wissenschaft im letzten Jahrhundert. In: Theologische Literaturzeitung 82 (1957), S. 881–890.

Nolte, H.-H.: Religiöse Toleranz in Rußland 1600–1725, Göttingen (1969).

Onasch, K.: Grundzüge der russischen Kirchengeschichte, Göttingen (1967) = Die Kirche in ihrer Geschichte, Bd. 3, Lieferung M 1.

Onasch, K.: Die Ikonenmalerei. Leipzig (1968).

Onasch, K.: Großnowgorod und das Reich der heiligen Sophia. Leipzig (1969).

Osipovič, A.: Das Landeskonzil und seine Bedeutung für die Russische Orthodoxe Kirche. In: StO 1971, 4, S. 11–20.

Patriarch Sergij i ego duchovnoe nasledstvo. Moskau 1947. Gekürzte Übersetzung: Patriarch Sergius und sein geistiges Erbe. Berlin 1952.

Pavlov, S. A.: Pamjatniki drevne-russkago kanoničeskago prava. St. Petersburg 1880 (Leitfaden des altrussischen Kirchenrechts).

Persic, M. M.: Otdelenie cerkvi ot gosudarstva i školy ot cerkvi v SSSR (1917–1919 gg.). Moskau 1958 (Trennung der Kirche vom Staat und der Schule von der Kirche in der UdSSR (1917–1919).

Pimen (Izvekov), Patriarch: Die Ökumene der Gegenwart in orthodoxer Sicht. In: StO 1974, 10, S. 25–35.

Pimen (Izvekov), Patriarch: Die Verantwortung der orthodoxen Landeskirchen für ihren Dienst in der modernen Welt. In: STO 1975, 5/6, S. 12–18.

Pitirim (Nečaev), Bischof: Patriarch Sergij v istorii vosstanovlenija patriaršestva. In: ŽMP 1969, 5, S. 63–71 (Patriarch Sergi in der Geschichte der Wiedererrichtung des Patriarchats).

Platonov, N. F.: Pravoslavnaja cerkov' v bor'be s revoljucionnym dviženiem v Rossii (1900–1917 gg.). In: Ežegodnik muzeja istorii religii i ateizma 4 (1960), S. 103–209 (Die orthodoxe Kirche im Kampf mit der revolutionären Bewegung in Rußland [1900 bis 1917]).

Platonov, N. F.: Pravoslavnaja cerkov' v 1917–1935 gg. In: Ežegodnik muzeja istorii religii i ateizma 5 (1961), S. 206–271 (Die orthodoxe Kirche in den Jahren 1917–1935).

Pleyer, V.: Das russische Altgläubigentum. München 1961.

Polnoe sobranie postanovlenij i razporjaženij po vedomstvu pravoslavnago izpovedanija Rossijskoj Imperii. St. Petersburg (Vollständige Sammlung der Verordnungen und Verfügungen laut dem Ressort für das orthodoxe Bekenntnis des Russischen Kaiserreichs).

Pomestnyj Sobor Russkoj Pravoslavnoj Cerkvi 30 maja – 2 ijunija 1971 goda. Dokumenty, materialy, chronika. Moskau 1972 (Das Landeskonzil der Russischen Orthodoxen Kirche vom 30. Mai bis 2. Juni 1971. Dokumente, Materialien, Verlauf).

Pravda o religii v Rossii. Moskovskaja Patriarchija 1942 (Die Wahrheit über die Religion in Rußland).

Religija i cerkov' v istorii Rossii (Sovetskie istoriki o pravoslavnoj cerkvi v Rossii). Moskau 1975 (Religion und Kirche in der Geschichte Rußlands [Sowjetische Historiker über die orthodoxe Kirche in Rußland]).

356

Rossijskaja pravoslavnaja cerkov'. Svjaščennyj sobor. Materialy. Moskau 1917–1918 (Russ. Orth. Kirche, Hl. Konzil, Materialien).

Rössler, R.: Kirche und Revolution in Rußland. Patriarch Tichon und der Sowjetstaat. Köln/Wien 1969.

Rose, K.: Predigt der russisch-orthodoxen Kirche. Wesen – Gestalt – Geschichte. Berlin (1952).

Rose, K.: Grund und Quellort des russischen Geisteslebens. Von Skythien bis zur Kiewer Rus. Berlin (1956).

Runkevič, S. G.: Istorija russkoj Cerkvi pod upravleniem svjatejšago sinoda, Bd. 1. St. Petersburg 1900 (Geschichte der russischen Kirche unter der Leitung des Heiligsten Synod).

Die Russische Orthodoxe Kirche. Ihre Einrichtungen, ihre Stellung, ihre Tätigkeit. Verlag des Moskauer Patriarchats 1958.

Die Russische Orthodoxe Kirche im Kampf für den Frieden. Verlag des Moskauer Patriarchats 1950.

Russkaja Pravoslavnaja Cerkov' i Velikaja otečestvennaja vojna. Sbornik cerkovnych dokumentov, Moskovskaja Patriarchija 1943 (Die Russische Orthodoxe Kirche und der Große Vaterländische Krieg. Sammlung kirchlicher Dokumente).

Šabatin, I. N.: Iz istorii Russkoj Cerkvi ot dnja končiny sv. mitr. Aleksija do osuščestvlenija russkoj cerkovnoj avtokefalii (1378 bis 1448 g.). In: Messager de l'exarchat du Patriarche russe en Europe occidentale, 1965–1966, Nr. 49–55 (Aus der russischen Kirchengeschichte vom Tode des hl. Metr. Aleksi bis zur Verwirklichung der Autokephalie der russischen Kirche [1378–1448].

Šabatin, I.: Russkaja Pravoslavnaja Cerkov' v 1917–1967 gg. In: ŽMP 1967, 10, S. 32–46 (Die Russische Orthodoxe Kirche in den Jahren 1917–1967).

Schultze, B.: Russische Denker. Ihre Stellung zu Christus, Kirche und Papsttum. Wien (1950).

Schulz, G.: Das erste theologische Gespräch zwischen dem Bund der Evangelischen Kirchen in der DDR und der Russischen Orthodoxen Kirche (Sagorsk I) (mit Dokumentation). In: Die Zeichen der Zeit 1975, 1, S. 22–30 (vgl. auch: StO 1975, 1, S. 43–53 sowie den Bericht von V. Stojkov in: StO 1975, 8, S. 38–45).

Serafim (Tichonov): Istočniki dejstvujuščego prava Russkoj Pravoslavnoj Cerkvi. Istorija i sostav. Leningrader Geistliche Akademie 1965 (Masch.) (Die Quellen des gültigen Rechts der Russischen Orthodoxen Kirche. Geschichte und Bestand).

Sergij (Larin), Bischof: Obnovlenčeskij raskol. Astrachan-Omsk 1953 bis 1959. Moskauer Geistliche Akademie (Masch.) (Das Schisma der «Erneuerer»).

357

Simon, G.: Konstantin Petrovič Pobedonoscev und die Kirchenpolitik des Heiligen Sinod 1880–1905, Göttingen 1969.

Šiškin, A. A.: Suščnosť i kritičeskaja ocenka «obnovlenčeskogo» raskola russkoj pravoslavnoj cerkvi. Kazan' 1970 (Wesen und kritische Wertung des «Erneuerer»-Schisma der russischen orthodoxen Kirche).

Skurat, K.: Avtokefal'naja Pravoslavnaja Cerkov' v Amerike. In: ŽMP 1971, H. 5, 6 (Die Autokephale Orthodoxe Kirche in Amerika).

Slenczka, R.: Ostkirche und Ökumene. Die Einheit der Kirche als dogmatisches Problem in der neueren ostkirchlichen Theologie, Göttingen (1962).

Smolitsch, I.: Russisches Mönchtum. Entstehen, Entwicklung und Wesen 988–1917. Würzburg 1953.

Smolitsch, I.: Leben und Lehre der Starzen, 2. Aufl. Köln und Olten o. J.

Smolitsch, I.: Geschichte der russischen Kirche 1700–1917, Bd. 1, Leiden 1964.

Smolitsch, I.: Der Konzilsvorbereitungsausschuß des Jahres 1906. Zur Vorgeschichte des Moskauer Landeskonzils von 1917/18. In: KiO 7 (1964), S. 53–93.

Smolitsch, I.: Die russische Kirche in der Revolutionszeit vom März bis Oktober 1917 und das Landeskonzil 1917–1918. In: OS 14 (1965), S. 3–34.

Sokolovskij, P.: Položenie Cerkvi v socialističeskom obščestve. In: ŽMP 1969, 11, S. 59–60 (Die Stellung der Kirche in der sozialistischen Gesellschaft).

Šovkun, N.: Skit Optinskoj pustyni i ego značenie v istorii russkogo monašestva. Leningrader Geistliche Akademie 1956 (Masch.) (Die Optina-Einsiedelei und ihre Bedeutung in der Geschichte des russischen Mönchtums).

Staroobrjadčeskij cerkovnyj kalendar' na 1967 god (Riga) (Altritueller Kirchenkalender für das Jahr 1967).

Studienheft 3–8, hrsg. v. Außenamt der Evangelischen Kirche in Deutschland, Witten 1961–1974 (Texte aller Vorträge bei den Lehrgesprächen mit der Russischen Orthodoxen Kirche).

Stupperich, R. (Hrsg.): Die Russische Orthodoxe Kirche in Lehre und Leben, Witten 1966.

Stupperich, R.: Der griechische Einfluß auf die Russische Orthodoxe Kirche vom 15. bis zum 17. Jahrhundert. In: KiO 10 (1967), S. 34 bis 47.

Svjaščennyj Sobor Pravoslavnoj Rossijskoj Cerkvi

Dejanija, Moskau–Petrograd 1918
Sobranie opredelenij i postanovlenij, Moskau 1918
(Das heilige Konzil der Orthodoxen Russischen Kirche, Protokoll-
bände, Sammlung der Beschlüsse und Verfügungen).

Tarasij, ieromonach, Velikorossijskoe i malorossijskoe bogoslovie
XVI i XVII vekov. St. Petersburg 1903 (Die groß- und die klein-
russische Theologie im 16. und 17. Jh.).

Titlinov, B. V.: Duchovnaja škola v Rossii v XIX stoletii. Wilna
1908/09 (Die geistliche Schule in Rußland im 19. Jh.).

Titlinov, B. V.: Novaja cerkov', Petrograd/Moskau 1923 (Neue
Kirche).

Titlinov, B. V.: Molodež i revoljucija. Leningrad 1924 (Jugend und
Revolution).

Troickij, G.: Russkaja Pravoslavnaja Cerkov' v 1917–1967. In:
ŽMP 1967, 11, S. 38–45 (Die Russ. Orth. Kirche in d. Jahren 1917
bis 1967).

Troickij, G.: Patriarch Sergij i russkij zarubežnyj cerkovnyj raskol.
In: ŽMP 1968, H. 5, 6 (Patriarch Sergi und das Schisma der russischen Auslandskirche).

Troickij, G.: Christliche Hagiographie. In: StO 1976, H. 4, 5, 7, 8.

Troickij, S. V.: O nepravde karlovackogo raskola. Paris 1960 (Über
das Unrecht des Karlowitzer Schisma).

Troickij, S.: Pravovaja istorija monašestva. In: ŽMP 1973, 12,
S. 61–68 (Rechtsgeschichte des Mönchtums).

Troickij, S.: Die Stellung der Laien im System des Kirchenrechts. In:
StO 1975, H. 3, 4.

Trošin, P.: Filioque – kak dogmat i kak ϑεολογούμενον v vopro-
sach sbliženija vostočnogo i zapadnogo christianstva. Leningrader
Geistliche Akademie 1965 (Masch.) (Das «Filioque» als Dogma
und als Theologumenon bei den Fragen einer Annäherung der
östlichen und der westlichen Christenheit).

Trubeckoj, N.: Russkoe pravoslavnoe cerkovno-bogoslužebnoe penie
(Kratkij istoričeskij očerk proischoždenija i razvitija). In: ŽMP
1959, H. 10–12 (Der russisch-orthodoxe gottesdienstliche Gesang
[Kurzer historischer Abriß des Entstehens und der Entwicklung]).

Tyščuk, A.: Japonskaja Avtonomnaja pravoslavnaja cerkov'. In:
ŽMP 1970, H. 11, 12 (Die Japanische Autonome orthodoxe
Kirche).

Uspenskij, N. D.: Kollizija dvuch bogoslovij v ispravlenii russkich
bogoslužebnych knig v XVII veke. In: BT 13 (1975), S. 148–171
(Der Zusammenstoß zweier Theologien bei der Verbesserung der
russischen gottesdienstlichen Bücher im 17. Jh.).

Vasilij (Krivošejn), archiepiskop: Simvoličeskie teksty v Pravoslavnoj Cerkvi. In: BT 4 (1969) (Die symbolischen Texte in der Orthodoxen Kirche).

Verchovskoj, P. V.: Učreždenie duchovnoj kollegii i duchovnyj reglament, 2 Bde. Rostov na Donu 1916 (Die Errichtung des Geistlichen Kollegiums und das Geistliche Reglement).

Vetelev, A.: Gomiletika. Kurs akadem. lekcij po teorii i praktike
cerkovno-pravoslavnogo propovedničestva. Moskauer Geistliche
Akademie (1949) (Homiletik. Akademische Vorlesungen über
Theorie und Praxis orthodoxen Predigens).

Volkov, V. M.: Svjato-Troickaja Sergieva Lavra i Moskovskaja
duchovnaja akademija (Istoriko-bibliografičeskij očerk). In: ŽMP
1972, 9, S. 70–75 (Das Sergi-Dreifaltigkeits-Kloster und die Moskauer Geistliche Akademie [Historisch-bibliographischer Über-
blick]).

(Voronov, L.) Woronow, L.: Der orthodoxe Standpunkt zu den
Grundlagen der sozialen Ethik in der sowjetischen Wirklichkeit.
In: StO 1966, 12, S. 42–49.

Voronov, L.: Pravoslavie. Mir. Ėkumena. Magisterdissertation.
Leningrader Geistliche Akademie 1970 (Masch.) (Orthodoxie, Frieden, Ökumene. Untersuchungen und Aufsätze).

Vvedenskij, A. I.: Dejstvujuščie zakonopoloženija kasatel'no staro-
obrjadcev i sektantov. Odessa 1913 (Die gültigen Gesetzesgrund-
lagen betreffs Altgläubige und Sektierer).

Wendland, Joann, Bischof: Wesen und Wirken des Hochheiligen Patriarchen Alexius von Moskau und ganz Rußland im Jahrzehnt
1950 bis 1960. Berlin (1961).

Winkler, M. (Hrsg.): Slavische Geisteswelt. Rußland. Darmstadt
und Genf (1955).

Winter, E.: Rußland und das Papsttum, Teil 1 u. 2. Berlin 1960/61,
Die Sowjetunion und der Vatikan, Teil 3 der Trilogie Rußland
und das Papsttum, Berlin 1972.

Winter, E.: Rom und Moskau. Ein halbes Jahrtausend Weltgeschichte in ökumenischer Sicht, Wien 1972.

Zabolotskij, N.: Russkaja Pravoslavnaja Cerkov' v novych social'-
nych uslovijach. In: ŽMP 1967, 7, S. 33–38 (Die Russische Orthodoxe Kirche unter den neuen sozialen Bedingungen).

Zabolotskij, N.: Kafoličnost' – problema ėkumenizma, Magisterdissertation Leningrader Geistliche Akademie 1969 (Masch.) (Katholizität – ein Problem des Ökumenismus).

(Zabolotskij, N.) Sabolotski, N.: Unterwegs zur kirchlichen Einheit
mit den vorchalkedonischen Kirchen. In: StO 1971, 6, S. 54–64.

(Zabolotskij, N.) Sabolotski, N.: Aus dem Optimismus des Glaubens zur Verantwortung für den Frieden. In: StO 1974, H. 8, 9.

Zenkovskij, S.: Russkoe staroobrjadčestvo. München 1970 (Das russische Altgläubigentum).

Personenregister

Achmed, Khan 54, 57
Adalbert von Trier 10, 19
Adrian, Patriarch 112, 113
Afanassi, Mönch 44
Agafangel (Preobrashenski), Metropolit 233, 236, 237, 241, 242
Agapetos, Diakon 69
Akindin, Mönch 50
Aksakow, K. S. 175
Akwilonow, E. 204
Alexander I., Kaiser 147, 149, 151, 154, 162, 166, 182
Alexander II., Kaiser 156, 157, 168, 177
Alexander III., Kaiser 157, 171, 187
Alexander (Nemolowski), Erzbischof 269
Alexander Newski, Großfürst 32, 33, 35, 36, 47, 117, 182
Alexander von Twer, Großfürst 33, 38
Alexandra Feodorowna (Alice von Hessen-Darmstadt) 187
Alexej Michailowitsch, Zar 96, 97, 99–102, 104, 106
Alexej Petrowitsch, Zarewitsch 114, 128
Alexi, Erzbischof von Krasnodar und dem Kuban 253
Alexi, Metropolit von Kiew 39, 41, 42, 44, 46–48, 57, 182, 259
Alexi (Gromadski), Metropolit 256
Alexi (Ridiger), Metropolit 267, 295–297
Alexi (Simanski), Patriarch 253, 257, 259–262, 265, 267, 269, 271, 279, 281, 296

Amfiteatrow, J. K. 168
Amwrossi, Starez 160
Amwrossi (Podobedow), Metropolit 162
Anastassi (Gribanowski), Metropolit 269
Andreas, Apostel 9, 17, 98
Andrej, Bischof von Twer 50
Andrej, Erzbischof von Saratow 253
Andrej Bogoljubski, Großfürst 30
Angelus Silesius 135, 138
Anna, Kaiserin 128, 129, 133, 144
Anna, Frau Wladimirs des Heiligen 10
Anselm von Canterbury 106
Antoni, Bischof von Tobolsk 200
Antoni, Mönch 22, 25
Antoni (Amfiteatrow), Erzbischof 179
Antoni (Chrapowizki), Metropolit 230, 231, 246
Antoni Podolski, Starez 105
Antoni (Wadkowski), Metropolit 183, 192–194, 200
Antonin (Granowski), Bischof 213, 233, 234
Antonios II., Katholikos von Georgien 156
Antony (Bloom), Metropolit 270
Araktschejew, A. A., Minister 147, 151
Aristoteles 26
Arndt, Johann 134, 135, 137
Arseni Mazejewitsch (Andrej Wral), Bischof 130, 132
Arseni Satanowski 105

Inhalt

Inhalt

Inhalt